GRANDES NOVELISTAS

Sidney Sheldon

Mañana, tarde y noche

Traducción de Nora Watson

Sidney Sheldon

Mañana, Tarde y Noche

EMECÉ EDITORES

Diseño de tapa: *Eduardo Ruiz*
Fotografía de tapa: *Michael Britto*
Título original: *Morning, Noon and Night*
Copyright © 1995 by Sheldon Literary Trust
© Emecé Editores S.A., 1995
Alsina 2062 - Buenos Aires, Argentina
Primera edición
Impreso en Erre-Eme S.A.,
Talcahuano 277, Buenos Aires, agosto de 1995

IMPRESO EN LA ARGENTINA / PRINTED IN ARGENTINA
Queda hecho el depósito que previene la ley 11.723
I.S.B.N.: 950-04-1528-3
8.936

Permite que el sol de la mañana
entibie tu corazón cuando eres joven
Y deja que la suave brisa del mediodía
enfríe tu pasión
Pero cuídate de la noche
pues la muerte acecha allí
y espera, espera, espera.

Arthur Rimbaud

MAÑANA

CAPÍTULO UNO

DMITRI PREGUNTÓ:
—¿Sabía que nos están siguiendo, señor Stanford?

—Sí. —Hacía veinticuatro horas que lo había notado.

Los dos hombres y la mujer estaban vestidos informalmente, para poder fusionarse con los turistas de verano que recorrían las calles empedradas a esa hora temprana de la mañana, pero resultaba difícil ser poco conspicuo en un lugar tan pequeño como la aldea fortificada de St.-Paul de Vence.

Harry Stanford los había notado, precisamente por su aspecto *demasiado* informal, y por el esfuerzo que hacían por no mirarlo. Cada vez que volvía la cabeza, veía a uno a lo lejos.

Harry Stanford era un blanco fácil para seguir: medía más de un metro ochenta y tenía una cabellera blanca que le cubría el cuello, y un rostro aristocrático, casi arrogante. Estaba acompañado por una joven trigueña de notable belleza, un ovejero alemán blanco, y por Dmitri Kaminsky, un guardaespaldas de casi dos metros de estatura, cuello grueso y frente inclinada. "Somos difíciles de perder de vista", pensó Stanford. Sabía quién los había enviado y por qué, y lo abrumó la sensación de un peligro inminente. Había aprendido hacía mucho a confiar en sus instintos. Precisamente el instinto y la intuición lo habían ayudado a convertirse en uno de los hombres más ricos del mundo. La revista *Forbes* estimaba el valor de las Empresas Stanford en seis mil millones de dólares, al tiempo que *Fortune 500* lo calculaba en siete mil millones. Tanto *The Wall Street Journal*, como *Barron's* y *Financial Times* habían publicado semblanzas de Harry Stanford, en las cuales trataban de explicar su mística, su sorprendente sentido de la oportunidad y la inefable agudeza y perspicacia del hombre que había creado las gigantescas Empresas Stanford. Pero ninguna de esas publicaciones tuvo éxito en su intento.

En lo que todos estaban de acuerdo era en que Stanford poseía una energía increíble, casi palpable. Era un hombre infatigable y con una filosofía muy sencilla: un día sin cerrar un trato era un día perdido. Desgastaba a sus competidores, a sus empleados y a todas las personas que estaban en contacto con él: era un verdadero fenómeno, un fuera de serie. Se consideraba un hombre religioso; creía en Dios, y ese Dios en el que creía deseaba que él fuera rico y exitoso y que sus enemigos estuvieran muertos.

Harry Stanford era una figura pública, y la prensa lo sabía todo acerca de él. Harry Stanford era una persona privada, y la prensa no sabía nada sobre él. Habían escrito sobre su carisma, su estilo espléndido de vida, su avión privado y su yate, y sus mansiones legendarias en Hobe Sound, Marruecos,

Long Island, Londres, el sur de Francia y, desde luego, su magnífica propiedad Rose Hill, en el sector del Back Bay de Boston. Pero el verdadero Harry Stanford seguía siendo un enigma para todos.

—¿Adónde vamos? —preguntó la mujer.

Pero él estaba demasiado preocupado para contestarle. Las dos personas que estaban en la acera de enfrente empleaban la técnica de cruzar la calle y cambiar de pareja. Junto con la vivencia de peligro, a Stanford le enfureció que invadieran su privacidad, que se hubieran atrevido a seguirlo hasta ese lugar, su refugio privado con respecto al resto del mundo.

St.-Paul de Vence es una aldea medieval pintoresca que inserta su antigua magia en las alturas de los Alpes Marítimos. Está situada en lo alto de una colina, entre Cannes y Niza, y la rodea un paisaje espectacular y cautivante de colinas, valles floridos, huertos y bosques de pinos. La aldea misma, una cornucopia de talleres de pintores, de galerías y de maravillosas tiendas de antigüedades, es un imán para los turistas procedentes de todo el mundo.

Harry Stanford y su grupo doblaron hacia la Rue Grande.

Stanford se dirigió a la mujer.

—¿Te gustan los museos?

—Sí, *caro*. —Estaba ansiosa por complacerlo. Nunca había conocido a nadie como Harry Stanford. "¡Cuando se lo cuente a mis amigas! Jamás pensé

15

que me quedaría nada por descubrir en materia de sexo, pero, por Dios, ¡él es tan creativo! ¡Me tiene agotada!"

Subieron a la colina, se dirigieron al Fondation Maeght Art Museum, y curiosearon la famosa colección de telas de Bonnard y Chagall y una decena de otros pintores. Cuando Harry Stanford paseó la vista por el lugar, observó a la mujer que se encontraba en el otro extremo de la galería y estudiaba con atención un Miró.

Stanford se dirigió a Sophia:

—¿Tienes apetito?

—Sí. Si tú lo tienes. —"No debo mostrarme insistente."

—Bien. Almorzaremos en la Colombe D'Or.

La Colombe D'Or era uno de los restaurantes favoritos de Stanford: se trataba de una casa del siglo XVI ubicada a la entrada de la vieja aldea y convertida en hotel y restaurante. Stanford y Sophia se ubicaron frente a una mesa en el jardín, junto a la piscina, desde donde Stanford podía admirar el Braque y el Calder.

Prince, el ovejero alemán blanco, estaba a sus pies, siempre alerta. El perro era la marca registrada de Stanford: adonde él iba, siempre iba también el animal. Se rumoreaba que, a una orden de Harry Stanford, Prince era capaz de desgarrarle el cuello a una persona a dentelladas. Pero nadie quería verificar ese rumor.

Dmitri se instaló solo a una mesa cerca de la entrada del hotel, desde donde le era posible observar las idas y venidas de los demás parroquianos.

—¿Quieres que ordene por ti, querida? —le preguntó Stanford a Sophia.

—Sí, por favor.

Harry Stanford se jactaba de ser un gourmet. Ordenó ensalada verde y *fricassée de lotte* para los dos. Cuando les servían el plato principal, Danièle Roux, que manejaba el hotel con su marido Français, se acercó a la mesa y sonrió.

—*Bonjour*. ¿Todo en orden, monsieur Stanford?

—Sí, maravilloso, madame Roux.

Y así sería. "Son pigmeos, que tratan de derribar a un gigante. Les espera una gran decepción."

—Nunca estuve aquí antes —dijo Sophia—. Es una aldea preciosa.

Stanford centró su atención en ella. Dmitri la había elegido en Niza el día anterior.

—Señor Stanford, le traje a alguien.

—¿Algún problema? —preguntó él.

Dmitri sonrió.

—Ninguno. —La había visto en el lobby del Hotel Negresco, y se le había acercado.

—Perdón, ¿usted habla inglés?

—Sí. —Tenía un leve acento italiano.

—El hombre para el que trabajo desearía que usted cenara con él.

La mujer se indignó.

—¡No soy una *putana*! Soy actriz —dijo, con tono altanero. En realidad, había tenido un papel breve, sin parlamento, en el último film de Pupo Avati, y otro con dos líneas de diálogo en uno de Giuseppe Tornatore. —¿Por qué habría yo de cenar con un desconocido?

17

Dmitri sacó entonces un fajo de billetes de cien dólares y le puso cinco en la mano.

—Mi amigo es muy generoso. Tiene un yate y se siente solo. —Vio que en la cara de la mujer se operaban una serie de cambios: de la indignación pasó a la curiosidad, y luego al interés.

—Da la casualidad de que estoy entre dos filmaciones —dijo ella con una sonrisa—. Y creo que podría cenar con su amigo.

—Muy bien. Se sentirá muy complacido.

—¿Dónde está?

—En St.-Paul de Vence.

Dmitri había elegido bien. La mujer era italiana, frisaba los treinta años y tenía un rostro sensual y gatuno, muy buena figura y pechos importantes. Ahora, mirándola por sobre la mesa, Harry Stanford tomó una decisión.

—¿Te gusta viajar, Sophia?

—Me fascina.

—Espléndido. Entonces haremos un pequeño viaje. Excúsame un momento.

Sophia lo vio entrar en el restaurante. Junto a la puerta del baño para caballeros había un teléfono público.

Stanford colocó un *jeton* en la ranura y discó un número.

—Con el operador de la marina, por favor.

Segundos después, una voz dijo:

—*C'est l'operatrice maritime.*

—Quiero comunicarme con el yate *Blue Skies*. Whisky bravo lima nueve ocho cero...

La conversación duró cinco minutos, y cuando

Stanford terminó de hablar, discó el 21-30-30, el número del aeropuerto de Niza. Esta vez, la conversación fue más breve. Cuando concluyó, se dirigió a Dmitri, quien enseguida abandonó el restaurante. Entonces, Stanford volvió junto a Sophia.

—¿Estás lista?

—Sí.

—Salgamos a caminar un rato. —Necesitaba tiempo para trazar un plan.

Era un día perfecto. El sol había salpicado nubes rosadas en el horizonte y ríos de luz plateada inundaban las calles.

Caminaron por la Rue Grande, pasaron por la Église, la hermosa iglesia del siglo XII, y se detuvieron en la *boulangerie* ubicada frente al Arco, para comprar pan recién horneado. Cuando salieron, una de las tres personas que lo seguían se encontraba de pie afuera, enfrascada en la contemplación de la iglesia. Dmitri también lo aguardaba.

Harry Stanford le entregó el pan a Sophia.

—¿Por qué no lo llevas a casa? Yo iré dentro de algunos minutos.

—De acuerdo. —Ella sonrió.y dijo, en voz baja: —Apresúrate, *caro*.

Stanford la observó alejarse y luego le hizo señas a Dmitri.

—¿Qué averiguaste?

—La mujer y uno de los hombres se hospedan en Le Hameau, camino a La Colle.

Stanford conocía el lugar: era una casa de granja caleada, con un huerto, a un kilómetro y medio al oeste de St.-Paul de Vence.

19

—¿Y el otro?

—En Mas D'Artigny.

Una mansión provenzal ubicada en una colina, a tres kilómetros al oeste de St.-Paul de Vence.

—¿Qué quiere que haga con ellos, señor?

—Nada. Yo me ocuparé.

La villa de Harry Stanford estaba en la Rue de Casette, junto a la *Mairie*, en un sector de callejuelas empedradas y estrechas y casas muy viejas. La villa era una mansión de cinco plantas, construida con piedra y argamasa. Dos niveles por debajo de la casa principal había un garaje y una vieja *cave* usada como bodega para vinos. Una escalera de piedra conducía a los dormitorios de arriba, un *office* y una terraza con techo de tejas. Toda la casa estaba repleta de antigüedades francesas y de flores.

Cuando Stanford regresó a la villa, Sophia lo aguardaba en el dormitorio. Estaba desnuda.

—¿Por qué te demoraste tanto? —le susurró.

Para poder sobrevivir, Sophia Matteo con frecuencia ganaba algo de dinero entre sus breves papeles en el cine trabajando como "acompañante", y estaba acostumbrada a simular orgasmos para complacer a sus clientes. Pero con ese hombre no tuvo necesidad de fingir: Stanford era insaciable y le provocaba un orgasmo tras otro.

Cuando finalmente quedaron agotados, Sophia lo rodeó con los brazos y le murmuró, feliz.

—Podría quedarme aquí para siempre, *caro*.

"Ojalá yo pudiera hacerlo", pensó Stanford, con pesar.

Cenaron en Le Café de la Place, en la Plaza du Général De Gaulle, cerca de la entrada de la aldea. La cena estaba deliciosa y, para Stanford, la sensación de peligro le confería más sabor a la comida. Cuando terminaron, echaron a andar hacia la villa. Stanford caminaba con lentitud para asegurarse de que su perseguidores lo siguieran.

A la una de la mañana, un hombre de pie en la acera de enfrente vio que las luces de la villa se apagaban, una por una, hasta que el edificio quedaba completamente a oscuras.

A las cuatro y media de la madrugada, Harry Stanford se dirigió al cuarto de huéspedes donde dormía Sophia. La sacudió con suavidad.

—¿Sophia...?

Ella abrió los ojos y lo miró. En su rostro se dibujó una sonrisa de anticipación, pero luego frunció el entrecejo: él estaba completamente vestido. Se incorporó en la cama.

—¿Ocurre algo?

—No, querida mía. Todo está muy bien. Dijiste que te gustaba viajar. Pues bien, haremos un pequeño viaje.

Ahora ella estaba completamente despierta.

—¿A esta hora?

—Sí. No debemos hacer ruido.

—Pero...

—Apresúrate.

Quince minutos después, Harry Stanford, Sophia, Dmitri y Prince bajaban por la escalera de piedra al garaje del sótano donde se encontraba estacionado un Renault marrón. Dmitri abrió sigilosamente la puerta del garaje y espió hacia la calle. Salvo por el Corniche blanco de Stanford, estacionado enfrente, parecía desierta.

—Todo despejado.

Stanford miró a Sophia.

—Vamos a participar de un pequeño juego. Tú y yo subiremos a la parte de atrás del Renault y nos acostaremos en el piso.

Ella abrió los ojos de par en par.

—¿Por qué?

—Algunos competidores me han estado siguiendo —explicó él con tono sincero—. Estoy a punto de cerrar un negocio muy importante, y ellos tratan de averiguar de qué se trata. Si lo consiguen, podría costarme mucho dinero.

—Entiendo —dijo Sophia. No tenía idea de qué hablaba Stanford.

Cinco minutos más tarde atravesaban con el auto las puertas de la aldea camino a Niza. Un hombre sentado en un banco vio pasar el Renault a toda velocidad por las puertas. Al volante iba Dmitri Kaminsky y junto a él estaba Prince. El hombre se apresuró a sacar un teléfono celular y a marcar un número.

—Tal vez tengamos problemas.

—¿Qué clase de problemas?

—Un Renault marrón acaba de pasar por las puertas de la aldea. Dmitri Kaminsky conducía, y el perro también iba en el auto.

—¿No estaba también Stanford?

—No.

—No lo creo. Su guardaespaldas jamás lo abandona por la noche, y ese perro tampoco se aleja nunca de su lado.

—¿El Corniche sigue estacionado frente a la villa?

—Sí, pero es posible que él haya cambiado de automóvil.

—¡O podría tratarse de un ardid! Llama al aeropuerto.

Cinco minutos después se comunicaban con la torre de control.

—¿El avión de monsieur Stanford? *Oui*. Llegó hace una hora y ya se ha reabastecido de combustible.

Cinco minutos más tarde, los dos se encontraban camino del aeropuerto, mientras el tercero seguía vigilando la villa.

Cuando el Renault marrón pasó por la Calle sur Loup, Stanford se pasó al asiento.

—Ya podemos sentarnos —le dijo a Sophia. Se dirigió a Dmitri. —Al aeropuerto de Niza. De prisa.

CAPÍTULO DOS

MEDIA HORA DESPUÉS, EN EL AEROPUERTO DE NIZA, UN Boeing 727 remodelado carreteaba con lentitud por la pista hacia el punto de despegue. En la torre, el controlador de vuelo dijo:

—Parece que están muy apurados por levantar vuelo. El piloto ha pedido tres veces autorización para despegar.

—¿A quién pertenece el avión?

—A Harry Stanford. El mismísimo rey Midas.

—Seguro que va camino de ganar otros mil o dos mil millones de dólares.

El controlador giró la cabeza para monitorear un jet Lear que despegaba en ese momento y luego tomó el micrófono.

—Boeing ocho nueve cinco Papá, habla el Control de Salida de Niza. Se lo autoriza a despegar. Cinco a la izquierda. Después del despegue, gire a la derecha a rumbo uno cuatro cero.

El piloto y el copiloto de Harry Stanford intercambiaron una mirada de alivio. El piloto oprimió el botón del micrófono.

—Entendido. Boeing ocho nueve cinco Papá está

autorizado a despegar. Giraré a la derecha a rumbo uno cuatro cero.

Pocos minutos más tarde, el enorme avión avanzaba a toda la velocidad por la pista y surcaba el cielo gris del amanecer.

El copiloto volvió a hablar por el micrófono.

—Control de Salidas, el Boeing ocho nueve cinco Papá saliendo de los tres mil pies para alcanzar el nivel de vuelo siete cero.

El copiloto se dirigió al piloto.

—¡Vaya! El viejo Stanford sí que estaba apurado por que levantáramos vuelo, ¿no?

El piloto se encogió de hombros.

—A nosotros no nos toca preguntarnos los motivos sino sólo obedecer y cerrar la boca. ¿Cómo van las cosas allá atrás?

El copiloto se levantó, se acercó a la puerta y espió hacia la cabina.

—Está descansando.

Desde el automóvil llamaron a la torre de control del aeropuerto.

—¿El avión del señor Stanford sigue en tierra?

—*Non, monsieur*. Acaba de despegar.

—¿El piloto registró su plan de vuelo?

—Por supuesto, monsieur.

—¿Hacia dónde?

—La máquina se dirige a JFK.

—Gracias. —Miró a su compañero. —Van a Kennedy. Haremos que algunos de los nuestros lo esperen.

Cuando el Renault atravesó las afueras de Montecarlo camino a la frontera italiana, Harry Stanford dijo:

—¿No existe ninguna posibilidad de que nos estén siguiendo, Dmitri?

—No, señor. Los hemos perdido.

—Bien. —Harry Stanford se echó hacia atrás en el asiento y se distendió. No había nada de qué preocuparse: le seguirían la pista al avión. Repasó mentalmente la situación. Realmente era una cuestión de qué sabían y cuándo lo sabían. Eran chacales que seguían el rastro de un león, con la esperanza de abatirlo. Harry Stanford rió para sí. Habían subestimado al hombre al que se enfrentaban. Las otras personas que cometieron ese error lo pagaron caro. También en este caso, alguien lo pagaría. Él era Harry Stanford, el confidente de presidentes y reyes, un hombre suficientemente poderoso y rico como para hacer quebrar las economías de una docena de países. Sin embargo...

El 727 volaba sobre Marsella. El piloto habló por el micrófono.

—Marsella, el Boeing ocho nueve cinco Papá está sobre ustedes saliendo del nivel de vuelo uno nueve cero para entrar en el nivel de vuelo dos tres cero.

—Entendido.

El Renault llegó a San Remo poco después del amanecer. Harry Stanford tenía buenos recuerdos de la ciudad, pero descubrió que había cambiado drásticamente. Recordaba la época en que era una ciudad elegante con hoteles y restaurantes de primera clase y un casino donde era de rigor vestir de etiqueta y donde se podían perder o ganar fortunas en una sola noche. Ahora había sucumbido al turismo, y sus concurrentes eran personas gritonas que jugaban en mangas de camisa.

El Renault se aproximaba al muelle, a veinte kilómetros de la frontera franco-italiana. Había dos marinas en el muelle: Marina Porto Sole al este, y Porto Communale al oeste. En Porto Sole, un asistente dirigía los amarres. En Porto Communale no había ningún asistente.

—¿Cuál de las dos? —preguntó Dmitri.

—Porto Communale —le respondió Stanford. "Cuanto menos personas haya cerca, mejor será."

Algunos minutos más tarde, el Renault se detuvo junto al *Blue Skies*, un elegante yate de cincuenta y cinco metros de eslora, con motor. El capitán Vacarro y una tripulación de doce personas estaban formados en cubierta. El capitán bajó de prisa por la planchada para recibir a los recién llegados.

—Buenos días, *signor* Stanford —dijo—. Le subiremos el equipaje y...

—No tengo equipaje. Salgamos de una vez.

—Sí, señor.

—Espere un minuto. —Stanford estudiaba a la tripulación. Frunció el entrecejo. —El hombre del extremo. Es nuevo, ¿verdad?

—Sí, señor. Nuestro grumete enfermó en Capri, y tomamos a éste. Está muy reco...

—Deshágase de él —le ordenó Stanford.

El capitán lo miró, sorprendido.

—¿Que lo eche?

—Páguele y despídalo. Y salgamos de aquí.

El capitán Vacarro asintió.

—Comprendido, señor.

Harry Stanford paseó la vista por el lugar y volvió a tener presentimientos nefastos. El peligro que flotaba en el aire era tan tangible que casi podía tocarlo. No quería tener cerca a desconocidos. El capitán Vacarro y su tripulación trabajaban para él desde hacía años. Podía confiar en ellos. Se volvió para mirar a la muchacha. Puesto que Dmitri la había elegido al azar, no había peligro allí. Y en cuanto a Dmitri, su fiel guardaespaldas le había salvado la vida más de una vez. Se dirigió a Dmitri.

—Quédate cerca de mí.

—Sí, señor.

Stanford tomó el brazo de Sophia.

—Subamos a bordo, querida mía.

Dmitri Kaminsky estaba de pie en cubierta, viendo cómo la tripulación se preparaba para soltar amarras. Examinó el puerto con la mirada, pero no vio nada para alarmarse. A esa hora de la mañana había muy poca actividad. Los enormes generadores del yate surgieron a la vida y el barco se puso en marcha.

El capitán se acercó a Harry Stanford.

—No me dijo hacia dónde nos dirigimos, *signor* Stanford.

—No, no lo hice, ¿verdad, capitán? —Pensó un momento. —A Portofino.

—Sí, señor.

—A propósito, quiero que mantenga un estricto silencio de radio.

El capitán Vacarro frunció el entrecejo.

—¿Silencio de radio? Sí, señor, pero ¿qué haremos si...?

—No se preocupe por eso —respondió Harry Stanford—. Sólo hágalo. Y no quiero que nadie use teléfonos celulares.

—Comprendido, señor. ¿Pernoctaremos en Portofino?

—Ya le avisaré, capitán.

Harry Stanford llevó a Sophia a recorrer el yate. Era una de sus posesiones más preciadas, y mostrarlo le daba mucho placer. Era un barco grandioso. Tenía una lujosa suite principal con living y estudio. El estudio era espacioso y estaba amueblado con un sofá, varios sillones y un escritorio, detrás del cual había equipo suficiente para manejar una pequeña ciudad. Sobre la pared había un enorme mapa electrónico en el cual un pequeño barco móvil indicaba la posición actual de la nave. Puertas corredizas de vidrio de la suite principal daban a una terraza privada en la cubierta, con una *chaise longue* y una mesa con cuatro sillas, y circundada por una barandilla con pasamanos de madera de teca. En los días agradables, Stanford tenía por costumbre desayunar en cubierta.

Había seis camarotes de huéspedes, cada uno con paneles de seda pintada, ventanas panorámicas y cuarto de baño con jacuzzi. La gran biblioteca era de madera de koa.

El comedor podía alojar a dieciséis invitados. En la cubierta inferior había un gimnasio completamente equipado. El yate también poseía una bodega de vinos y un microcine, ideal para la proyección de películas. Harry Stanford tenía una de las más importantes filmotecas de películas pornográficas. El mobiliario de todo el barco era exquisito y los cuadros habrían enorgullecido cualquier museo.

—Bueno, ahora lo has visto casi todo —le dijo Stanford a Sophia al final de la recorrida—. Mañana te mostraré el resto.

Ella estaba impresionada.

—¡Jamás vi nada igual! Es... ¡es como una ciudad!

Harry Stanford sonrió ante su entusiasmo.

—El camarero te conducirá a tu camarote. Ponte cómoda. Yo tengo trabajo que hacer.

Harry Stanford volvió a su oficina y observó el mapa electrónico para verificar la ubicación del yate. *Blue Skies* estaba en el mar Ligure y enfilaba hacia el nordeste. "Ellos no sabrán adónde he ido, pensó. Me esperarán en JFK. Cuando llegue a Portofino lo arreglaré todo."

Volando a una altura de treinta y cinco mil pies, el piloto del 727 recibía nuevas instrucciones.

—Vuelo Boeing ocho nueve cinco Papá, se les autoriza la ruta delta India noviembre superior cuarenta, según el plan de vuelo.

—Entendido. Boeing ocho nueve cinco Papá autorizado a la ruta superior cuarenta, según plan de vuelo. —Miró al copiloto. —Todo bien.

El piloto se desperezó, se puso de pie, se acercó a la puerta y miró hacia la cabina.

—¿Cómo está nuestro pasajero? —preguntó el copiloto.

—Creo que tiene hambre.

CAPÍTULO TRES

LA COSTA LIGURIA ES LA RIBERA ITALIANA, ABARCA UN semicírculo desde la frontera entre Francia e Italia hasta Génova, y continúa hacia abajo hasta el golfo de La Spezia. Esta hermosa cinta costera y sus rutilantes aguas contiene puertos como Portafino y Vernazza.

El *Blue Skies* se aproximaba a Portofino que, incluso desde lejos, constituía una vista imponente con sus colinas cubiertas de olivos, pinos, cipreses y palmeras. Harry Stanford, Sophia y Dmitri se encontraban en cubierta, observando la línea costera a la que se aproximaban.

—¿Has estado con frecuencia en Portofino? —preguntó Sophia.

—Sí, algunas veces.

—¿Dónde está tu casa principal?

"Demasiado personal."

—Disfrutarás de Portofino, Sophia, es un lugar muy hermoso.

El capitán Vacarro se les acercó.

—¿Almorzarán ustedes a bordo, *signor* Stanford?

—No. Almorzaremos en el Splendido.

—Muy bien. ¿Deberé preparar todo para levar anclas enseguida del almuerzo?

—Creo que no. Disfrutemos de la belleza del lugar.

El capitán Vacarro lo miró, sorprendido. Harry Stanford tenía por momentos mucha prisa, y al momento siguiente parecía tener todo el tiempo del mundo. ¿Y con la radio desconectada? ¡Increíble! *Pazzo*.

Cuando el *Blue Skies* soltó anclas en el puerto exterior, Stanford, Sophia y Dmitri bajaron a tierra en la lancha del yate. El pequeño puerto de mar era encantador, con una variedad de coloridas tiendas y *trattoria* exteriores que tapizaban el único camino que conducía a las colinas. Una docena de pequeños barcos de pesca se encontraban varados en la playa de guijarros.

Stanford se dirigió a Sophia.

—Almorzaremos en el hotel que está en la cima de la colina. Desde allí hay una vista preciosa. —Indicó con la cabeza un taxi detenido más allá del muelle. —Toma un taxi hasta allí, y yo me reuniré contigo dentro de algunos minutos. —Le entregó algunas liras.

—Muy bien, *caro*.

Él la siguió con los ojos cuando ella se alejó, y después le dijo a Dmitri:

—Tengo que hacer un llamado.

"Pero no desde el barco", pensó Dmitri.

Se dirigieron a las dos cabinas telefónicas ubicadas a un costado del muelle. Dmitri vio que Stanford entraba en una, levantaba el tubo e insertaba una moneda.

—Operadora, quiero hacer un llamado al Union Bank of Switzerland, en Ginebra.

Una mujer se acercaba a la segunda cabina telefónica. Dmitri se plantó delante de la puerta y le bloqueó el paso.

—Disculpe —dijo ella—. Yo...

—Espero un llamado.

La mujer lo miró, sorprendida.

—Oh —dijo, y miró esperanzada la cabina en la que estaba Stanford.

—Yo que usted no esperaría —gruñó Dmitri—. Utilizará el teléfono por un buen rato.

La mujer se encogió de hombros y se alejó.

—Hola.

Dmitri observaba a Stanford, que hablaba por teléfono.

—¿Peter? Tenemos un pequeño problema. — Stanford cerró la puerta de la cabina. Hablaba muy rápido, y Dmitri no podía oír lo que decía. Al concluir la conversación, Stanford colgó el tubo y abrió la puerta de la cabina telefónica.

—¿Todo bien, señor Stanford? —preguntó Dmitri.

—Vamos a comer algo.

El Splendido es la joya de la corona de Portofino, un hotel con una magnífica vista panorámica de la bahía, allá abajo, con agua color esmeralda. El hotel hospeda a los muy ricos y cuida celosamente su reputación. Harry Stanford y Sophia almorzaron en la terraza.

—¿Quieres que ordene por ti? —preguntó Stanford—. Tienen algunas especialidades que creo que disfrutarás mucho.

—Por favor, hazlo —respondió Sophia.

Stanford ordenó *trenette*, la pasta local, ternera y *focaccia*, el pan salado de la región.

—Y tráiganos una botella de Schramsberg 88. —Le dijo después a Sophia: —Figura primero en la lista del International Wine Challenge de Londres. Yo soy el dueño del viñedo.

Ella sonrió.

—Eres afortunado.

La suerte no tenía nada que ver.

—Soy un convencido de que al hombre le toca disfrutar de las delicias comestibles que Dios ha puesto sobre la Tierra. —Le tomó la mano. —Y también de otras delicias.

—Eres un hombre sorprendente.

—Gracias.

A Stanford le excitaba que las mujeres hermosas lo admiraran. Sophia era suficientemente joven para ser su hija, y ese hecho lo excitaba todavía más.

Cuando terminaron de almorzar, Stanford miró a Sophia y sonrió.

—Volvamos al yate.

—¡Oh, sí!

Harry Stanford era un amante versátil, apasionado y experto. Su inmenso ego lo hacía preocuparse más por satisfacer a una mujer que por lograr satisfacción él mismo. Sabía cómo excitarles las zonas erógenas y orquestar el acto amoroso en una sinfonía sensual que llevaba a sus amantes a cumbres que jamás habían alcanzado antes.

Pasaron la tarde en la suite de Stanford y, cuando terminaron, Sophia quedó extenuada. Harry Stanford se vistió y subió al puente a ver al capitán Vacarro.

—¿Le gustaría seguir a Cerdeña, *signor* Stanford? —preguntó el capitán.

—Pasemos primero por Elba.

—Muy bien, señor. ¿Todo le resulta satisfactorio?

—Sí —dijo Stanford—. Todo es muy satisfactorio. —Comenzaba a excitarse de nuevo, así que volvió al camarote de Sophia.

Llegaron a la isla de Elba a la mañana siguiente y anclaron en Portoferraio.

Cuando el Boeing 727 ingresó en el espacio aéreo de los Estados Unidos, el piloto hizo la verificación con el control de tierra.

—Centro de Nueva York, el vuelo Boeing ocho nueve cinco Papá está con ustedes pasando del nivel de vuelo dos seis cero al nivel de vuelo dos cuatro cero.

Por la radio se oyó la voz del Centro de Nueva York.

—Entendido, se les permite entrar en uno dos mil, directo al JFK. Realicen aproximación en uno dos siete punto cuatro.

Desde la parte posterior del avión brotó un suave gruñido.

—Tranquilo, Prince. Pórtate bien. Te pondré el cinturón de seguridad.

Cuatro hombres aguardaban cuando el 727 tocó tierra. Se encontraban en distintos puntos estratégicos para poder ver a los pasajeros descender del avión. Esperaron durante media hora. El único pasajero que salió fue un ovejero alemán blanco.

* * *

Portoferraio es el principal centro comercial de la isla de Elba. Sus calles están flanqueadas por tiendas elegantes y sofisticadas, y detrás del muelle, los edificios del siglo XVIII se apretujan debajo de la escarpada ciudadela del siglo XVI edificada por el duque de Florencia.

Harry Stanford había visitado muchas veces la isla y, curiosamente, se sentía muy cómodo allí. A ella había sido exiliado Napoleón Bonaparte.

—Iremos a ver la casa de Napoleón —le dijo a Sophia—. Nos encontraremos allí. —Se dirigió a Dmitri: —Llévala a la Villa dei Mulini.

—Sí, señor.

Stanford observó a Dmitri y a Sophia alejarse. Consultó su reloj. El tiempo se estaba acabando. Su avión ya habría aterrizado en el aeropuerto Kennedy. Cuando ellos se enteraran de que él no estaba a bordo, la cacería humana se reanudaría. "Les tomará un tiempo encontrar el rastro", pensó. "Para entonces, ya todo estará arreglado."

Entró en la cabina telefónica que había en un extremo del muelle.

—Quiero hacer un llamado a Londres —le dijo a la operadora—. Al Banco Barclay. Uno siete uno...

Media hora después, recogió a Sophia y la llevó de vuelta al puerto.

—Tú sube a bordo —le dijo—. Yo debo hacer un llamado.

Ella lo vio dirigirse a la cabina telefónica que estaba en el puerto. "¿Por qué no usa los teléfonos del yate?", se preguntó.

En el interior de la cabina, Harry Stanford decía:

—El Banco Sumitomo, de Tokio...

Quince minutos más tarde, cuando regresó al barco, estaba furioso.

—¿Permaneceremos aquí esta noche? —le preguntó el capitán Vacarro.

—Sí —saltó Stanford—. ¡No! Enfilemos hacia Cerdeña. ¡Ahora!

La Costa Esmeralda de Cerdeña es uno de los lugares más exquisitos de la costa ligure. El pequeño pueblo de Porto Cervo es un refugio de los ricos, y un gran sector de la zona está punteado con villas construidas por Ali Khan.

Lo primero que hizo Harry Stanford cuando entraron a puerto fue dirigirse a una cabina telefónica. Dmitri lo siguió y montó guardia en el exterior de la cabina.

—Quiero hacer un llamado a la Banca d'Italia, en Roma... —La puerta de la cabina se cerró.

La conversación duró casi media hora. Cuando Stanford salió de la cabina, su expresión era sombría, y Dmitri se preguntó qué pasaría.

Stanford y Sophia almorzaron en la playa de Liscia DiVacca. Stanford ordenó la comida para los dos.

—Comenzaremos con *mallaredus*. —Lechoncitos cocinados con mirto y hojas de laurel. —En cuanto a vino, beberemos Vernaccia, y de postre, comeremos *sebadas*. —Buñuelos fritos rellenos con queso fresco y ralladura de limón, y rociados con miel amarga y azúcar.

—*Bene, signore*. —El camarero se alejó, impresionado.

Cuando Stanford volvió la cabeza para hablar con Sophia, de pronto su corazón se salteó un latido. Cerca de la entrada del restaurante, dos hombres sentados a una mesa lo observaban. Vestían trajes oscuros en ese sol estival, y ni siquiera se molestaban en tratar de parecer turistas. "¿Están tras de mí o son extranjeros inocentes? No debo permitir que mi imaginación me gane la partida", pensó.

Sophia le hablaba.

—No te lo he preguntado antes. ¿A qué negocio te dedicas?

Stanford la observó. Resultaba estimulante estar con alguien que no sabía nada sobre él.

—Estoy jubilado —contestó—. Sólo me dedico a viajar y a conocer el mundo.

—¿Y no tienes compañía? —Su voz estaba llena de compasión. —Debes de sentirte muy solo.

Él apenas logró no reír en voz alta.

—Así es. Me alegro de que estés aquí conmigo.

Ella puso una mano sobre la suya.

—También yo, *caro*.

Por el rabillo del ojo, Stanford vio que los dos hombres se iban.

Cuando terminaron de almorzar, Stanford, Sophia y Dmitri volvieron a la ciudad.

Stanford se dirigió a una cabina telefónica.

—Quiero hablar con el Crédit Lyonnais de París...

Mientras lo observaba, Sophia comentó:

—Es un hombre maravilloso, ¿verdad?

—No hay nadie igual.

—¿Hace mucho que trabaja para él?

—Dos años —respondió Dmitri.

—Tiene suerte.

—Ya lo sé.

Dmitri avanzó unos pasos y montó guardia en el exterior de la cabina telefónica. Oyó que Stanford decía:

—¿René? Supongo que sabes por qué te llamo... Sí... Sí... ¿Lo harás?... ¡Espléndido! —Su voz expresaba alivio. —No... no allí. Encontrémonos en Córcega... Sí, perfecto... Después de nuestra reunión, volveré directamente a casa... Gracias, René.

Stanford colgó el tubo y se quedó allí un momento, sonriendo. Luego discó un número de Boston. Contestó una secretaria:

—Estudio del señor Fitzgerald.

—Habla Harry Stanford. Páseme con él.

—¡Ah, señor Stanford! Lo siento, el señor Fitzgerald está de vacaciones. ¿Puedo comunicarle con alguien más?

—No. Estoy camino de vuelta a los Estados Unidos. Dígale que lo quiero en Boston, en Rose Hill, a las nueve de la mañana del lunes. Dígale que lleve una copia de mi testamento y a un escribano.

—Trataré de...

—No trate, hágalo, querida.—Colgó y se quedó allí un momento, pensando a toda velocidad. Cuando salió de la cabina, su voz era serena. —Debo ocuparme de un pequeño asunto, Sophia. Ve al Hotel Pitrizza y espérame.

—Está bien —dijo ella con tono seductor—. No tardes.

—No lo haré.

Los dos la contemplaron alejarse.

—Volvamos al yate —dijo Stanford—. Nos vamos.

Dmitri lo miró, sorprendido.

—¿Y qué me dice de...?

—Que se gane el viaje de vuelta haciendo la calle.

Cuando regresaron al *Blue Skies*, Harry Stanford fue a ver al capitán Vacarro.

—Nos vamos a Córcega —dijo—. Zarpemos de una vez.

—Acabo de recibir el último informe meteorológico, *signor* Stanford. Me temo que tenemos por delante una tormenta muy fuerte. Sería mejor que esperáramos y...

—Quiero partir ahora mismo, capitán.

El capitán Vacarro vaciló.

—Será un viaje muy difícil, señor. Es un *libecchio*. —El viento del suroeste que provoca grandes olas y es acompañado por vientos huracanados.

—Eso no me importa. —La reunión que tendría lugar en Córcega le solucionaría todos los problemas. Miró a Dmitri. —Quiero que hagas los arreglos necesarios para que un helicóptero nos recoja en Córcega. Utiliza el teléfono público que está en el puerto.

—Sí, señor.

Dmitri Kaminski bajó al puerto y entró en la cabina telefónica.

Veinte minutos más tarde, el *Blue Skies* estaba en camino.

CAPÍTULO CUATRO

SU ÍDOLO ERA DAN QUAYLE, Y CON FRECUENCIA USABA ese nombre como piedra de toque. —No me importa lo que digan sobre Quayle, es el único político con valores auténticos. La familia... de eso se trata todo. Sin valores familiares, este país estaría en apuros, todavía peor de lo que está ahora. Los chicos jóvenes viven juntos sin estar casados, y tienen hijos. Es un escándalo. Con razón hay tanta delincuencia. Si Dan Quayle llega a postularse para presidente, con toda seguridad tendrá mi voto. —Era una pena, pensó, que él no pudiera votar por culpa de esa ley estúpida, pero, al margen de eso, respaldaba a Quayle en todo sentido.

Tenía cuatro hijos: Billy, de ocho años, y las chicas, Amy, Clarissa y Susan, de diez, doce y catorce. Eran hijos maravillosos y su mayor alegría era pasar con ellos lo que gustaba denominar "horas de calidad". Les dedicaba por completo los fines de semana: les preparaba asados, jugaba con ellos, los llevaba al cine y a partidos de béisbol y los ayudaba con sus tareas escolares. Todos los chicos del vecindario lo adoraban. Él les reparaba las bicicletas y los juguetes, y los invitaba a picnics con su familia. Todos le pusieron el apodo de Papá.

Cierta mañana soleada de domingo, se encontraba sentado en las graderías, junto a su esposa e hijas, viendo un partido de béisbol. Era un día perfecto y cálido, con esponjosos cúmulos moteando el cielo. A su hijo Billy, de ocho años, le tocaba batear; con el uniforme de la Liga Menor, tenía un aspecto muy profesional y adulto. Con sus tres hijas y esposa al lado, Papá pensaba que no se podía ser más feliz. "¿Por qué todas las familias no pueden ser como la nuestra?", pensó con alegría.

Era el final de la octava entrada, con dos fuera y las bases ocupadas. Billy estaba en la base del bateador, con tres pelotas y dos fallas en contra.

Papá le gritó, para alentarlo:

—¡Gánales, Billy! ¡Envíala del otro lado de la cerca!

Billy aguardó el lanzamiento de la pelota. Era un tiro veloz y bajo, y Billy movió el bate y le erró.

El árbitro gritó:

—¡Tercera falla!

La entrada había terminado.

Hubo gruñidos y vítores entre los espectadores por parte de padres y amigos de las familias. Billy permanecía allí, deprimido, viendo cómo los equipos cambiaban de lado.

Papá le gritó:

—Está bien, hijo. ¡Lo harás mejor la próxima vez!

Billy trató de sonreír.

John Cotton, el director del equipo, esperaba a Billy.

—¡Estás fuera del juego! —le dijo.

—Pero, señor Cotton...

—Vamos, sal del campo de juego.

El padre de Billy vio, con alarma, cómo su hijo abandonaba el campo de juego. "Él no puede hacer eso", pensó. "Tiene que darle otra oportunidad a Billy. Tendré que hablar con el señor Cotton y explicarle..." En ese instante, sonó el teléfono celular que siempre llevaba consigo. Lo dejó sonar cuatro veces antes de contestar. Sólo una persona tenía el número. "Sabe que detesto que me molesten los fines de semana", pensó con furia.

De mala gana, levantó la antena, oprimió un botón y dijo:

—Hola.

La voz del otro lado de la línea habló muy despacio durante varios minutos. Papá escuchó y cada tanto asintió. Por último dijo:

—Sí, lo entiendo. Me ocuparé de eso. —Y guardó el teléfono.

—¿Está todo bien, querido? —le preguntó su mujer.

—No, me temo que no. Quieren que trabaje el fin de semana. ¡Y yo que planeaba hacer un asado mañana!

Su esposa le tomó la mano y le dijo, con afecto:

—No te preocupes. Tu trabajo es más importante.

"No tan importante como mi familia", pensó él con empecinamiento. "Dan Quayle lo entendería."

De pronto, la mano comenzó a picarle mucho y él se la rascó. "¿Por qué me pasa esto?", se preguntó.

"Uno de estos días tendré que consultar a un dermatólogo."

John Cotton era el subgerente del supermercado local. Un hombre corpulento, de poco más de cincuenta años, había aceptado dirigir el equipo de Liga Menor porque su hijo era jugador de béisbol. Su equipo había perdido esa tarde por culpa del pequeño Billy.

El supermercado estaba cerrado, y John Cotton se encontraba en la playa de estacionamiento, caminando hacia su automóvil, cuando se le acercó un desconocido con un paquete en la mano.

—Disculpe, señor Cotton.

—¿Sí?

—Quisiera hablar un momento con usted.

—El supermercado está cerrado.

—No es eso. Quería hablarle de mi hijo. Billy está muy mortificado porque usted lo sacó del equipo y le dijo que no podía volver a jugar.

—¿Billy es su hijo? Pues lamento que haya participado en el partido. Nunca será un jugador de béisbol.

El padre de Billy dijo, enseguida:

—Usted no está siendo justo, señor Cotton. Conozco a Billy y es un muy buen jugador de béisbol. Ya lo verá. Cuando juegue el próximo sábado...

—No jugará el próximo sábado. Está fuera del equipo.

—Pero...

—Nada de peros. Está decidido. Y si no tiene nada más que...

45

—Sí que tengo. —El padre de Billy desenvolvió el paquete que tenía en la mano y que contenía un bate de béisbol. Dijo, con tono de súplica:

—Este es el bate que usó Billy. Como notará, está astillado, así que no es justo castigarlo porque...

—Mire, señor, me importa un cuerno el bate. ¡Su hijo no jugará!

El padre de Billy suspiró con pesar.

—¿Seguro que no cambiará de idea?

—Muy seguro.

Cuando Cotton extendía el brazo hacia la manija de la puerta de su auto, el padre de Billy balanceó el bate contra la ventanilla de atrás y la hizo trizas.

Cotton lo miró, azorado.

—¿Qué... qué demonios hace?

—Un poco de calentamiento —explicó Papá. Levantó el bate, volvió a balancearlo y lo estrelló en la rodilla de Cotton.

John Cotton gritó y se desplomó, retorciéndose de dolor.

—¡Usted está loco de remate! —gritó—. ¡Socorro!

El padre de Billy se arrodilló junto a él y le dijo en voz baja:

—Si llega a hacer un sonido más, le romperé la otra rodilla.

Cotton lo miraba, aterrado.

—Si mi hijo no juega el sábado que viene, lo mataré a usted y mataré a su hijo. ¿Me ha entendido?

Cotton lo miró a los ojos y asintió, mientras luchaba para no gritar de dolor.

—Muy bien. Ah, y no quisiera que esto se supiera. Tengo amigos. —Miró su reloj. Tenía el tiempo

46

justo para pescar el *red-eye* a Boston.
De nuevo sintió escozor en la mano.

A las siete de la mañana del domingo, enfundado en un traje con chaleco y llevando un costoso maletín de cuero, pasó caminando por Vendome, atravesó Copley Square y entró en la calle Stuart. Media cuadra después del Castle Plaza Convention Center, ingresó en el Edificio Boston Trust y se aproximó al guardia. Con decenas de inquilinos en ese enorme edificio, el guardia del mostrador de recepción no tendría cómo identificarlo.

—Buenos días —dijo el hombre.

—Buenos días, señor. ¿Puedo ayudarlo?

Él suspiró.

—Ni Dios puede ayudarme. Ellos creen que no tengo otra cosa que hacer que pasarme los domingos haciendo el trabajo que otros deberían haber hecho.

El guardia dijo, muy compenetrado:

—Sé bien lo que es eso. —Empujó hacia el hombre el libro de registro. —¿Podría firmar, por favor?

El hombre firmó y se dirigió al sector de ascensores. La oficina que buscaba se encontraba en el quinto piso. Tomó el ascensor hasta el sexto, bajó un piso por la escalera y caminó por el corredor. El cartel en la puerta rezaba *Renquist, Renquist & Fitzgerald, Abogados*. Miró en todas direcciones para asegurarse de que el corredor estuviera desierto, después abrió el maletín y extrajo una pequeña ganzúa y una barra. Le llevó cinco segundos abrir la cerradura. Entró y cerró la puerta.

El sector de recepción era de estilo antiguo y conservador, como correspondía a uno de los estudios de abogados más importantes de Boston. El hombre permaneció allí de pie un momento, tratando de orientarse, y luego se dirigió a un cuarto de archivo donde se guardaban los registros. En él había un conjunto de armarios archiveros de acero, con etiquetas alfabéticas en el frente. Intentó abrir el que llevaba la marca R-S. Estaba cerrado con llave. Del maletín sacó una llave "en bruto", una lima y un par de pinzas. Introdujo la llave en la cerradura y la giró con suavidad hacia uno y otro lado. Al cabo de un momento la sacó y examinó las marcas negras que exhibía. Sosteniendo la llave con un par de pinzas, con mucho cuidado le limó los sectores negros. Volvió a meterla en la cerradura y repitió el procedimiento. Se puso a canturrear en voz baja mientras estaba enfrascado en la tarea, y de pronto se dio cuenta de lo que entonaba: *Lugares alejados con nombres extraños, muy alejados, más allá del mar... Esos lugares alejados con nombres extraños me llaman, me llaman.*

"Llevaré a mi familia de vacaciones", pensó, muy contento. "Será una verdadera vacación. Apuesto a que a los chicos les encantará Hawaii."

El armario se abrió y él sacó un cajón hacia afuera. Sólo le llevó un momento encontrar la carpeta que buscaba. Sacó una pequeña cámara Pentax del maletín y puso manos a la obra. Diez minutos después había terminado. Sacó varios Kleenex del maletín, se acercó al enfriador de agua y los mojó. Volvió al cuarto de archivos y recogió las limaduras de acero del piso. Cerró con llave el armario, salió al corredor, cerró con llave la puerta que daba a las oficinas y abandonó el edificio.

CAPÍTULO CINCO

MAR ADENTRO, TEMPRANO POR LA TARDE, EL CAPITÁN Vacarro se dirigió al camarote de Harry Stanford.

—*Signor* Stanford..

—¿Sí?

El capitán le señaló el mapa electrónico que había sobre la pared.

—Me temo que el viento ha empeorado. El ojo del *libecchio* está en el estrecho de Bonifacio, precisamente adonde nos dirigimos. Sugiero que busquemos refugio en un puerto hasta que...

Stanford lo interrumpió de plano.

—Este es un buen barco y usted es un buen capitán. Estoy seguro de que podrá capear el temporal.

El capitán Vacarro vaciló.

—Como usted diga, *signore*. Haré todo lo que esté a mi alcance.

—Estoy seguro de que así será, capitán.

Harry Stanford se encontraba sentado en la oficina de su suite y planeaba su estrategia. Se reuniría con René en Córcega y lo arreglaría todo. Después de eso, el helicóptero lo llevaría a Nápoles y, desde allí, alquilaría un avión para ir a Boston. "Todo saldrá bien", decidió. "Lo único que necesito son cuarenta y ocho horas. Nada más que cuarenta y ocho horas."

A las dos de la madrugada lo despertaron el fuerte cabeceo del barco y el rugido del viento. Stanford había debido soportar tormentas antes, pero esa era una de las peores. El capitán Vacarro tenía razón. Harry Stanford se levantó, se sostuvo de la mesa de luz para no perder el equilibrio y se acercó al mapa de pared. El barco estaba en el estrecho de Bonifacio. "Deberíamos llegar a Córcega en las próximas horas", pensó. "Una vez allí, estaremos a salvo."

Los eventos que tuvieron lugar esa noche son objeto de conjeturas. Los papeles diseminados en cubierta sugerían que el fuerte viento había hecho volar otros y que Harry Stanford trató de recuperarlos y, por el cabeceo del yate, perdió el equilibrio y cayó por la borda. Dmitri Kaminsky lo vio caer al agua y enseguida tomó el teléfono.

—¡Hombre al agua!

CAPÍTULO SEIS

EL CAPITÁN FRANÇOIS DURER, *CHEF DE POLICE* DE CÓR-
cega, estaba de muy mal humor. La isla estaba repleta de esos estúpidos turistas de verano que ni siquiera eran capaces de cuidar de sus pasaportes,
sus billeteras o sus hijos. Las quejas llovían todo el
día al departamento central de policía ubicado en el
2 Cours Napoléon, cerca de la Rue Sergent Casalon-
ga.

—Un hombre me quitó la cartera...

—Mi barco se fue sin mí y mi esposa está a bordo...

—Le compré este reloj a un vendedor callejero.
Y adentro no tiene nada...

—Las farmacias de aquí no tienen las píldoras
que necesito...

Los problemas eran interminables, interminables, interminables.

Y ahora parecía que el capitán tenía un cadáver
en sus manos.

—En este momento no tengo tiempo para esto
—saltó.

—Pero están esperando afuera —le informó su
asistente—. ¿Qué les digo?

51

El capitán Durer estaba impaciente por reunirse con su amante. Su impulso era contestar: "Llévense el cadáver a cualquier otra isla". Pero, después de todo, era el jefe de policía de Córcega.

—Está bien —dijo con un suspiro—. Los veré.

Un momento después, el capitán Vacarro y Dmitri Kaminsky eran conducidos a la oficina.

—Tomen asiento —dijo el capitán Durer con displicencia.

Los dos hombres se sentaron.

—Por favor, díganme exactamente qué ocurrió.

El capitán Vacarro respondió:

—No estoy seguro, yo no vi cuando pasaba... — Miró a Dmitri Kaminsky. —Dmitri fue testigo presencial, así que creo que él debería explicárselo.

Dmitri respiró hondo.

—Fue terrible. Yo trabajo... trabajaba para ese hombre.

—¿Haciendo qué, monsieur?

—Era su guardaespaldas, su masajista, su chofer. Anoche la tempestad se abatió sobre nuestro barco. Fue tremendo. Él me pidió que le hiciera masajes para relajarlo un poco. Después, me pidió que le llevara una píldora para dormir. Estaban en el cuarto de baño. Cuando regresé, estaba de pie en cubierta, junto a la barandilla. La tormenta movía muchísimo el barco. Él tenía unos papeles en la mano; uno se le voló y se estiró para tomarlo, perdió el equilibrio y cayó al agua. Yo corrí a salvarlo, pero no pude hacer nada por él. Pedí ayuda. El capitán Vacarro inmediatamente detuvo el barco y, gracias a sus esfuerzos heroicos, lo encontramos. Pero era demasiado tarde. Se había ahogado.

—Lo lamento mucho —dijo el capitán Durer,

aunque en realidad no podría haberle importado menos.

—El viento y las olas trajeron el cuerpo de vuelta al yate —dijo el capitán Vacarro—. Fue un golpe de suerte, pero ahora quisiéramos que se nos permitiera llevar el cuerpo a los Estados Unidos.

—No creo que sea problema. —Todavía tendría tiempo de beber una copa con su amante antes de regresar a su casa, junto a su esposa. —Enseguida haré preparar un certificado de defunción y una visa de salida. —Tomó un bloc de papel. —¿Cuál era el nombre de la víctima?

—Harry Stanford.

El capitán Durer se paralizó. Levantó la vista.

—¿Harry Stanford?

—Sí.

—¿El famoso Harry Stanford?

—Sí.

De pronto, el futuro del capitán Durer pareció mucho más promisorio. Los dioses le habían arrojado maná. ¡Harry Stanford era una leyenda internacional! La noticia de su muerte repercutiría en todo el mundo y él, el capitán Durer, estaba en control de la situación. Lo primero que se preguntó era cómo manejar esa noticia para lograr el máximo beneficio personal posible. Durer permaneció sentado, la mirada perdida en el espacio, pensando.

—¿En cuánto tiempo nos entregará el cuerpo? —preguntó el capitán Vacarro.

Durer levantó la vista.

—Bueno, ésa es una buena pregunta. —"¿Cuánto tiempo tardará la prensa en llegar aquí? ¿Debo pedirle al capitán del yate que participe de la conferencia de prensa? No. ¿Por qué compartir la gloria con él? Manejaré esto solo." —Bueno, es mucho lo que hay que hacer —dijo, con tono de pesar—. Hay que preparar papeles y formularios... —suspiró—. Podría llevar una semana o más.

El capitán Vacarro quedó consternado.

—¿Una semana o más? Pero usted dijo que...

—Hay que cumplir ciertas formalidades —señaló Durer con severidad—. Estas cosas no se deben apurar. —Volvió a tomar el bloc de papel. —¿Cuál es su familiar más próximo?

El capitán Vacarro miró a Dmitri en busca de ayuda.

—Supongo que tendrás que preguntárselo a sus abogados de Boston.

—¿El nombre?

—Renquist, Renquist y Fitzgerald.

CAPÍTULO SIETE

AUNQUE EL CARTEL DE LA PUERTA INDICABA RENQUIST, Renquist & Fitzgerald, los dos Renquist habían fallecido hacía tiempo. Simon Fitzgerald todavía estaba bien vivo y, a los setenta y seis años, era la dínamo que hacía funcionar el estudio, con sesenta abogados que trabajaban bajo sus órdenes. Era un hombre excesivamente delgado, con una mata de pelo blanco, y caminaba con el porte erguido y severo de un militar. En ese momento se paseaba por la habitación: tenía la mente hecha un caos.

Se detuvo un momento frente a su secretaria.

—Cuando el señor Stanford llamó por teléfono, ¿no le sugirió siquiera para qué quería verme con tanta urgencia?

—No, señor. Sólo dijo que quería que usted estuviera en su casa el lunes a las nueve de la mañana, y que llevara su testamento y a un escribano.

—Gracias. Dígale al señor Sloane que pase.

Steve Sloane, uno de los jóvenes abogados del estudio, era brillante y creativo. Egresado de la facultad de derecho de Harvard, era alto, delgado, tenía pelo rubio, ojos azules curiosos y una presencia armoniosa. Era el que solucionaba los problemas difíciles de la firma y el elegido por Simon Fitzgerald para ocupar su lugar algún día. "Si yo hubiera tenido un hijo", pensó Fitzgerald, "habría querido que fuera como Steve." Observó a Steve Sloane cuando entró en la oficina.

—Usted debía estar pescando salmones en Newfoundland —dijo Steve.

—Se presentó algo. Siéntate, Steve. Tenemos un problema.

Steve suspiró.

—¿Qué ocurre?

—Se trata de Harry Stanford.

Harry Stanford era uno de sus clientes más prestigiosos. Media docena de otros bufetes manejaban todo lo referente a varias subsidiarias de las Empresas Stanford, pero Renquist, Renquist y Fitzgerald se ocupaba de sus asuntos personales. Con excepción de Fitzgerald, ninguno de los integrantes de la firma lo conocía personalmente, pero en el estudio de abogados ya era leyenda.

—¿Qué ha hecho ahora Stanford? —preguntó Steve.

—Se ha muerto.

Steve lo miró, espantado.

—¿Qué?

—Acabo de recibir un fax de la policía francesa de Córcega. Al parecer, ayer Stanford se cayó de su yate y se ahogó.

—¡Dios mío!

—Sé que no lo conociste personalmente, pero yo lo represento desde hace más de treinta años. Era un hombre difícil. —Fitzgerald se echó hacia atrás en su silla y se puso a recordar el pasado. —En realidad, hubo dos Harry Stanford... el hombre público, capaz de ganar cualquier cantidad de dinero, y el hijo de puta al que le daba placer destruir a las personas. Era un individuo encantador, pero podía saltar sobre uno como una cobra. Tenía una personalidad dividida: era, al mismo tiempo, el encantador de serpientes y la serpiente.

—Suena fascinante.

—Sucedió hace alrededor de treinta años... treinta y uno, para ser exactos... cuando ingresé en este estudio de abogados. El viejo Renquist atendía por ese entonces las cosas de Stanford. Harry Stanford era un "fuera de serie"; si no hubiera existido, no habría sido posible inventarlo. Era un coloso; tenía una energía sorprendente y una ambición desmedida. Era, también, un gran atleta: solía boxear cuando estaba en la universidad y era un jugador de polo con diez de handicap. Pero, incluso de joven, Harry Stanford era imposible. Era el único hombre que he conocido carente por completo de compasión. Era sádico y vengativo, y tenía los instintos de un buitre. Le encantaba forzar a sus competidores a la bancarrota. Se rumoreaba que era responsable de más de un suicidio.

—Parece un monstruo.

—Por un lado, sí. Por el otro, fundó un orfanato en Nueva Guinea y un hospital en Bombay, y donó millones a instituciones de caridad... en forma anónima. Nadie sabía nunca qué esperar a continuación.

—¿Cómo hizo para amasar semejante fortuna?

—¿Cómo andas en mitología griega?

—La tengo un poco olvidada.

—¿Conoces la historia de Edipo?

Steve asintió.

—Mató a su padre para conseguir a su madre.

—Correcto. Bueno, ése era Harry Stanford. Sólo que él mató a su padre para conseguir el *voto* de su madre.

Steve lo miró, atónito.

—¿Qué?

Fitzgerald se inclinó hacia adelante.

—A comienzos de la década del 30, el padre de Harry tenía un almacén aquí en Boston. Le iba tan bien que abrió otro, y muy pronto tenía una cadena de almacenes. Cuando Harry terminó sus estudios, su padre lo hizo socio y lo puso en la junta de directores. Como dije, Harry era ambicioso. Tenía grandes sueños. En lugar de comprar carne de los frigoríficos, quería que la cadena tuviera su propio ganado. Quería comprar tierras y cultivar sus propios vegetales, y enlatar sus propios productos. Su padre no estuvo de acuerdo, y ambos pelearon mucho. Hasta que Harry tuvo su idea más genial: le dijo a su padre que quería que la compañía construyera una cadena de supermercados que vendieran de todo, desde automóviles a muebles y seguros de vida, con descuento, y cobrarles a los clientes una cuota societaria. Al padre le pareció un disparate y rechazó la idea. Pero Harry no pensaba darse por vencido y decidió que tenía que librarse del viejo. Convenció a su padre de que se tomara unas vacaciones prolongadas y, mientras estaba ausente, se embarcó en la tarea de ganarse a la junta de directores. Era un vendedor brillante y les vendió su idea. Persuadió a su tía y a su tío, que estaban en la junta, de que votaran por él, y cortejó a los demás integrantes del directorio. Los invitó a almorzar, intervino en una cacería del zorro con uno y jugó al golf con otro. Se acostó con la esposa de un tercero, sabiendo que ella tenía gran influencia sobre su marido. Pero su madre era la que tenía la mayor cantidad de acciones y el voto definitivo. Harry la convenció de que se las diera a él y votara contra su marido.

—¡Es increíble!

—Cuando el padre de Harry volvió, se enteró de que por el voto de su familia estaba fuera de la compañía.

—¡Dios mío!

—Hay más todavía. A Harry eso no le bastó. Cuando su padre trató de entrar en su propia oficina, descubrió que tenía la entrada prohibida en el edificio. Y recuerda que, por ese entonces, Harry apenas tenía poco más de treinta años. En la compañía lo apodaban "El hombre de hielo". Pero en algo sí hay que darle crédito, Steve: él solo convirtió a las Empresas Stanford en uno de los conglomerados privados más importantes del mundo. Expandió su compañía hasta incluir madera, productos químicos, comunicaciones, electrónica y una cantidad impresionante de propiedades. Y terminó con todas las acciones en su poder.

—Debe de haber sido un hombre increíble —dijo Steve.

—Lo era. Para los hombres... y para las mujeres.

—¿Estaba casado?

Simon Fitzgerald se quedó allí sentado un largo rato, recordando. Cuando finalmente habló, dijo:

—Harry Stanford estaba casado con una de las mujeres más hermosas que he conocido: Emily Temple. Tuvieron tres hijos: dos varones y una niña. Emily pertenecía a una familia de clase alta de Hobe Sound, Florida. Adoraba a Harry y trató de cerrar los ojos a su infidelidad, hasta que un día le resultó imposible seguir tolerándola. Había contratado a una institutriz para los chicos, una mujer llamada Rosemary Nelson. Era joven y atractiva. Lo que la hacía más atractiva para Harry Stanford era que rehusaba acostarse con él. Eso lo enloqueció. No estaba acostumbrado a que lo rechazaran. Pues bien, cuando Harry Stanford decidía mostrar todo su encanto, era irresistible, de modo que finalmente consiguió llevarse a Rosemary a la cama. La embarazó y ella fue a ver a un médico. Por desgracia, el yerno de ese médico era columnista de un periódico, se enteró de la historia y la publicó. Hubo un escándalo infernal. Ya sabes cómo es Boston. Apareció en todos los periódicos. Todavía tengo recortes en alguna parte.

—¿Ella se hizo practicar un aborto?

Fitzgerald sacudió la cabeza.

—No. Harry quería que abortara, pero ella se negó. Tuvieron una pelea terrible. Él le dijo que la amaba y que quería casarse con ella. Por supuesto, les había dicho lo mismo a decenas de mujeres. Pero Emily oyó esa conversación y esa misma noche se suicidó.

—Qué terrible. ¿Y qué pasó con la institutriz?

—Rosemary Nelson desapareció. Sabemos que tuvo una hija llamada Julia, en el Hospital St. Joseph de Milwaukee. Le envió una nota a Stanford, pero creo que él ni siquiera se molestó en contestarle. A esa altura, estaba enredado con otra mujer. Ya no le interesaba Rosemary.

—Un encanto...

—La verdadera tragedia se desató después. Los chicos culparon a su padre por el suicidio de su madre. En ese momento tenían diez, doce y catorce años. Eran suficientemente grandes para sentir pena, pero demasiado jóvenes para luchar contra su padre. Lo odiaban. Y el mayor temor de Harry era que, algún día, le hicieran lo que él le había hecho a su propio padre. Así que hizo lo posible para que eso no ocurriera jamás. Los envió a distintos internados y campamentos de verano, y dispuso lo necesario para que ninguno pudiera ver demasiado a los otros. No recibieron ningún dinero de él; tuvieron que vivir con el pequeño fondo fiduciario que les dejó su madre. Stanford siempre utilizó con ellos el sistema de la vara con la zanahoria colgando adelante. Les mostraba su fortuna como la zanahoria, y se la alejaba cuando hacían algo que lo disgustaba.

—¿Qué fue de los hijos?

—Tyler es juez en la Corte de Circuito de Chicago. Woodrow no hace nada: es un playboy. Vive en Hobe Sound y apuesta mucho dinero al golf y al polo. Hace algunos años, se levantó a una camarera de una casa de comidas, la embarazó y, para sorpresa de todos, se casó con ella. Kendall es una diseñadora exitosa y está casada con un francés. Viven en Nueva York. —Se puso de pie. —Steve, ¿has estado alguna vez en Córcega?

—No.

—Me gustaría que tomaras un vuelo hacia allá. Están reteniendo el cuerpo de Harry Stanford y la policía rehúsa liberarlo. Quiero que vayas a solucionar todo.

—Está bien.

—Si fuera posible que salieras hoy...
—De acuerdo. Lo intentaré.
—Gracias. Te lo agradecería mucho.

En el vuelo de Air France de París a Córcega, Steve Sloane leyó un libro de viajes sobre Córcega. Se enteró así de que la isla era una montaña, que su ciudad-puerto era Ajaccio, y que esa era también la ciudad natal de Napoleón Bonaparte. El libro estaba lleno de estadísticas interesantes, pero Steve no estaba preparado para la belleza sorprendente de la isla. Cuando el avión se aproximaba a Córcega, allá abajo vio una pared muy alta de roca blanca que se parecía mucho a los acantilados blancos de Dover. Era un espectáculo grandioso.

El avión aterrizó en el aeropuerto de Ajaccio y un taxi transportó a Steve por el Cours Napoléon, la calle principal que se extendía desde la Place Général de Gaulle hacia el norte, en dirección a la estación de ferrocarril. Steve había hecho los arreglos necesarios para que hubiera un avión preparado para llevar el cuerpo de Harry Stanford de vuelta a París, donde el féretro sería transferido a un avión con destino a Boston. Lo único que necesitaba era conseguir que le entregaran el cuerpo.

Steve hizo que el taxi lo dejara en el edificio de la Prefectura, sobre el Cours Napoléon. Subió un tramo de escaleras y entró en la oficina de recepción. Un sargento uniformado se encontraba sentado frente al escritorio.

—*Bonjour. Puis-je vous aider?*

—¿Quién está al mando aquí?

—El *capitaine* Durer.

—Quisiera verlo, por favor.

—¿Por qué asunto es?

Steve sacó una de sus tarjetas comerciales.

—Soy el abogado de Harry Stanford y he venido a llevarme su cuerpo a los Estados Unidos.

El sargento frunció el entrecejo.

—Espere un momento, por favor. —Desapareció en la oficina del capitán Durer y cerró la puerta. La oficina estaba repleta de periodistas de televisión y de servicios de noticias de todo el mundo. Todos parecían hablar al mismo tiempo.

—Capitán, ¿por qué estaba Stanford en cubierta, en medio de la tormenta, cuando...?

—¿Cómo pudo caer del yate, en mitad de un...?

—¿Existe algún indicio de que haya habido algo irregular...?

—¿Le han practicado una autopsia...?

—¿Quién más estaba en el barco con...?

—Por favor, señores —dijo el capitán Durer y levantó una mano—. Por favor, señores. Por favor. — Paseó la vista por la habitación y, al advertir que todos los periodistas estaban pendientes de cada palabra suya, sintió una felicidad sin límites. Siempre había soñado con un momento como ese. Si lo manejaba correctamente, significaría un importante ascenso y...

El sargento interrumpió sus pensamientos.

—Capitán... —Le susurró algo al oído y le entregó la tarjeta de Steve Sloane.

El capitán Durer la estudió y frunció el entrecejo.

—No puedo verlo ahora —contestó bruscamente—. Dile que vuelva mañana, a las diez de la mañana.

—Sí, señor,

El capitán Durer permaneció pensativo y observó al sargento abandonar la habitación. No pensaba permitir que nadie lo despojara de ese momento de gloria. Miró a los periodistas y sonrió.

—Ahora bien, ¿qué me preguntaban ustedes...?

En la oficina exterior, el sargento le decía a Sloane:

—Lo lamento, pero el capitán Durer está muy ocupado en este momento. Le pide a usted que vuelva mañana, a las diez de la mañana.

Steve lo miró, desconcertado.

—¿Mañana por la mañana? Eso es ridículo... no quiero esperar tanto.

El sargento se encogió de hombros.

—Eso es asunto suyo, monsieur.

Steve frunció el entrecejo.

—Está bien. No tengo habitación reservada en ningún hotel. ¿Me puede recomendar uno?

—*Mais oui.* Le recomiendo el Hotel Colomba, en Avenue de Paris.

Steve dudó un momento.

—¿No habrá ninguna manera de...?

—Mañana, a las diez.

Steve dio media vuelta y abandonó la oficina.

En el despacho de Durer, el *capitaine* se alegraba de responder a la andanada de preguntas de los periodistas.

Un reportero de televisión le preguntó:

—¿Cómo puede estar seguro de que fue un accidente?

Durer miró hacia la lente de la cámara.

—Por fortuna, hubo un testigo ocular de este terrible evento. La cabina de monsieur Stanford tenía una terraza privada en la cubierta. Al parecer, algunos papeles importantes se le volaron de las manos y él corrió a recuperarlos. Cuando extendió los brazos perdió el equilibrio y cayó al agua. Su guardaespaldas lo vio y enseguida pidió ayuda. El barco se detuvo y pudieron recuperar el cuerpo.

—¿Qué reveló la autopsia?

—Córcega es una isla pequeña, caballeros. No estamos adecuadamente equipados para hacer una autopsia completa. Sin embargo, nuestro médico forense informa que se trató de asfixia por inmersión. Encontró agua de mar en sus pulmones. No había hematomas ni ninguna señal de algo irregular.

—¿Dónde está ahora su cuerpo?

—Lo tenemos en la cámara frigorífica hasta librar la autorización para que se lo lleven.

Uno de los fotógrafos dijo:

—¿Tiene inconveniente en que le tomemos a usted una fotografía, capitán?

El capitán Durer vaciló un momento para conferirle dramatismo al momento.

—No. Por favor, señores, hagan lo que deban hacer.

Y los flashes de las cámaras comenzaron a destellar.

El Colomba era un hotel modesto, pero lindo y limpio; y la habitación, aceptable. Lo primero que hizo Steve fue llamar por teléfono a Simon Fitzgerald.

—Temo que esto va a ser más largo que lo que pensé —le dijo.

65

—¿Cuál es el problema?

—Papeleo. Mañana por la mañana iré a ver al tipo que está a cargo y pondré las cosas en orden. Por la tarde estaré camino a Boston.

—Bien, Steve. Hablaremos mañana.

Steve Sloane almorzó en La Fontana, sobre la rue Notre Dame, y, como no tenía nada que hacer durante el resto del día, comenzó a explorar la ciudad.

Ajaccio era una pintoresca ciudad mediterránea que todavía disfrutaba de la gloria de ser el lugar de nacimiento de Napoleón Bonaparte. "Creo que Stanford se habría sentido identificado con este lugar", pensó.

En Córcega era la temporada de turismo, y sus calles estaban repletas de visitantes que conversaban en francés, italiano, alemán y japonés.

Esa noche, Steve cenó comida italiana en La Boccaccio y regresó a su hotel.

—¿No hay ningún mensaje para mí? —le preguntó con optimismo al conserje.

—No, monsieur.

Después, una vez en la cama, lo acosó el recuerdo de lo que Simon Fitzgerald le había contado sobre Harry Stanford.

"¿Se hizo practicar un aborto?"

"No. Harry quería que abortara, pero ella se negó. Tuvieron una pelea terrible. Él le dijo que la amaba y que quería casarse con ella. Por supuesto, les había dicho lo mismo a decenas de mujeres. Pero Emily escuchó esa conversación y esa misma noche se suicidó." Steve se preguntó de qué manera se habría suicidado.

Finalmente se quedó dormido.

A las diez de la mañana siguiente, Steve Sloane se presentó de nuevo en la Prefectura. El mismo sargento se encontraba sentado del otro lado del escritorio.

—Buenos días —le dijo Steve.

—*Bonjour*, monsieur. ¿En qué puedo servirlo?

Steve le entregó otra tarjeta comercial.

—Estoy aquí para ver al capitán Durer.

—Un momento. —El sargento se puso de pie, se dirigió a la oficina interior y cerró la puerta.

El capitán Durer, ataviado con un imponente uniforme nuevo, estaba siendo entrevistado por un equipo de la RAI, la televisión italiana. En ese momento, miraba hacia la cámara.

—Cuando me hice cargo de este caso, mi primera medida fue asegurarme de que no hubiera nada sospechoso en la muerte de monsieur Stanford.

El que lo entrevistaba preguntó:

—¿Y quedó satisfecho, en el sentido de que no lo había, capitán?

—Completamente satisfecho. No cabe duda de que sólo se trató de un infortunado accidente.

El director dijo:

—*Bene*. Cortemos y tomemos desde otro ángulo, con un plano más cercano.

El sargento aprovechó la oportunidad para entregarle al capitán Durer la tarjeta de Steve Sloane.

—Está afuera —dijo.

—¿Qué pasa contigo? —gruñó Durer—. ¿No ves

que estoy ocupado? Dile que vuelva mañana. —Acababa de enterarse de que había como una docena de periodistas en camino, algunos procedentes de lugares tan lejanos como Rusia y Sudáfrica. —*Demain*.

—*Oui*.

—¿Está listo, capitán? —preguntó el director.

El capitán Durer sonrió.

—Estoy listo.

El sargento volvió al sector de recepción.

—Lo lamento, monsieur. El capitán Durer no tiene tiempo hoy.

—Tampoco yo —saltó Steve—. Dígale que lo único que tiene que hacer es firmar un papel en el que autoriza que nos entreguen el cuerpo de Stanford, y entonces me iré. No creo que sea mucho pedir, ¿verdad?

—Me temo que sí. El capitán tiene muchas responsabilidades, y...

—¿No hay otra persona que pueda darme esa autorización?

—Oh, no, monsieur. Sólo el capitán puede hacerlo.

Steve Sloane se quedó allí parado, hirviendo de rabia.

—¿Cuándo puedo verlo?

—Le sugiero que lo intente de nuevo mañana por la mañana.

La frase "que lo intente de nuevo" rechinó en los oídos de Steve.

—Eso haré —dijo—. A propósito, tengo entendido que hubo un testigo ocular del accidente... el guardaespaldas del señor Stanford, un tal Dmitri Kaminsky.

—Sí.

—Me gustaría hablar con él. ¿Podría decirme dónde se hospeda?

—En Australia.

—¿Es un hotel?

—No, monsieur. —Había pesar en su voz. —Es un país.

La voz de Steve se elevó una octava.

—¿Me está diciendo que la policía permitió que el único testigo de la muerte de Stanford se fuera antes de que nadie pudiera interrogarlo?

—El capitán Durer lo interrogó.

Steve respiró hondo.

—Gracias.

—Ningún problema, monsieur.

Cuando Steve volvió a su hotel, se comunicó con Simon Fitzgerald.

—Parece que tendré que quedarme aquí otra noche.

—¿Qué está pasando, Steve?

—El individuo al mando parece estar muy ocupado. Es la temporada turística. Lo más probable es que trate de encontrar algunas carteras perdidas. Calculo que mañana saldré para allá.

—Manténte en contacto conmigo.

Pese a su irritación, la isla de Córcega le pareció encantadora a Steve. Tenía alrededor de un kilómetro y medio de costa, con imponentes montañas graníticas que permanecían cubiertas por la nieve hasta el mes de julio. La isla fue gobernada por los italianos hasta que pasó al poder de Francia, y la combinación de las dos culturas resultaba fascinante. Durante la cena en la Crêperie U San Carlu, recordó la forma en que Simon Fitzgerald había descripto a Harry Stanford. "Es el único hombre que conozco que carece por completo de compasión... es un individuo sádico y vengativo."

"Pues bien, Harry Stanford está causando muchos problemas incluso muerto", pensó Steve.

Camino de vuelta al hotel, Steve se detuvo en un puesto de diarios para comprar un ejemplar de *The Wall Street Journal*. El titular de primera plana decía: ¿QUÉ OCURRIRÁ CON EL IMPERIO STANFORD? Pagó por el periódico y, cuando estaba por irse, por casualidad vio los titulares de algunas de las publicaciones extranjeras que se exhibían en el puesto. Tomó algunas y las hojeó, sorprendido. Cada uno de los periódicos tenía notas de tapa sobre la muerte de Harry Stanford y en todos, la fotografía del capitán Durer ocupaba un lugar prominente. "¡De modo que eso es lo que lo tiene tan ocupado! Ya lo veremos."

A las nueve y cuarenta y cinco de la mañana siguiente, Steve volvió a la oficina de recepción del capitán Durer. El sargento no estaba del otro lado del escritorio, y la puerta que daba a la oficina interior se encontraba entreabierta. Steve la abrió y entró. El capitán se estaba poniendo un uniforme nuevo, preparándose para las entrevistas de prensa de la mañana. Levantó la vista cuando Steve entró.

—*Ques-ce-que vaus faites ici? C'est un bureau privé! Allez vous en!*

—Represento al *New York Times* —dijo Steve Sloane.

Inmediatamente, la cara de Durer se iluminó.

—Ah, pase, adelante. ¿Dijo que se llamaba...?

—Jones. John Jones.

—¿Puedo ofrecerle algo? ¿Café? ¿Coñac?

—Nada, gracias —dijo Steve.

—Por favor, por favor, tome asiento. —La voz de Durer adquirió un matiz sombrío. —Supongo que está aquí, desde luego, por la terrible tragedia que se ha abatido sobre nuestra isla pequeña y tranquila. Pobre monsieur Stanford.

—¿Cuándo piensa entregar el cuerpo? —preguntó Steve.

El capitán Durer suspiró.

—Bueno, me temo que dentro de muchos, muchos días. Cuando se trata de un hombre de la importancia de monsieur Stanford, hay infinidad de formularios que llenar. Como comprenderá, hay un protocolo a seguir.

—Sí, creo que lo entiendo —dijo Steve.

—Quizá unos diez días. O, tal vez, dos semanas.

—"Para entonces, el interés de la prensa se habría enfriado."

—Aquí tiene mi tarjeta —dijo Steve, y se la entregó.

El capitán la observó y luego la miró con más atención.

—Usted es abogado. ¿Quiere decir que no es periodista?

—No. Soy el abogado de Harry Stanford —aclaró Steve Sloane y se puso de pie—. Quiero su autorización para llevarme el cuerpo.

—Ojalá pudiera entregárselo —dijo el capitán Durer, con tono pesaroso—. Lamentablemente, tengo las manos atadas. No veo cómo...

—Mañana.

71

—¡Eso es imposible! No hay manera de que...
—Le sugiero que se comunique con sus superiores en París. Empresas Stanford tiene fábricas muy importantes en Francia. Sería una pena que nuestra junta de directores decidiera cerrarlas a todas y construir en otros países.

El capitán Durer lo miraba fijo.

—Yo... yo no tengo control sobre esos asuntos, monsieur.

—Pero yo sí —le aseguró Steve—. Hará lo necesario para que el cuerpo del señor Stanford me sea entregado mañana, o se encontrará en más problemas de lo que puede imaginar. —Sin más dio media vuelta para irse.

—¡Espere! ¡Monsieur! Tal vez dentro de algunos días yo podré...

—Mañana. —Y se fue.

Tres horas después, Steve Sloane recibió un llamado telefónico en su hotel.

—¿Monsieur Sloane? Ah, ¡tengo muy buenas noticias para usted! Pude lograr que el cuerpo del señor Stanford le sea entregado a usted inmediatamente. Espero que sepa apreciar el trabajo que...

—Gracias. Un avión privado estará aquí mañana, a las ocho de la mañana, para llevarnos de vuelta. Doy por sentado que para ese entonces estarán listos los papeles necesarios.

—Sí, por supuesto. No se preocupe. Yo me ocuparé de...

—Bien. —Steve colgó el tubo.

El capitán Durer se quedó un largo rato sentado frente a su escritorio. "Merde! Qué mala suerte! Yo podría haber sido una celebridad durante por lo menos otra semana."

Cuando el avión que transportaba el cuerpo de Harry Stanford aterrizó en el Aeropuerto Internacional Logan de Boston, había un coche fúnebre esperándolo.

Los servicios fúnebres se realizarían tres días más tarde.

Steve Sloane se presentó frente a Simon Fitzgerald.

—De modo que el viejo finalmente ha vuelto a casa —dijo Fitzgerald—. Vaya reunión la que habrá.

—¿Una reunión?

—Sí. Será bien interesante —respondió—. Los hijos de Harry Stanford vienen a celebrar la muerte de su padre. Tyler, Woody y Kendall.

CAPÍTULO OCHO

EL JUEZ TYLER STANFORD SE ENTERÓ DEL HECHO POR LA estación WNNM de Chicago. Permaneció frente a la pantalla del televisor, hipnotizado, con el corazón golpeándole en el pecho. Había una fotografía del yate *Blue Skies*, y un relator de noticias decía: "...en una tormenta, camino a Córcega, ocurrió la tragedia. Dmitri Kaminsky, el guardaespaldas de Harry Stanford, fue testigo ocular del accidente pero no pudo salvar a su empleador. A Harry Stanford se lo conocía en los círculos financieros como uno de los más astutos..."

Tyler se quedó allí sentado, observando las imágenes cambiantes y recordando, recordando...

Los gritos lo despertaron en mitad de la noche. Tenía catorce años. Escuchó las voces airadas durante algunos minutos y después se deslizó por el hall hacia la escalera. En el foyer de abajo, su madre y su padre reñían. Su madre gritaba y su padre le cruzó la cara con una bofetada.

La imagen de la pantalla del televisor cambió. Ahora era una escena en la que Harry Stanford se encontraba en el Despacho Oval de la Casa Blanca y le estrechaba la mano al presidente Reagan.

74

"...Uno de los puntales de la nueva fuerza de tareas financieras del Presidente, Harry Stanford fue un importante asesor de..."

Jugaban al fútbol en el jardín de atrás, y su hermano Woody arrojó la pelota hacia la casa. Tyler corrió a buscarla y, mientras la levantaba, oyó decir a su padre, del otro lado de la cerca: "Estoy enamorado de ti, y lo sabes".

Se frenó, sorprendido de que su madre y su padre no estuvieran peleando, pero en ese momento oyó la voz de Rosemary, la institutriz. "Estás casado. Quiero que me dejes en paz."

Y de pronto tuvo ganas de vomitar. Quería mucho a su madre y también a Rosemary. Su padre, en cambio, era un desconocido que lo aterraba.

En la pantalla aparecieron ahora una serie de tomas de Harry Stanford posando con Margaret Thatcher... el presidente Mitterrand... Mikhail Gorbachov... El presentador decía: "El legendario magnate se sentía igualmente cómodo con obreros de fábrica y con líderes mundiales".

Transponía la puerta de la oficina de su padre cuando oyó la voz de Rosemary: "Me voy." Y, después, la voz de su padre: "No dejaré que te vayas. ¡Tienes que ser razonable, Rosemary! Esta es la única manera en que tú y yo podemos..."

"No pienso escucharte. ¡Me quedaré con el bebé!"

Entonces, Rosemary desapareció.

En la pantalla del televisor, la escena volvió a cambiar. Ahora eran trozos de viejos noticiarios de cine que mostraban a la familia Stanford frente a una iglesia, observando cómo se colocaba un féretro en un coche fúnebre. El comentarista decía: "...Harry Stanford y sus hijos junto al ataúd... El suicidio de la señora Stanford se atribuyó a problemas de salud. Según los investigadores policiales, Harry Stanford..."

En mitad de la noche, su padre lo había sacudido para despertarlo. "Levántate, hijo. Tengo malas noticias."

El muchachito de catorce años comenzó a temblar.

"Tu madre tuvo un accidente, Tyler."

Era mentira. Su padre la había matado. Ella se suicidó por culpa de su padre y de su aventura con Rosemary.

La historia llenó los periódicos. Fue un escándalo que conmovió a Boston, y la prensa sensacionalista no dudó en sacar partido de lo sucedido. No fue posible ocultarles la noticia a los hijos de Stanford. Sus compañeros les hicieron la vida imposible. En apenas veinticuatro horas, los tres chicos habían perdido a dos de las personas que más amaban. Y la culpa la tenía su padre.

—No me importa si es mi padre —gimoteó Kendall—. Lo odio.

—¡Yo también!

—¡Yo también!

Pensaron en escapar, pero no tenían adónde ir. Decidieron rebelarse.

Tyler fue el elegido para hablar con él.

—Queremos un padre diferente. No te queremos a ti.

Harry Stanford lo miró y le dijo, con frialdad:

—Creo que podremos arreglarlo.

Tres semanas después, enviaba a los tres a diferentes internados.

Con el transcurso de los años, los tres vieron

muy poco a su padre. Leían acerca de él en los periódicos, o lo veían por televisión escoltando a mujeres hermosas o conversando con celebridades, pero la única vez que estaban con él era en las ocasiones que él denominaba "celebraciones"... oportunidades para sacarse fotografías con ellos como Navidad o época de vacaciones, y demostrar así que era un padre devoto. Después de eso, sus hijos eran enviados a diferentes colegios y campamentos hasta la próxima "ocasión".

Tyler estaba hipnotizado por lo que veía. En el televisor apareció ahora un montaje de fábricas en diferentes partes del mundo, con fotografías de su padre. "... uno de los conglomerados privados más importantes del mundo. Harry Stanford, su creador, era una leyenda... Lo que en este momento se preguntan todos los expertos de Wall Street es ¿qué pasará con la empresa familiar ahora que su fundador ha desaparecido? Harry Stanford dejó tres hijos, pero aún no se sabe quién heredará la fortuna multimillonaria de Stanford, ni quién controlará la corporación..."

Tenía seis años. Le encantaba deambular por esa casa grande y explorar todos los cuartos misteriosos. El único lugar en el que le estaba prohibido entrar era en la oficina de su padre. Tyler sabía que allí se realizaban reuniones importantes. Hombres de trajes oscuros y aspecto imponente entraban y salían todo el tiempo de allí y se reunían con su padre. El hecho de que esa oficina le estuviera prohibida la convertía en irresistible para él.

Cierto día, cuando su padre estaba ausente, Tyler decidió entrar en la oficina. Era un recinto enorme y opresivo. Tyler se quedó allí de pie, observando el inmenso escritorio y el gran sillón de cuero en el que se sentaba su padre. "Algún día yo me sentaré en ese sillón y seré tan importante como papá." Se acercó al escritorio y lo examinó. Sobre él había decenas de papeles de aspecto atemorizador. Rodeó el escritorio y se sentó en el sillón de su padre. La sensación fue maravillosa. "¡Ahora yo también soy importante!"

—¿Qué demonios haces allí?

Tyler levantó la vista, sorprendido. Su padre se encontraba junto a la puerta, furioso.

—¿Quién te dijo que podías sentarte detrás del escritorio?

El chico temblaba.

—Yo... yo sólo quería ver qué se sentía...

Su padre arremetió contra él.

—¡Eso nunca lo sabrás! *¡Nunca!* ¡Ahora mándate mudar de aquí y no se te ocurra volver!

Tyler subió corriendo por la escalera, sollozando, y su madre entró en su habitación y lo rodeó con los brazos.

—No llores, querido. Todo se arreglará.

—No... no se arreglará —gimoteó—. ¡Él me odia!

—No, no te odia.

—Lo único que hice fue sentarme en su sillón.

—Bueno, es su sillón, y no quiere que nadie se siente en él.

Tyler no podía dejar de llorar. Su madre lo apretó fuerte y le dijo:

—Tyler, cuando tu padre y yo nos casamos, él me dijo que quería que yo fuera también parte de la compañía y me dio una acción. Era una suerte de broma familiar. Yo te daré esa acción. La pondré en un fondo fiduciario a tu nombre. De modo que ahora tú también eres parte de la compañía. ¿De acuerdo?

El capital de las Empresas Stanford estaba constituido por cien acciones, y ahora Tyler era el dueño orgulloso de una de ellas.

Cuando Harry Stanford se enteró de lo que su esposa había hecho, se mofó de ella:

—¿Qué demonios crees que hará él con esa única acción? ¿Apoderarse de la compañía?

Tyler apagó el televisor y se quedó allí sentado, tratando de digerir la noticia. Experimentó una profunda satisfacción. Tradicionalmente, los hijos siempre querían tener éxito para complacer a sus padres. Tyler Stanford siempre había anhelado ser exitoso para poder *destruir* a su padre.

De chico, tenía el sueño recurrente de que su padre asesinaba a su madre, y de que él, Tyler, era el que debía dictarle sentencia. *¡Te sentencio a morir en la silla eléctrica!* En ocasiones el sueño variaba un poco, y entonces Tyler sentenciaba a su padre a la horca, a ser fusilado o a que se le inyectara veneno. Los sueños casi se convirtieron en realidad.

El colegio militar al que lo enviaron estaba en Mississippi, y fueron cuatro años de puro infierno. Tyler detestaba la disciplina y el estilo de vida rígido. En su primer año allí, seriamente pensó en suicidarse, y lo único que se lo impidió fue la firme decisión de no darle esa satisfacción a su padre. "Él mató a mi madre. No me matará también a mí."

Tyler tuvo la impresión de que sus instructores eran particularmente severos con él, y estaba seguro de que el responsable de ello era su padre. Tyler no quiso permitir que el colegio militar lo quebrantara. Lo obligaban a ir a su casa para las vacaciones, y esas visitas a su padre se volvieron cada vez más desagradables.

Su hermano y su hermana también estaban en casa para las vacaciones, pero no parecía haber parentesco entre ellos. Su padre lo había destruido. Eran desconocidos entre sí, y sólo esperaban que las vacaciones terminaran para poder escapar.

Tyler sabía que su padre era multimillonario, pero la modesta mensualidad que él, Woody y Kendall recibían provenía de los bienes de su madre. Tyler se preguntó si no tendría derecho a recibir la fortuna familiar. Estaba seguro de que a él y a sus hermanos los estaban estafando. "Necesito un abogado", pensó, pero eso era imposible, así que el siguiente pensamiento fue: "Yo seré abogado".

Cuando su padre se enteró de sus planes, le dijo:

—¿De modo que serás abogado? Supongo que crees que te daré trabajo en las Empresas Stanford. Pues bien, olvídalo. ¡No permitiré que te acerques ni a un kilómetro!

Cuando Tyler se recibió en la facultad de derecho, podría haber iniciado su práctica como abogado en Boston y, por su apellido, ser incorporado al directorio de decenas de compañías, pero prefirió estar lejos de su padre.

Decidió abrir un estudio en Chicago. Al principio fue difícil. No quería beneficiarse con el apellido de su familia, y los clientes eran escasos. Los políticos de Chicago estaban manejados por The Machine, y Tyler aprendió muy pronto que como abogado joven le sería muy ventajoso relacionarse con la poderosa Asociación de Abogados del Condado de Cook. Le dieron un trabajo en la oficina del fiscal de distrito. Era inteligente y estudioso, así que no pasó mucho tiempo antes de que se convirtiera en un colaborador invalorable para ellos. Encausó a criminales y acusados de todos los delitos imaginables, y el porcentaje de condenas que logró fue fenomenal.

Rápidamente fue escalando posiciones, hasta que llegó el día en que obtuvo su recompensa: lo eligieron juez de circuito del Condado de Cook. Pensó que finalmente su padre se sentiría orgulloso de él. Pero se equivocaba.

—¿Tú, juez de circuito? ¡Por el amor de Dios, yo no te permitiría siquiera ser juez de un concurso de cocina!

El juez Tyler Stanford era un hombre bajo y con un leve sobrepeso, con ojos intensos y calculadores y boca tensa. No poseía ni rastros del carisma de su padre. Su rasgo sobresaliente era su voz grave y sonora, perfecta para pronunciar una sentencia.

Tyler Stanford era un individuo reservado, que no compartía con nadie sus pensamientos. Tenía cuarenta años, pero parecía mucho mayor. Se jactaba de no poseer sentido del humor y decía que la vida era demasiado tétrica para la frivolidad. Su único hobby era el ajedrez, y una vez por semana jugaba partidas en el club local e invariablemente ganaba.

Tyler Stanford era un jurista brillante, muy buen conceptuado por sus pares, quienes con frecuencia recurrían a él en busca de consejo. Muy pocas personas sabían que era uno de *esos* Stanford. Jamás mencionó el nombre de su padre.

El despacho del juez estaba en el Edificio de la Corte Criminal de Chicago, ubicado en las calles 26 y California; un edificio de piedra de catorce plantas, con una serie de escalones que conducían a la entrada principal. Era un vecindario peligroso, y un cartel en el exterior indicaba: "Todas las personas que entran en este edificio deben someterse a un registro por orden judicial".

Allí pasaba Tyler sus días: oyendo causas que tenían que ver con robos, hurtos con escalamiento, violaciones, tiroteos, drogas y homicidios. Implacable en sus decisiones, lo apodaban "el juez de la horca". Durante todo el día escuchaba a acusados que alegaban pobreza, haber sufrido ataques sexuales en su infancia, hogares destruidos y cientos de otras excusas, pero él no aceptaba ninguna. Un delito era un delito y debía ser castigado. Y en el fondo de su mente estaba siempre, siempre, su padre.

Los jueces, colegas de Tylor Stanford, sabían poco de su vida personal. Sus conocimientos se limitaban a estar enterados de que su matrimonio había fracasado y ahora estaba divorciado y vivía solo en una pequeña casa estilo georgiano de tres dormitorios sobre la avenida Kimbark, en Hyde Park. Ese sector estaba rodeado por hermosas casas antiguas, porque el gran incendio de 1871 que había arrasado a Chicago, curiosamente había dejado intacto el distrito de Hyde Park. Tyler no hizo amistades en el vecindario, y sus vecinos no sabían nada de él. Una mujer limpiaba su casa tres veces por semana, pero el mismo Tyler se encargaba de las compras. Era un hombre metódico, con una rutina fija. Los sábados iba a Harper Court, un pequeño centro comercial cerca de su casa, o a Mr.G's Fine Foods, o a Medici's, sobre la calle Cincuenta y siete.

Cada tanto, en reuniones oficiales, Tyler conversaba con las esposas de sus compañeros juristas y ellas intuían que él se sentía solo y se ofrecían a presentarle amigas o lo invitaban a cenar. Pero él siempre declinaba.

—Esa noche estoy ocupado.

Sus noches parecían estar comprometidas, pero ellas no tenían idea de qué hacía en esas oportunidades.

—A Tyler sólo le importan las cuestiones legales —le explicó a su esposa uno de los jueces—. Y todavía no tiene interés en conocer ninguna mujer. Oí decir que su matrimonio fue terrible.

Y tenía razón.

Después de su divorcio, Tyler se juró no volver jamás a involucrarse emocionalmente. Pero cuando conoció a Lee, de pronto todo cambió. Lee era hermoso, sensible y afectuoso, justo la persona con que Tyler deseaba pasar el resto de su vida. Tyler amaba a Lee pero, ¿por qué habría él de amarlo? Era un modelo exitoso y tenía muchísimos admiradores, la mayoría muy adinerados. Y a Lee le gustaban las cosas caras.

Tyler se sintió derrotado: de ninguna manera podía competir con los otros por el afecto de Lee. Pero de la noche a la mañana, con la muerte de su padre, todo había cambiado: era rico muy por encima de sus sueños más peregrinos.

Ahora podía prometerle el mundo a Lee.

Tyler entró en el despacho del juez principal.

—Keith, tengo que ir a Boston por unos días, y quería saber si tienes a alguien que pueda tomar mis causas.

—Por supuesto, puedo arreglarlo —le respondió el juez principal—. Me enteré de lo de tu padre, Tyler, y lo lamento. Sin duda estabas muy apegado a él.

Tyler no dijo nada.

Esa tarde, el juez Tylor Stanford iba camino a Boston. En el avión, pensó de nuevo en las palabras pronunciadas por su padre en aquel día fatídico: "Yo conozco tu sucio secreto".

CAPÍTULO NUEVE

LLOVÍA EN PARÍS, UNA CÁLIDA LLUVIA DE JULIO QUE HA-
cía que los peatones corrieran por las calles en busca de refugio o trataran de conseguir inexistentes
taxis. En el interior del auditorio de una enorme
edificio gris ubicado en una esquina de la Rue Fau-
bourg St.-Honoré cundía el pánico. Una docena de
modelos semidesnudas corrían de aquí para allá en
una suerte de histeria colectiva, mientras los peones terminaban de instalar las sillas y los carpinte-
ros pegaban los martillazos de último momento. Todos gritaban y gesticulaban como locos, y el nivel de
ruidos era infernal.

En el ojo de la tormenta y tratando de poner orden en semejante caos estaba la mismísima *maî-
tresse*, Kendall Stanford Renaud. Cuatro horas antes del momento en que debía comenzar el desfile,
todo parecía derrumbarse.

Catástrofe: John Fairchild, de *W*, inesperadamente estaría en París, y no había asiento para él.

Tragedia: El sistema de sonido no funcionaba.

Desastre: Una de las modelos "top" estaba enferma.

Emergencia: Dos de los artistas de maquillaje

peleaban entre bambalinas y estaban muy retrasados.

Calamidad: Todos los dobladillos de las faldas *cigarette* se descosían.

"En otras palabras", pensó Kendall con ironía, "todo es normal."

A Kendall Stanford Renaud podrían haberla confundido con cualquiera de las modelos, y en un tiempo lo había sido. Desde su *chignon* dorado hasta sus zapatos Chanel, de ella emanaba una elegancia cuidadosamente calculada. Todo en Kendall, la curva de su brazo, el tono de su esmalte de uñas, el timbre de su risa, revelaba chic y finos modales. Su rostro, cuando se quitaba el maquillaje, podía ser en realidad corriente, pero ella se ocupaba de que nadie se diera cuenta, y lo conseguía.

Estaba, al mismo tiempo, en todas partes.

—¿Quién iluminó esa pasarela...? ¿Ray Charles?

—Quiero un fondo azul.

—Se ve el forro. ¡Arréglelo!

—No quiero que las modelos se peinen y se maquillen en cualquier parte. ¡Que Lulu les encuentre un camarín!

El encargado del salón corrió hacia ella.

—Kendall, ¡treinta minutos es demasiado tiempo! ¡Demasiado tiempo! El desfile no debería durar más de veinticinco...

Ella interrumpió lo que estaba haciendo.

—¿Qué me sugieres, Scott?

—Podríamos eliminar algunos de los diseños y...

—No. Haré que las modelos se muevan más rápido.

Volvió a oír que alguien la llamaba, y se volvió.

—Kendall, no podemos localizar a Pia. ¿Quieres que Tami cambie y se ponga la chaqueta gris carbón con los pantalones?

—No. Que ese conjunto lo use Dana. A Tami dale la túnica.

—¿Y qué me dices del jersey gris oscuro?

—Monique. Y asegúrate de que use medias al tono.

Kendall miró el tablero en el que había un juego de fotografías polaroid de modelos con una variedad de atuendos. Cuando estuvieran listos, las fotos se colocarían en un orden preciso. Recorrió el tablero con la vista.

—Cambiemos esto. Quiero el cárdigan primero, después los conjuntos, seguidos por el jersey de seda sin breteles, después el vestido de noche de tafetas, luego los vestidos de tarde con chaquetas haciendo juego...

Dos de sus asistentes se le acercaron corriendo.

—Kendall, tenemos un desacuerdo sobre la ubicación de la gente. ¿Quieres a los minoristas sentados todos juntos, o prefieres que los mezclemos con las celebridades?

La otra asistente dijo:

—O podríamos mezclar a las celebridades con los representantes de la prensa.

Kendall casi no las escuchaba. Había pasado dos noches en vela verificando todo para estar segura de que nada saldría mal.

—Decídanlo ustedes —dijo.

Observó la actividad reinante y pensó en el desfile que estaba por comenzar y en los nombres famosos de todo el mundo que estarían allí para aplaudir lo que ella había creado. "Debería agradecerle a mi padre todo esto. Él me dijo que jamás tendría éxito..."

Siempre supo que quería ser diseñadora. Desde que era chiquita, siempre tuvo un sentido natural del estilo. Sus muñecas tenían los atuendos más a la moda de la ciudad. Siempre le mostraba a su madre sus últimas creaciones, y ella la abrazaba y le decía:

—Eres muy talentosa, querida. Algún día serás una diseñadora muy importante.

Y Kendall lo sabía con certeza.

Estudió diseño gráfico, dibujo estructural, concepciones espaciales y coordinación cromática.

—La mejor manera de empezar —le aconsejó una de sus maestras— es convertirse en modelo. De esa forma, conocerás a todos los diseñadores famosos y, si mantienes los ojos bien abiertos, aprenderás mucho de ellos.

Cuando Kendall le mencionó ese sueño a su padre, él la miró y dijo:

—¿Tú? ¡Modelo! ¡Debes de estar bromeando!

Cuando Kendall terminó sus estudios, regresó a Rose Hill. "Papá necesita que yo maneje la casa", pensó. Había una docena de criados, pero en realidad nadie estaba al mando. Puesto que Harry Stanford estaba ausente la mayor parte del tiempo, la servidumbre quedaba librada a sus propios recursos. Kendall trató de organizar todo. Programó las actividades de la casa, fue anfitriona de las reuniones ofrecidas por su padre e hizo todo lo posible para hacerlo sentir cómodo. Anhelaba obtener su aprobación. En cambio, recibió una andanada de críticas.

—¿Quién contrató a ese maldito chef? Despídelo...

"No me gusta el servicio de mesa que compraste. ¿Dónde demonios dejaste tu buen gusto...?

"¿Quién te dijo que podías redecorar mi dormitorio? Manténte bien alejada de él...

No importaba qué hacía Kendall, nunca estaba suficientemente bien.

La crueldad dominante de su padre fue lo que terminó por hacerle abandonar la casa. Siempre había sido un hogar sin amor, y Harry Stanford nunca prestó atención a sus hijos, salvo para controlarlos y castigarlos. Cierta noche, Kendall oyó que su padre le decía a un visitante: "Mi hija tiene cara de caballo. Necesitará mucho dinero para atrapar a algún pobre imbécil".

Fue la gota que desbordó el vaso. Al día siguiente, abandonó Boston y se dirigió a Nueva York.

Sola, en su habitación del hotel, Kendall pensó: "Muy bien. Aquí estoy en Nueva York. ¿Cómo haré para convertirme en diseñadora? ¿Cómo lograré meterme en la industria de la moda? ¿Cómo conseguiré que la gente me preste atención?" Recordó entonces el consejo de su maestra. "Comenzaré como modelo. Esa será la manera de entrar en ese mundo."

A la mañana siguiente, Kendall revisó las páginas amarillas de la guía telefónica, hizo una lista de las agencias de modelos y se propuso recorrerlas.

"Tengo que ser franca con ellos", pensó. "Les diré que sólo podré trabajar para ellos un tiempo, hasta que comience a diseñar."

Entró en la oficina de la agencia que figuraba primera en su lista. Una mujer de mediana edad, detrás del escritorio, le preguntó:

—¿Puedo ayudarte?

—Sí. Quiero ser modelo.

—Yo también, querida. Olvídalo.

—¿Qué?

—Eres demasiado alta.

Kendall apretó los dientes.

—Me gustaría ver a a la persona que dirige esto.

—La estás mirando. Esta agencia es mía.

La siguiente media docena de intentos corrieron igual suerte.

—Eres demasiado baja.

—Demasiado delgada.

—Demasiado gorda.

—Demasiado vieja.

—No tienes el tipo adecuado.

Hacia el fin de semana, ya Kendall comenzaba a desesperarse. Sólo quedaba un nombre en su lista.

Modelos Paramount era la agencia de modelos "top" de Manhattan. No había nadie en el escritorio de recepción.

Una voz procedente de una de las oficinas dijo:

—Ella estará disponible el lunes próximo. Pero sólo puede tenerla por un día: está comprometida por las tres semanas siguientes.

Kendall se acercó a la puerta y espió hacia la oficina. Una mujer de traje sastre hablaba por teléfono.

—De acuerdo. Veré lo que puedo hacer. —Roxanne Marinack colgó el tubo y levantó la vista. —Lo siento, no buscamos a una de tu tipo.

Kendall dijo, con desesperación:

—Yo puedo ser del tipo que quiera que sea. Puedo ser más alta o más baja. Puedo ser más joven o más vieja, más flaca...

Roxanne levantó una mano.

—Un momento.

—Lo único que quiero es una oportunidad. Realmente necesito...

Roxanne vaciló. Había en ella una ansiedad atractiva, y de veras tenía una figura exquisita. No era hermosa, pero, posiblemente, con el maquillaje adecuado...

—¿Has tenido alguna experiencia?

—Sí. Toda mi vida he usado ropa.

Roxanne se echó a reír.

—Está bien. Muéstrame tu *portfolio*.

Kendall la miró, demudada.

—¿Mi *portfolio*?

Roxanne suspiró.

—Querida mía, ninguna modelo que se respete anda por la vida sin un *portfolio*. Es como la biblia para ella. Es lo que miran los clientes potenciales. —Roxanne volvió a suspirar. —Quiero que te tomes dos fotografías, una sonriendo y la otra, seria. Gira un poco.

—De acuerdo. —Kendall comenzó a girar.

—Más despacio. —Roxanne la observó con atención. —No está mal. Quiero una foto tuya en traje de baño, o en ropa interior, lo que destaque más tu figura.

—Haré que me saquen una de cada una —dijo ella, con entusiasmo.

Roxanne no tuvo más remedio que reír ante la actitud de Kendall.

—Está bien. Eres... bueno, diferente, pero podrías tener una oportunidad.

—Gracias.

—No me agradezcas demasiado pronto. Ser modelo no es tan sencillo como parece. Es una profesión bien difícil.

—Estoy lista para hacerlo.

—Ya veremos. Te daré una oportunidad. Te enviaré a una de esas reuniones donde los clientes conocen a todas las nuevas modelos. Allí también habrá modelos de otras agencias. Es algo así como una feria de ganado.

—Puedo hacerlo.

Ese fue el principio. Kendall asistió a varias de esas reuniones antes de que a un diseñador le interesara que ella usara su ropa. Pero estaba tan tensa, que casi arruinó sus posibilidades por hablar demasiado.

—De veras me encanta su ropa, y creo que me quedaría muy bien. Quiero decir, le quedaría muy bien a cualquier mujer, por supuesto. ¡Es maravillosa! Pero creo que a mí me quedará especialmente bien. —Estaba tan nerviosa que tartamudeaba.

El diseñador asintió.

—Es su primer trabajo, ¿verdad?

—Sí, señor.

Él había sonreído.

—Muy bien, la probaré. ¿Cómo dijo que se llamaba?

—Kendall Stanford. —Se preguntó si ese hombre la relacionaría con Harry Stanford, pero, por supuesto, no tenía ningún motivo para hacerlo.

Roxanne tenía razón: modelar era una profesión difícil. Kendall tuvo que aprender a aceptar un rechazo constante, intentos que no conducían a ninguna parte y semanas sin trabajo. Cuando sí trabajaba, debía estar en maquillaje a las seis de la mañana, terminar una sesión de fotografía, ir a la siguiente, y con frecuencia no terminaba hasta después de la medianoche.

Cierta noche, después de un largo día de trabajo, se miró al espejo y gimió:

—Mañana no podré ir a trabajar. ¡Miren qué hinchados tengo los ojos!

Una de las otras modelos dijo:

—Ponte rebanadas de pepino sobre los ojos. O, si no, coloca algunos saquitos de té de manzanilla en agua caliente, luego déjalas enfriar y manténlas sobre los ojos durante quince minutos.

Por la mañana, la hinchazón había desaparecido.

Kendall envidiaba a las modelos que estaban en demanda constante. Oía a Roxanne arreglando sus compromisos: "En un principio, le dije a Scassi que Michelle sería sólo suplente. Llámalos y diles que ahora está disponible, así que la pondré un lugar más arriba..."

Kendall aprendió rápido a no criticar jamás la ropa que modelaba. Se hizo amiga de algunos de los fotógrafos más importantes del medio y consiguió que le hicieran una suerte de *collage* de tomas suyas para acompañar su *portfolio*. Llevaba siempre un bolso de modelo lleno con lo que necesitaría: ropa, maquillaje, artículos para arreglarse las uñas y alhajas. Aprendió a usar el secador de modo que su pelo tuviera más cuerpo, y a usar ruleros calientes para marcárselo.

Todavía le quedaba mucho por aprender. Era la favorita de los fotógrafos, y en una oportunidad, uno de ellos la llevó a un lado para darle consejos.

—Kendall, reserva siempre tu sonrisa para el final de la sesión de tomas. De esa manera, en tu boca habrá menos arrugas.

Kendall se estaba haciendo cada vez más popular. No era la belleza alucinante convencional que era la característica de la mayoría de las modelos, sino que tenía algo más, una elegancia llena de gracia.

—Tiene clase —comentó uno de los agentes de publicidad.

Y eso lo resumía todo.

Se sentía sola. Cada tanto salía con hombres, pero esas salidas no tenían importancia para ella. Trabajaba en forma regular, pero no estaba más cerca de su meta que cuando acababa de llegar a Nueva York. "Tengo que encontrar la manera de ponerme en contacto con los diseñadores más importantes", pensó.

—Te tengo comprometida para las siguientes cuatro semanas —le anunció Roxanne—. Pareces gustarle a todo el mundo.

—Roxanne...

—¿Sí, Kendall?

—No quiero seguir haciendo esto.

Roxanne se quedó mirándola con incredulidad.

—¿Cómo dices?

—Quiero ser modelo de pasarela.

Modelar en desfiles era algo a lo que aspiraban todas las modelos. Era la forma más excitante y lucrativa de modelar.

Roxanne vacilaba.

—Es casi imposible entrar en ese mundo, y...

—Yo lo haré.

Roxanne la observó.

—Lo dices en serio, ¿verdad?

—Sí.

Roxanne asintió.

—De acuerdo. Si de veras lo quieres, lo primero que tienes que hacer es aprender a caminar por la barra.

—¿Qué?

Y Roxanne se lo explicó.

Esa tarde, Kendall se compró una barra angosta de madera, de un metro ochenta de largo, la lijó para quitarle las astillas y la puso en el suelo. Las primeras veces que trató de caminar sobre ella, se caía todo el tiempo. "Esto no será fácil", decidió. "Pero lo haré."

Todas las mañanas, se levantaba temprano y practicaba caminar por la barra. "Adelántate con la pelvis, siente con los dedos y baja el talón." Día tras día, su equilibrio mejoraba.

Caminaba sobre la barra frente a un espejo de cuerpo entero, al son de la música. Aprendió a caminar con un libro sobre la cabeza. Practicaba cambiarse rápido de shorts y zapatillas a tacos altos y traje de noche.

Cuando sintió que estaba lista, volvió a ver a Roxanne.

—Me estoy jugando por ti —le dijo ésta—. Ungaro busca una modelo para su desfile. Te recomendé a ti. Él te dará una oportunidad.

Kendall estaba excitadísima: Ungaro era uno de los diseñadores más brillantes del mundo de la moda.

A la semana siguiente, Kendall llegó al desfile. Trató de parecer tan indiferente como las demás modelos.

Ungaro le entregó el primer atuendo que debía usar y le sonrió:

—Buena suerte.

—Gracias.

Cuando salió a la pasarela, fue como si lo hubiera estado haciendo toda la vida. Hasta las otras modelos quedaron impresionadas. El desfile fue un gran éxito y, a partir de ese momento, Kendall formó parte de la elite. Comenzó a trabajar con los gigantes de la industria de la moda: Yves Saint Laurent, Halston, Christian Dior, Donna Karan, Calvin Klein, Ralph Lauren, St. John... La demanda por ella era constante y la obligaba a viajar por todo el mundo. En París, los desfiles de alta costura se realizaban en enero y julio; en Milán, en cambio, los meses pico eran marzo, abril, mayo y junio, al tiempo que en Tokio, los meses preferidos eran abril y octubre. Era una vida agitada y muy atareada, y a Kendall la fascinaba.

Siguió trabajando y, al mismo tiempo, estudiando. Modelaba la ropa de los famosos diseñadores y pensaba en los cambios que haría si fueran creaciones de ella. Aprendió cómo debía quedar un vestido y cómo las telas debían moverse y balancearse alrededor del cuerpo. Aprendió sobre cortes y drapeados y confección, y qué partes de su cuerpo querían ocultar las mujeres y cuáles deseaban mostrar. En su casa hacía bosquejos, y las ideas parecían fluir. Cierto día, le llevó una carpeta con sus modelos a la gerente de compras de I.Magnin, quien quedó impresionada.

—¿Quién diseñó esto? —preguntó.

—Yo.

—Son muy buenos, excelentes.

Dos semanas después, Kendall empezó a trabajar como asistente de Donna Karan, y aprendió el aspecto comercial de la industria de la indumentaria. Cuando llegaba de vuelta a su casa, seguía diseñando ropa. Un año después realizaba su primer desfile. Fue un desastre.

Los diseños eran ordinarios y no le gustaron a nadie. Ofreció un segundo desfile, y no asistió nadie.

"Esta profesión no es para mí", pensó.

"Algún día serás una diseñadora famosa."

"¿Qué estoy haciendo mal?", se preguntó.

La epifanía le llegó en mitad de la noche.

Kendall despertó y se quedó acostada en la cama, pensando. "Estoy diseñando ropa para que la usen las modelos. Lo que debería hacer es crear ropa para mujeres verdaderas que tienen empleos, y para familias verdaderas. Ropa linda pero cómoda. Chic, pero práctica."

Le llevó casi un año preparar su siguiente desfile, que fue un éxito inmediato.

* * *

Kendall rara vez volvía a Rose Hill, y cuando lo hacía, esas visitas eran horrorosas. Su padre no había cambiado. En todo caso, estaba todavía peor.

—Todavía no pescaste a nadie, ¿no? Nunca conseguirás marido.

Kendall conoció a Marc Renaud en un baile de caridad. Él trabajaba en la división internacional de un compañía de agentes de Bolsa de Nueva York, y se ocupaba de divisas extranjeras. Era un francés alto, delgado y atractivo, cinco años menor que ella. Era encantador y atento, y Kendall sintió una fuerte atracción hacia él. Marc la invitó a cenar la noche siguiente, y esa misma noche Kendall se acostó con él. Después de eso, estuvieron juntos todas las noches.

En cierta oportunidad, Marc dijo:

—Kendall, estoy locamente enamorado de ti, y lo sabes.

Y ella le dijo, con ternura:

—Te he estado buscando toda mi vida, Marc.

—Hay un problema serio: tú tienes un éxito increíble, y yo no gano, ni por asomo, tanto dinero como tú. Tal vez algún día...

Kendall le apoyó un dedo en los labios.

—Calla. Me has dado más de lo que pude esperar jamás.

El día de Navidad, Kendall llevó a Marc a Rose Hill para presentárselo a su padre.

—¿Te vas a casar con ese tipo? —saltó Harry Stanford—. ¡Es un don nadie! Se casa contigo por el dinero que cree que heredarás.

Si Kendall hubiera necesitado una razón adicional para casarse con Marc, habría sido esa. Se casaron al día siguiente en Connecticut, y ese matrimonio le dio la felicidad que nunca antes había conocido.

—No debes permitir que tu padre te intimide —le decía Marc—. Toda su vida, ha usado su dinero como arma. Nosotros no necesitamos su dinero.

Y ella lo amaba todavía más.

Marc era un marido maravilloso: bueno, considerado y cariñoso. "Lo tengo todo", pensó Kendall, feliz. "El pasado ha muerto". Había tenido éxito a pesar de su padre. Dentro de pocas horas, el mundo de la moda estaría centrado en su talento.

La lluvia había cesado. Era un buen presagio.

El desfile fue un éxito arrollador. Al final, con la música a todo volumen y los flashes disparando, Kendall salió a la pasarela, saludó y recibió una ovación. Kendall deseó que Marc hubiera podido estar en París con ella para compartir su triunfo, pero la empresa donde trabajaba no le dio permiso para viajar.

Cuando todo el mundo se fue, Kendall volvió a su oficina sintiéndose eufórica. Su asistente le dijo:

—Llegó una carta para usted. La entregaron por mano.

Kendall miró el sobre marrón que su asistente le entregó y de pronto sintió un escalofrío. Sabía de qué se trataba antes de abrirlo. La carta decía:

* * *

Estimada señora Renaud:

Lamento informarle que, una vez más, la Asociación de Protección a la Fauna Silvestre está corta de fondos. Necesitamos en forma inmediata la suma de $ 100.000 para cubrir nuestros gastos. El dinero debe ser girado a la cuenta Nº 804072-A, del Banco Credit Suisse, de Zurich.

No había firma.

Kendall quedó absorta, mirando fijo la carta. "No acabará nunca. El chantaje no terminará nunca."

Otra asistente entró corriendo en la oficina.

—¡Kendall! Lo siento tanto. Acabo de oír una noticia terrible.

"No puedo soportar más noticias terribles", pensó Kendall.

—¿Qué ocurre?

—Es algo que pasaron por la Radio TELI Luxemburgo. Su padre ha muerto. Se ahogó.

Kendall tardó un momento en entender esas palabras. Lo primero que pensó fue: "Me pregunto qué lo habría hecho sentirse más orgulloso: ¿mi éxito o el hecho de que soy una asesina?"

CAPÍTULO DIEZ

PEGGY MALKOVICH ESTABA CASADA HACÍA DOS AÑOS CON Woodrow "Woody" Stanford, pero los residentes de Hobe Sound seguían refiriéndose a ella como "la camarera".

Peggy servía las mesas del Rain Forest Grille cuando Woody la conoció. Woody Stanford era el chico mimado de Hobe Sound: vivía en la villa de la familia, su apostura era de estilo clásico, era encantador y sociable y el candidato perfecto para las ansiosas debutantes de Hobe Sound, Filadelfia y Long Island. Así que se produjo una conmoción terrible cuando de pronto se fugó con una camarera de veinticinco años bastante fea, sin estudios secundarios e hija de un jornalero y una ama de casa.

La conmoción fue aun mayor porque todos esperaban que Woody se casara con Mimi Carson, una joven hermosa e inteligente, heredera de una fortuna hecha en la industria maderera, que estaba locamente enamorada de él.

Por lo general, los residentes de Hobe Sound preferían murmurar sobre las aventuras de sus sirvientes más que de las de sus pares, pero, en el caso de Woody, su matrimonio fue una afrenta tan grande que constituyó una excepción en ese sentido. Enseguida corrió la voz de que Woody había embarazado a Peggy Malkovich y luego se había casado con ella. Y todos estaban seguros de cuál había sido el mayor pecado.

—Por el amor de Dios, puedo entender que el muchacho la haya dejado embarazada... ¡pero casarse con una camarera!

El asunto fue un clásico caso de *déjà-vu*. Veintiocho años antes, Hobe Sound se había estremecido con un escándalo similar protagonizado por los Stanford. Emily Temple, la hija de una de las familias patricias, se había suicidado porque su marido había dejado embarazada a la institutriz de sus hijos.

Woody Stanford en ningún momento ocultó que odiaba a su padre, y todos compartían la idea de que se había casado con la camarera para fastidiarlo y demostrar que él era más honorable que aquél.

La única persona invitada a la boda fue Hoop, el hermano de Peggy, quien tomó un vuelo desde Nueva York. Hoop tenía dos años más que Peggy; era alto y delgado, con marcas de viruela en la cara y un fuerte acento de Brooklyn.

—Te casas con una gran muchacha —le dijo a Woody después de la ceremonia.

—Ya lo sé —respondió Woody con voz apagada.

—Cuidarás mucho a mi hermana, ¿sí?

—Haré lo posible.

—Sí, hazlo.

Una conversación nada memorable entre un panadero y el hijo de uno de los hombres más ricos del mundo.

Cuatro semanas después de la boda, Peggy perdió el bebé.

* * *

Hobe Sound es una comunidad muy exclusiva, y la isla Jupiter es la parte más exclusiva de Hobe Sound. La isla limita, al oeste, con el canal intracostero y, al este, con el océano Atlántico. Es un refugio privado... opulento, autosuficiente, con más policías *per cápita* que cualquier otro lugar del mundo. Sus residentes procuran no hacer alarde de su riqueza; conducen automóviles Taurus o furgonetas y poseen veleros pequeños: un Tartan 18 o un Quickstep 24.

Si uno no pertenecía a Hobe Sound por nacimiento, debía ganarse el derecho de ser miembro de esa comunidad. Después del matrimonio entre Woodrow Stanford y La Camarera, el interrogante que preocupaba a todos era: ¿cuál sería la actitud de los residentes con respecto a aceptar a la novia en su sociedad?

La señora de Anthony Pelletier, el decano de Hobe Sound, era el árbitro de todas las disputas sociales, y su piadosa misión en la vida era proteger a su comunidad contra los *parvenus* y los *nouveaux riches*. Cuando llegaban personas nuevas a Hobe Sound y tenían la desgracia de no gustarle a la señora Pelletier, ella tenía por costumbre enviarles una valija de cuero por intermedio de su chofer. Era su manera de informarles que no eran bien recibidos en la comunidad.

A sus amigas les encantaba contar la anécdota del mecánico de autos y su esposa que compraron una casa en Hobe Sound. La señora Pelletier les mandó la valija de práctica, y cuando la esposa del mecánico se enteró de lo que eso significaba, se echó a reír y dijo:

—Si esa vieja bruja cree que puede echarme de aquí, está loca.

Pero comenzaron a ocurrir cosas extrañas. De pronto no conseguían obreros ni mecánicos para reparar las cosas que dejaban de funcionar, al almacenero le faltaban siempre los artículos que ella ordenaba, y no podían convertirse en miembros del club o siquiera reservar mesa en cualquiera de los buenos restaurantes locales. Y nadie les hablaba. Tres meses después de recibir la valija, la pareja vendió la casa y se fue.

De modo que, cuando se supo del casamiento de Woody, la comunidad contuvo colectivamente el aliento. Excomulgar a Peggy Malkovich significaba excomulgar también a su popular marido. Se hicieron apuestas en voz baja.

Durante las primeras semanas, no hubo invitaciones a cenar ni a ninguna de las funciones habituales de la comunidad. Pero los residentes le tenían afecto a Woody y, después de todo, su abuela materna había sido una de las fundadoras de Hobe Sound. Gradualmente, la gente empezó a invitar a su casa a Woody y a Peggy. Todos estaban ansiosos por ver cómo era su esposa.

—Esa mujer debe de tener algo especial; de lo contrario, Woody nunca se habría casado con ella.

Pero les esperaba una gran decepción. Peggy era insípida y carente de gracia, no tenía personalidad y se vestía mal. Desaliñada era la palabra que se les ocurría a todos.

Los amigos de Woody no podían entenderlo.

—¿Qué demonios ve en ella? Podría haberse casado con cualquiera.

Una de las primeras invitaciones provino de Mimi Carson. Se había sentido desolada al enterarse del casamiento de Woody, pero era demasiado orgullosa para revelarlo.

Cuando su mejor amiga trató de consolarla diciéndole:

—¡Olvídalo, Mimi! Ya se te pasará.

Mimi le respondió:

—Viviré con esta pena, pero jamás lo olvidaré.

Woody se esforzó muchísimo para que su matrimonio fuera un éxito. Sabía que había cometido un error, y no quería castigar a Peggy por ello. Trató desesperadamente de ser un buen marido. El problema era que Peggy no tenía nada en común con él ni con ninguno de sus amigos.

La única persona con la que Peggy parecía sentirse cómoda era su hermano, y ella y Hoop hablaban todos los días por teléfono.

—Lo extraño —se quejaba Peggy.

—¿Quieres que venga y se quede algunos días con nosotros?

—No puede —dijo ella. Miró a su marido y dijo, con rencor: —Tiene un empleo.

En las fiestas, Woody trataba de incluir a Peggy en las conversaciones, pero inmediatamente fue evidente que ella no tenía nada de interés que aportar. Se quedaba sentada en un rincón, muda, pasándose la lengua por los labios, y sintiéndose evidentemente muy incómoda.

Las amistades de Woody tenían plena conciencia de que, aunque él se hospedara en la villa de los Stanford, estaba enemistado con su padre, y de que vivía con la escasa anualidad que su madre le había dejado. Su pasión era el polo y montaba los ponis propiedad de sus amigos. En el mundo del polo, el handicap que se les confiere a sus jugadores equivale a los goles de ventaja que dan, siendo diez goles el más alto. Woody era nueve de handicap, y había jugado con Mariano Aguerre de Buenos Aires, Wicky el Effendi de Tejas, Andrés Diniz de Brasil, y decenas de otros polistas importantes. En el mundo sólo existían doce polistas con diez de handicap, y lo que más ambicionaba Woody era convertirse en el número trece.

—¿Saben por qué, verdad? —comentó uno de sus amigos—. Porque su padre tenía diez de handicap.

Como Mimi Carson sabía que Woody no tenía dinero para comprarse sus propios ponis de polo, ella compró varios y se los dio para que los montara. Cuando sus amistades le preguntaron por qué, ella respondió:

—Quiero hacerlo feliz en lo que está a mi alcance.

Cuando los recién llegados preguntaban cómo se ganaba Woody la vida, la respuesta era encogerse de hombros. En realidad, la suya era una vida de segunda mano, porque ganaba dinero en torneos de golf, apostando en los partidos de polo, tomando prestados ponis y yates de competición y, cada tanto, también las esposas de otras personas.

Su matrimonio con Peggy se deterioraba con rapidez, pero él se negaba a reconocerlo.

—Peggy —solía decirle—, cuando vayamos a reuniones, por favor trata de participar de la conversación.

—¿Por qué tengo que hacerlo? Todos tus amigos se sienten muy superiores a mí.

—Pues bien, no lo son —le aseguraba.

Una vez por semana, el Círculo Literario de Hobe Sound se reunía en el country club para analizar los últimos libros editados, después de lo cual se ofrecía una comida.

En ese día particular, mientras las damas comían, el mayordomo se acercó a la señora Pelletier.

—La esposa del señor Woodrow Stanford está afuera y desea reunirse con ustedes.

Un murmullo recorrió la mesa.

—Hágala pasar —dijo la señora Pelletier.

Un momento después, Peggy entraba en el comedor. Se había lavado la cabeza y planchado su mejor vestido. Se quedó allí de pie, mirando con nerviosismo a las asistentes.

La señora Pelletier inclinó la cabeza y luego dijo, con tono agradable:

—Señora Stanford.

Peggy sonrió con ansiedad.

—Sí, señora.

—No la necesitaremos. Ya tenemos una camarera. —Dicho lo cual volvió a centrar su atención en la comida.

Cuando Woody se enteró de lo sucedido, se enfureció.

—¡Cómo se atreve a hacerte eso! —Tomó a Peggy en sus brazos. —La próxima vez, pregúntame antes de tomar una iniciativa así. Para asistir a esa clase de reuniones, hay que estar invitado.

—No lo sabía —dijo ella, enfurruñada.

—Está bien. Esta noche cenaremos en casa de los Blake, y quiero que...

—¡No iré!

—Pero hemos aceptado su invitación.

—Ve tú.

—No quiero ir sin...

—No pienso ir.

Woody fue solo y, después de eso, comenzó a asistir a las reuniones sin Peggy.

Llegaba de vuelta a su casa muy tarde, y Peggy estaba segura de que había estado con otras mujeres.

El accidente cambió todo.

Sucedió durante un partido de polo. Woody jugaba de numero uno, y un integrante del equipo contrario, al tratar de taquear la bocha desde muy cerca, accidentalmente golpeó las patas del poni que montaba Woody. El animal rodó y cayó sobre su jinete. En el amontonamiento que siguió, otro caballo pateó a Woody. En la sala de emergencias del hospital, los médicos diagnosticaron una pierna fracturada, tres costillas rotas y un pulmón perforado.

A lo largo de las siguientes dos semanas le practicaron tres operaciones distintas, y Woody estaba terriblemente dolorido. Los médicos le dieron morfina para aliviarlo. Peggy fue todos los días a visitarlo.

Hoop tomó un vuelo desde Nueva York para consolar a su hermana.

* * *

El dolor físico era intolerable, y lo único que lo
aliviaba eran las drogas que los médicos le receta-
ban constantemente. Muy poco después de regresar
a su casa, Woody cambió radicalmente. Comenzó a
tener violentos cambios de humor. De pronto parecía estar tan animado como siempre, y al minuto siguiente tenía un acceso de furia o caía en una profunda depresión. Durante la cena, después de reír y
de contar chistes, Woody de pronto se enojaba, mal-
trataba a Peggy y se iba hecho una furia. Sus estados de ánimo pasaban de la ira a la euforia en cuestión de segundos. En mitad de una frase se sumía
en un estado de ensoñación. Comenzó a olvidar cosas. Hacía citas y no se presentaba; invitaba personas a su casa y no estaba allí cuando llegaban. Todo
el mundo se sentía preocupado por él.

Empezó a tratar mal a Peggy en público. Cierta
mañana, cuando le alcanzaba una taza de café a
una amiga, Peggy volcó un poco, y Woody saltó, con
desprecio:

—Una vez camarera, siempre camarera.

Peggy comenzó a mostrar signos de maltrato físico, y cuando la gente le preguntaba qué había pasado, ella daba una excusa.

"Tropecé con una puerta", o "Me caí", y le resta-
ba importancia. La comunidad estaba indignada.
Ahora sentían lástima por Peggy. Pero cuando la
conducta errática de Woody ofendía a alguna persona, Peggy defendía a su marido.

—Woody está sometido a mucho estrés —insis-
tía—. No es él mismo. —No permitía que nadie lo
criticara.

* * *

El doctor Tichner fue quien finalmente puso al descubierto lo que sucedía. Un día le pidió a Peggy que fuera a verlo a su consultorio.

Ella estaba nerviosa.

—¿Pasa algo, doctor?

Él la observó un momento. Tenía un magullón en la mejilla y un ojo hinchado.

—Peggy, ¿sabes que Woody consume drogas?

Los ojos de ella brillaron con indignación.

—¡No! ¡No lo creo! —Se puso de pie. —¡No me quedaré aquí a escuchar esas cosas!

—Siéntate, Peggy. Creo que ha llegado el momento de que te enfrentes con la verdad. Ya es evidente para todos. Sin duda has notado su conducta. De pronto está en la cima del mundo, y habla de lo maravilloso que es todo, y al minuto siguiente quiere suicidarse.

Peggy se quedó allí sentada mirándolo, pálida.

—Es un adicto.

Los labios de Peggy se tensaron.

—No —dijo con empecinamiento—. No lo es.

—Sí lo es. Tienes que ser realista. ¿No quieres ayudarlo?

—¡Por supuesto que sí! —Se apretaba las manos. —Haría cualquier cosa por ayudarlo. Cualquier cosa.

—Está bien. Entonces puedes empezar por enfrentar la verdad. Quiero que me ayudes a internar a Woody en un centro de rehabilitación. Le he pedido que venga a verme.

Peggy lo miró durante un buen rato y luego asintió.

—Está bien —dijo en voz baja—. Hablaré con él.

Esa tarde, cuando Woody entró en el consultorio del doctor Tichner, estaba eufórico.

—¿Quería verme, doctor? Es sobre Peggy, ¿verdad?

—No. Es sobre ti, Woody.

Woody lo miró, sorprendido.

—¿Sobre mí? ¿Y qué problema tengo?

—Creo que sabes cuál es tu problema.

—¿A qué se refiere?

—Si sigues así, destruirás tu vida y la de Peggy. ¿Qué droga estás consumiendo, Woody?

—¿Cómo?

—Ya me oíste.

Se hizo un silencio prolongado.

—Quiero ayudarte.

Woody se quedó allí sentado, mirando hacia el piso. Cuando finalmente habló, lo hizo con voz ronca.

—Tiene razón. Yo he... he tratado de engañarme, pero ya no puedo seguir haciéndolo.

—¿Qué consumes?

—Heroína.

—¡Dios mío!

—Créame, he tratado de dejarla, pero... pero no puedo.

—Necesitas ayuda, y hay lugares donde puedes obtenerla.

Woody dijo, con tono cansado:

—Espero que tenga razón.

—Quiero que vayas a la Clínica del Grupo Harbor, en Jupiter. ¿Lo intentarás?

Hubo una breve vacilación.

—Sí.

—¿Quién te suministra la heroína? —preguntó el doctor Tichner.

Woody negó con la cabeza.

—No puedo decírselo.

—Está bien. Haré lo necesario para tu internación en la clínica.

A la mañana siguiente, el doctor Tichner se encontraba en la oficina del jefe de policía.

—Alguien lo está proveyendo de heroína —dijo el doctor Tichner—, pero no quiere decirme quién.

El jefe de policía Murphy miró al doctor Tichner y asintió.

—Creo que sé de quién se trata.

Había varios sospechosos posibles. Hobe Sound era un pequeño enclave, y todos conocían el negocio de los demás.

En Bridge Road se había abierto hacía poco una tienda de licores que hacía entregas a domicilio a sus clientes de Hobe Sound a todas horas del día y de la noche.

Un médico de una clínica local había sido multado por recetar drogas en exceso.

Un año antes se había abierto un gimnasio, del otro lado del canal, y se rumoreaba que el entrenador consumía esteroides y tenía otras drogas a disposición de sus buenos clientes.

Pero el jefe de policía Murphy pensaba en otro sospechoso.

Tony Benedotti había trabajado muchos años como jardinero de varias casas de Hobe Sound. Había estudiado horticultura y le encantaba pasar sus días creando hermosos jardines. Los jardines y parques que atendía eran los más preciosos de Hobe Sound. Era un hombre callado y reservado, y las personas que trabajaban para él sabían muy poco sobre su persona. Parecía un hombre demasiado instruido para ser jardinero, y todos sentían curiosidad por su pasado.

Murphy lo mandó traer a su oficina.

—Si es sobre mi licencia para conducir, ya la renové... —dijo Benedotti.

—Siéntese —le ordenó Murphy.

—¿Hay algún problema?

—Sí. Usted es un hombre instruido, ¿verdad?

—Sí.

El jefe de policía se echó hacia atrás en su asiento.

—Entonces, ¿cómo terminó siendo jardinero?

—Sucede que amo la naturaleza.

—¿Qué otra cosa le gusta?

—No entiendo.

—¿Cuánto hace que trabaja de jardinero?

Benedotti lo miró, desconcertado.

—¿Algunos de mis clientes se han quejado?

—Responda a mi pregunta.

—Alrededor de quince años.

—¿Tiene una linda casa y un barco?

—Sí.

—¿Cómo puede costearse todo eso con lo que gana como jardinero?

—Bueno, no es una casa tan grande —respondió Benedotti—, ni un barco tan grande.

—Quizás obtiene dinero de otra fuente.

—¿Qué quiere decir?

—Usted trabaja para muchas personas en Miami, ¿verdad?

—Sí.

—Allí hay muchos italianos. ¿Alguna vez les hace favores?

—¿Qué clase de favores?

—Como traficar drogas, por ejemplo.

Benedotti lo miró, horrorizado.

—¡Por Dios! Desde luego que no.

Murphy se echó hacia adelante.

—Déjeme que le diga algo, Benedotti. Lo he estado vigilando y he conversado con algunas de las personas para las que trabaja. Ya no lo quieren aquí a usted ni a sus amigos de la mafia. ¿Está claro?

Benedotti cerró los ojos un segundo y luego los abrió.

—Muy claro.

—Bien. Espero que mañana ya no esté aquí. No quiero volver a verle la cara.

Woody Stanford estuvo internado tres semanas en la Clínica del Grupo Harbor, y cuando salió era el antiguo Woody: encantador, gracioso y una compañía deliciosa. Volvió a jugar al polo, siempre montando los ponis de Mimi Carson.

El domingo cumplía dieciocho años de vida el Palm Beach Polo & Country Club, y el Forest Hill Boulevard estaba congestionado por el tráfico: tres mil simpatizantes convergían hacia el campo de polo. Todos corrieron a ocupar los palcos del lado oeste del campo y las graderías del lado sur. Algunos de los mejores jugadores del mundo intervendrían en el partido de ese día.

Peggy estaba en un palco junto a Mimi Carson, como invitada suya.

—Woody me dijo que ésta es la primera vez que asistes a un partido de polo, Peggy. ¿Por qué no has venido antes?

Peggy se pasó la lengua por los labios.

—Yo... supongo que ver jugar a Woody me ponía muy nerviosa. No quiero que vuelvan a lastimarlo. Es un deporte muy peligroso, ¿no es así?

Mimi dijo:

—Bueno, si se piensa que son ocho jugadores, cada uno de los cuales pesa alrededor de ochenta kilos, y ocho ponis que pesan unos trescientos cincuenta kilos, y que se persiguen a lo largo de trescientos metros a una velocidad de cerca de setenta kilómetros por hora... sí, los accidentes pueden suceder.

Peggy se estremeció.

—Si algo volviera a pasarle a Woody, yo no podría soportarlo. De veras que no. Enloquecería de preocupación.

Mimi Carson le dijo:

—No te preocupes. Woody es uno de los mejores. Ya sabes que estudió con Héctor Barrantes.

Peggy la miraba como sin entender.

—¿Quién?

—Es un jugador de diez goles de handicap. Una de las leyendas del polo.

—Ah.

Se oyó un murmullo del gentío cuando los caballos se desplazaron por el campo de juego.

—¿Qué ocurre? —preguntó Peggy.

—Acaban de terminar la sesión de práctica antes del partido. Ya están listos para empezar.

En el campo de juego, los dos equipos comenzaban a alinearse bajo el agobiante sol de Florida, alistándose para el momento en que el árbitro arrojaría la bocha.

El aspecto de Woody era espléndido: bronceado, delgado y en perfecto estado físico... listo para la lucha. Peggy lo saludó con la mano y le sopló un beso.

Ahora los dos equipos estaban alineados, uno al lado del otro. Los jugadores tenían los tacos hacia abajo, preparados para tomar la bocha.

—Hay seis períodos de juego, llamados *chukkers* —le explicó Mimi Carson a Peggy—. Cada uno dura siete minutos y treinta segundos. El *chukker* finaliza cuando suena la campana. Entonces hay diez minutos de descanso. Los jugadores cambian de ponis cada siete minutos. Gana el equipo que marca la mayor cantidad de goles.

—Bien.

Mimi se preguntó cuánto habría entendido Peggy.

En el campo de juego, los ojos de los jugadores estaban fijos en el árbitro, anticipando el momento en que arrojaría la bocha. El árbitro paseó la vista por los espectadores y de pronto tiró la bocha blanca entre las dos filas de jugadores. El partido había empezado.

La acción fue veloz. Woody hizo la primera jugada: tomó la bocha y la taqueó de derecha. La bocha salió volando en dirección a un jugador del equipo rival, quien galopó a toda velocidad hacia ella. Woody se le puso a la par y le trabó el taco con el suyo.

—¿Por qué hizo eso Woody? —preguntó Peggy.

Mimi Carson le explicó:

—Cuando un rival se acerca a la bocha, es legal trabarle el taco para que no pueda taquearla y marcar un gol. Ahora Woody va a taquear para tener buen control de la bocha.

El juego se desarrollaba a tanta velocidad que resultaba casi imposible seguir la acción.

Se oyeron gritos de "Al centro...", "Tablones...", "Gira..."

Y los jugadores se desplazaban por el campo a toda velocidad. Los ponis, caballos árabes, morgans y palominos, eran los responsables del ochenta por ciento de los éxitos de sus jinetes. Debían ser veloces, tener lo que los jugadores denominan "sentido del polo" y ser capaces de anticipar cada movimiento de su jinete.

Woody jugó brillantemente los primeros tres *chukkers*, marcando dos goles en cada uno y siendo vitoreado por el público. Hizo tiros de revés y ganchos, y su taco parecía estar en todas partes. Era el antiguo Woody Stanford, temerario, que montaba como el viento. Al final del quinto *chukker*, el equipo de Woody estaba bien adelante en el marcador y los jugadores salieron del campo para un descanso de diez minutos.

Cuando Woody pasó junto a Peggy y Mimi, sentadas en la primera fila, les sonrió.

Peggy se volvió hacia Mimi Carson y le dijo, muy entusiasmada:

—¿No es maravilloso?

Ella miró a Peggy.

—Sí. En todo sentido.

* * *

En el vestuario, los compañeros de Woody lo felicitaban.

—¡Estuviste fabuloso!

—¡Grandes jugadas!

—Gracias.

—Ahora saldremos y volveremos a hacerlos morder el polvo. ¡No tienen ninguna posibilidad de ganar!

Woody sonrió.

—Ningún problema.

Observó a sus compañeros salir al campo de juego y, de pronto, se sintió agotado. "Me exigí demasiado", pensó. "En realidad todavía no estaba listo para volver a jugar. Si salgo haré un papelón." Sintió pánico y el corazón comenzó a golpearle con fuerza en el pecho. "Lo que necesito es algo que me levante un poco. ¡No! No lo haré. No puedo. Lo prometí. Pero mi equipo me espera. Lo haré sólo por esta vez, y nunca más. Juro por Dios que será la última vez." Abrió su armario y metió la mano en el bolsillo de su chaqueta.

Cuando Woody regresó al campo de juego, tarareaba en voz baja y en sus ojos había un brillo anormal. Saludó con la mano al público y se unió a su equipo. "Ni siquiera necesito un equipo, pensó. Yo solo soy capaz de ganarles a esos hijos de puta. Soy el mejor jugador del mundo." Y comenzó a reír entre dientes.

El accidente ocurrió hacia el final del sexto *chukker*, aunque algunos espectadores jurarían que no fue ningún accidente. Los ponis corrían arracimados en dirección a los mimbres, y Woody estaba en control de la bocha. Por el rabillo del ojo vio que uno de los jugadores del equipo rival se cerraba sobre él, y cambió de posición el taco y pegó la bocha hacia la parte de atrás del poni. La tomó Rick Hamilton, el jugador número uno del equipo rival, quien comenzó a avanzar velozmente hacia el arco. Woody lo persiguió a galope tendido. Balanceó el taco para trabar el de Hamilton y marró. Los ponis se acercaban a la meta. Woody seguía tratando con desesperación de trabar el taco de Hamilton, y fallaba cada vez.

Cuando Hamilton se acercaba a los mimbres, Woody deliberadamente le tiró el caballo encima para desviarlo de la trayectoria de la bocha. Hamilton y su poni rodaron. El público se puso de pie y comenzó a gritar. El árbitro hizo sonar el silbato y levantó una mano.

La primera regla del polo es que, cuando un jugador está en posesión de la bocha, está prohibido cruzársele. Cualquier jugador que lo hace crea una situación de peligro y comete una falta.

El juego se detuvo.

El árbitro se acercó a Woody y le dijo, con voz llena de ira:

—¡Ésa fue una falta deliberada, señor Stanford!

Woody sonrió.

—¡No fue mi culpa! El maldito caballo de él...

—El castigo será adjudicarle un gol al equipo rival.

El *chukker* se convirtió en un desastre. Woody

cometió dos flagrantes infracciones más a tres minutos una de la otra, que tuvieron como resultado dos tantos más para el otro equipo. En cada caso a los rivales se les otorgó un tiro libre penal contra un arco desprotegido. En los últimos treinta segundos del partido, el equipo rival marcó el tanto ganador. Lo que había sido una victoria segura, se había convertido en una derrota.

En el palco, Mimi Carson estaba horrorizada por el repentino giro de los acontecimientos.

Peggy dijo, tímidamente:

—No salió bien, ¿verdad?

—No, Peggy —le respondió Mimi—. Me temo que no.

Un asistente se acercó al palco.

—Señorita Carson, ¿puedo hablar un momento con usted?

Mimi Carson miró a Peggy.

—Discúlpame un momento.

Peggy vio alejarse a los dos.

En el vestuario, reinaba silencio entre el equipo de Woody, quien tenía la vista fija en la pared, demasiado avergonzado para mirar a sus compañeros. Mimi Carson entró en el recinto. Se acercó de prisa a Woody.

—Woody, me temo que tengo una noticia espantosa. —Le puso una mano en el hombro. —Tu padre ha muerto.

Woody la miró, sacudió la cabeza y comenzó a sollozar.

120

—Yo... yo soy el responsable. Es culpa mía.

—No. No debes culparte. No es tu responsabilidad.

—Sí lo es —lloró Woody—. ¿No entiendes? Si no hubiera sido por mis infracciones, habríamos ganado el partido.

CAPÍTULO ONCE

JULIA STANFORD JAMÁS HABÍA CONOCIDO A SU PADRE, y ahora estaba muerto, reducido a un titular negro en el *Kansas City Star*: ¡EL MAGNATE HARRY STANFORD AHOGADO EN EL MAR! Julia se quedó allí sentada, mirando fijo su fotografía en la primera plana del periódico, llena de sentimientos contradictorios. "¿Lo odio por la forma en que trató a mi madre, o lo amo porque es mi padre? ¿Debería sentirme culpable porque nunca traté de comunicarme con él, o estar enojada porque él nunca trató de encontrarme? Ya no importa", pensó. "Se ha ido." Su padre había estado muerto para ella toda su vida, y ahora había muerto de nuevo, robándole algo para lo que ella no tenía palabras. "¡Qué estúpida!", pensó. "¿Cómo puedo extrañar a alguien a quien ni siquiera conocí?" Volvió a mirar la fotografía del periódico. "¿Habrá en mí algo de él?" Julia se miró en el espejo de pared. "Los ojos. Tengo los mismos ojos color gris profundo."

Julia abrió el placard de su dormitorio, sacó una maltrecha caja de cartón y extrajo un álbum de recortes encuadernado en cuero. Se sentó en el borde de la cama y lo abrió. Durante las siguientes dos horas no hizo más que mirar su contenido familiar. Había incontables fotografías de su madre con el uniforme de institutriz, con Harry Stanford y la señora Stanford y sus tres hijos pequeños. La mayoría de las fotografías habían sido tomadas en el yate, en Rose Hill o en la villa de Hobe Sound.

Julia tomó los recortes amarillentos de los periódicos que informaban del escándalo ocurrido tantos años antes en Boston. Los titulares eran sensacionalistas.:

Nido de amor en Beacon Hill...
El muchas veces millonario Harry Stanford en un escándalo...
La esposa del magnate se suicida...
La institutriz Rosemary Nelson desaparece...

Decenas de columnas de chismes estaban llenas de insinuaciones.

Julia permaneció allí mucho tiempo, sumergida en el pasado.

Ella había nacido en el Hospital St. Joseph de Milwaukee. Sus primeros recuerdos eran de vivir en lóbregos departamentos sin ascensor y de tener que mudarse constantemente de una ciudad a otra. Hubo épocas en que no tenían dinero en absoluto, y muy poco para comer. Su madre estaba enferma todo el tiempo y le resultaba difícil encontrar un trabajo estable. La pequeña aprendió muy pronto a no pedir nunca juguetes ni vestidos nuevos.

Julia empezó a ir a la escuela cuando tenía seis años, y sus compañeras de clase se burlaban de ella porque todos los días usaba el mismo vestido y los mismos zapatos zaparrastrosos. Cuando los otros chicos la fastidiaban, Julia luchaba con ellos. Era una rebelde, y siempre la llevaban ante el director. No sabían qué hacer con ella; no hacía más que meterse en líos. Podrían haberla expulsado, salvo por una cosa: era la alumna más brillante de la clase. Su madre le había dicho que su padre estaba muerto, y ella lo creyó. Pero cuando tenía doce años, encontró un álbum lleno de fotografías de su madre con un grupo de desconocidos.

—¿Quiénes son estas personas? —preguntó.

Y su madre decidió que había llegado el momento.

—Siéntate, querida. —Le tomó la mano y se la apretó fuerte. No había manera de darle la noticia con tacto. —Esos son tu padre, tu medio hermana y tus dos medio hermanos.

Julia la miraba, anonadada.

—No entiendo.

La verdad finalmente había salido a la luz, destrozando la serenidad de Julia. ¡Su padre estaba vivo! Y ella tenía una hermana y dos hermanos. Era demasiado.

—¿Por qué... por qué me mentiste?

—Eras demasiado joven para entenderlo. Tu padre y yo... bueno, tuvimos una aventura. Él estaba casado y yo tuve que irme para tenerte.

—¡Lo odio! —exclamó Julia.

—No debes odiarlo.

—¿Cómo pudo hacerte esto? —preguntó.

—Lo que ocurrió fue tanto su culpa como la mía. —Cada palabra era una tortura. —Tu padre era un hombre muy atractivo, y yo era joven y necia. Sabía que nada bueno saldría de nuestra aventura. Él dijo amarme... pero estaba casado y tenía una familia.

124

Y... bueno, después quedé embarazada. —Le resultaba difícil continuar. —Un periodista se enteró de la historia y apareció en todos los periódicos. Yo huí. Mi intención era que tú y yo volviéramos junto a él, pero su esposa se suicidó y yo no pude enfrentarlo a él ni a los chicos. Como ves, fue culpa mía. Así que no lo culpes a él.

Pero Julia sí lo culpaba.

Había una parte de la historia que su madre nunca le reveló. Cuando la bebita nació, el empleado del hospital le dijo:

—Estamos haciendo el certificado de nacimiento. ¿El nombre de la criatura es Julia Nelson?

Rosemary estaba por decir "sí", pero enseguida pensó, con vehemencia: "¡No! Es la hija de Harry Stanford. Tiene derecho a llevar su apellido y a recibir su protección".

—El nombre de mi hija es Julia Stanford.

Le había escrito a Harry Stanford informándole el nacimiento de Julia, pero jamás recibió una respuesta.

A Julia le fascinaba la idea de tener una familia de la que no sabía nada, y también que era suficientemente famosa como para que escribieran sobre ella en los periódicos. Fue a la biblioteca pública y buscó todo lo que había sobre Harry Stanford. Encontró decenas de artículos sobre él. Era un multimillonario y vivía en otro mundo, un mundo del que ella y su madre estaban totalmente excluidas.

Cierto día, cuando sus compañeras se burlaron porque era pobre, Julia les contestó, con actitud desafiante:

—¡No soy pobre! Mi padre es el hombre más rico del mundo. Tenemos un yate, un avión y una docena de mansiones hermosas.

La maestra la oyó.

—Julia, ven aquí.

Julia se acercó al escritorio de la maestra.

—No debes decir esas mentiras.

—No son mentiras —le retrucó Julia—. ¡Mi padre es millonario! ¡Conoce a presidentes y a reyes!

La maestra miró a la pequeña que estaba parada frente a ella con su raído vestido de algodón, y le dijo:

—Julia, eso no es verdad.

—¡Lo es! —insistió ella con empecinamiento.

La mandaron a la oficina de la directora, y Julia nunca más volvió a mencionar a su padre en la escuela.

Julia se enteró de que la razón por la que tenían que mudarse todo el tiempo de una ciudad a otra era para huir de los medios de comunicación. Harry Stanford aparecía en forma constante en la prensa, y los periódicos y revistas sensacionalistas no hacían más que escarbar en aquel viejo escándalo. Los periodistas investigadores terminarían por averiguar quién era Rosemary Nelson y dónde vivía, y ella tendría que escapar con Julia.

Julia leía todos los artículos periodísticos sobre Harry Stanford y en cada oportunidad sentía la tentación de llamarlo por teléfono. Quería creer que durante todos esos años él había buscado a su madre con desesperación. "Lo llamaré y le diré: 'Habla tu hija. Si quieres vernos...'"

Y él se presentaría corriendo, volvería a enamorarse de su madre y se casaría con ella, y los tres vivirían felices para siempre.

Julia Stanford se había convertido en una hermosa joven. Tenía pelo oscuro y brillante, una boca sonriente y generosa, los luminosos ojos grises de su padre y una figura atractiva. Pero cuando sonreía, todos olvidaban lo que no fuera esa sonrisa.

Porque estaban obligadas a mudarse con tanta frecuencia, Julia había asistido a escuelas de cinco Estados diferentes. En los veranos trabajó como empleada en una tienda departamental, detrás del mostrador en una farmacia, y como recepcionista. Era rabiosamente independiente.

Cuando terminó el *college* con una beca, vivían en la ciudad de Kansas, Kansas. Ella no estaba segura de qué hacer con su vida. Sus amigos, impresionados por su belleza, le sugirieron que se convirtiera en actriz de cine.

—¡De la noche a la mañana serás una estrella!

Julia había descartado de plano la idea con un casual:

—¿Quién quiere levantarse tan temprano todas las mañanas?

Pero la verdadera razón por la que no le interesaba era que, por sobre todas las cosas, quería su privacidad. Julia sentía que ella y su madre, durante toda su vida, se habían visto acosadas por la prensa por culpa de lo que había ocurrido tantos años antes.

El sueno de Julia en el sentido de que algún día podría unir a su madre y a su padre llegó a su fin el día que su madre murió. Julia experimentó una abrumadora sensación de pérdida. "Mi padre debe saberlo", pensó. "Mi madre era una parte tan importante de su vida." Buscó el número de teléfono de la casa central de su compañía en Boston. Contestó una recepcionista.

—Buenos días, Empresas Stanford.

Julia vaciló.

—Empresas Stanford. Hola. ¿En qué puedo servirlo?

Lentamente, Julia colgó el tubo. "Mamá no habría querido que yo hiciera ese llamado."

Ahora estaba sola. No tenía a nadie.

Julia enterró a su madre en el Cementerio Memorial Park. No había deudos. Contempló la tumba y pensó: "No es justo, mamá. Tú cometiste una equivocación y pagaste por ella el resto de tu vida. Ojalá yo pudiera haberte quitado parte de tu pena. Te quiero mucho, mamá. Siempre te querré." Lo único que quedaba de los años vividos por su madre en la Tierra era una colección de viejas fotografías y recortes de periódicos.

Desaparecida su madre, Julia volvió a pensar en la familia Stanford. Eran ricos. Bien podría acercarse a ellos en busca de ayuda. "Jamás", decidió. "No después de la manera en que Harry Stanford trató a mi madre."

Pero tenía que ganarse la vida. Se enfrentaba a tener que elegir una carrera. Con ironía, pensó:

"Quizá me convierta en neurocirujana.
O en pintora.
O cantante de ópera.
O física.
O astronauta."

Se conformó con un curso de secretariado en una escuela nocturna, en el Kansas Community College de la ciudad de Kansas.

Al día siguiente de terminar el curso, Julia fue a una agencia de empleos. Había como una docena de postulantes para ver a la asesora de empleos. Sentada junto a ella estaba una atractiva muchacha de su edad.

—¡Hola! Soy Sally Connors.

—Julia Stanford.

—Tengo que conseguir un empleo hoy mismo —gimió Sally—. Me han echado de mi departamento.

Julia oyó que la llamaban por su nombre.

—¡Buena suerte! —dijo Sally.

—Gracias.

Julia entró en la oficina de la asesora de empleos.

—Toma asiento, por favor.

—Gracias.

—Por tu solicitud veo que no tienes experiencia, pero sí una fuerte recomendación del curso de secretariado. —Miró la carpeta que tenía sobre el escritorio. —¿Tomas notas en taquigrafía a noventa palabras por minuto, y escribes a máquina sesenta palabras por minuto?

—Sí, señora.

—Tal vez tenga algo justo para ti. Una pequeña firma de arquitectos busca una secretaria. Me temo que el sueldo no es demasiado abultado...

—Está bien —se apresuró a decir Julia.

—De acuerdo. Te enviaré allá —dijo y le entregó un trozo de papel con un nombre y dirección impresos—. Te entrevistarán mañana al mediodía.

Julia sonrió, feliz.

—Gracias. —Estaba entusiasmadísima.

Cuando salió de la oficina, llamaban a Sally.

—Espero que consigas algo —le dijo Julia.

—¡Gracias!

Movida por un impulso, Julia decidió quedarse y esperar. Diez minutos después, Sally salió de la oficina interior sonriendo.

—¡Conseguí una entrevista! Ella hizo una llamada telefónica y mañana tengo que ir a la Compañía Mutual de Seguros por un empleo como recepcionista. ¿Cómo te fue a ti?

—Yo también lo sabré mañana.

—Estoy segura de que nos tomarán. ¿Qué te parece si almorzamos juntas para celebrar?

—Espléndido.

Durante el almuerzo conversaron, y enseguida entablaron amistad.

—Vi un departamento en Overland Park —dijo Sally—. Tiene dos dormitorios y baño, cocina y living. Es realmente lindo. Yo no puedo pagarlo sola, pero si las dos...

Julia sonrió.

—Me gustaría —dijo y cruzó los dedos—. Siempre y cuando consiga el empleo.

—¡Lo conseguirás! —le aseguró Sally.

Camino a las oficinas de Peters, Eastman & Tolkin, Julia pensó: "Esta podría ser mi gran oportunidad, podría llevarme a cualquier parte. Quiero decir, no se trata solamente de un empleo: estaré trabajando para arquitectos, soñadores que construyen y modelan la línea de edificación de la ciudad, que crean belleza y magia a partir de la piedra. Yo también podría estudiar arquitectura para poder ayudarlos, y ser así parte de ese sueño."

Las oficina quedaba en un viejo y sucio edificio comercial ubicado en el Amour Boulevard. Julia tomó el ascensor al segundo piso y se detuvo frente a una destartalada puerta de madera con un letrero que rezaba *Peters, Eastman & Tolkin, Arquitectos*. Hizo una inspiración profunda para serenarse y entró.

Los tres la esperaban en la sala de recepción y la observaron con atención cuando cruzó la puerta.

—¿Viene por el puesto de secretaria?

—Sí, señor.

—Yo soy Al Peters —dijo el pelado.

—Bob Eastman —el de la cola de caballo.

—Max Tolkin —el barrigón.

Todos parecían tener alrededor de cuarenta años.

—Tenemos entendido que éste es su primer trabajo como secretaria —dijo Al Peters.

—Así es —contestó Julia. Y después se apresuró a agregar: —Pero aprendo rápido y trabajaré duro.

—Decidió no mencionar todavía su idea de asistir a la facultad de arquitectura. Esperaría a que ellos la conocieran mejor.

—Muy bien, la probaremos —dijo Bob Eastman—, y veremos qué ocurre.

Julia se sintió alborozada.

—¡Gracias! No quedarán...

—Con respecto al sueldo —dijo Max Tolkin—, me temo que al principio no podremos pagarle mucho...

—Está bien —dijo Julia—. Yo...

—Trescientos dólares por semana —dijo Al Peters.

Tenían razón: no era mucho dinero. Julia tomó una decisión rápida.

—Lo tomaré.

Los tres se miraron e intercambiaron sonrisas.

—¡Fantástico! —dijo Al Peters—. Le mostraré la oficina.

La recorrida llevó sólo pocos segundos. Estaba la pequeña sala de recepción y tres oficinas chicas que parecían haber sido amuebladas por el Ejército de Salvación. El cuarto de baño estaba en el otro extremo del hall. Al Peters era el vendedor; Bob Eastman, el arquitecto y Max Tolkin se ocupaba de la construcción.

—Trabajará para los tres —le dijo Peters.

—Muy bien. —Julia sabía que iba a hacerse indispensable para todos ellos.

Al Peters consultó su reloj.

—Son las doce y media. ¿Qué tal si almorzamos?

Julia se estremeció. Ya era parte del equipo. "Me están invitando a almorzar."

Al Peters miró a Julia.

—Hay un *delicatessen* a la vuelta de la esquina. Yo comeré un sándwich de *corned beef* en pan de centeno, con mostaza, ensalada de papas y un pastelito.

—Ah. "Adiós invitación a almorzar."

—Yo, un sándwich de pastrami y sopa de pollo —dijo Tolkin.

—Sí, señor.

—Y yo, carne fría y una gaseosa.

—Asegúrese de que el *corned beef* no sea grasoso —le dijo Al Peters.

—*Corned beef* magro.

Max Tolkin le dijo:

—Asegúrese de que la sopa esté bien caliente.

—Correcto. Sopa bien caliente.

Bob Eastman dijo:

—Que la gaseosa sea cola diet.

—Cola diet.

—Aquí tiene el dinero —dijo Al Peters y le entregó un billete de veinte dólares.

Diez minutos después, Julia estaba en el *delicatessen*, hablando con el hombre que estaba del otro lado del mostrador.

—Quiero un sándwich de *corned beef* magro, en pan de centeno, con mostaza, ensalada de papas y un pastelito; un sándwich de pastrami y sopa de pollo bien caliente; y carne fría y una cola diet.

El hombre asintió.

—Trabaja para Peters, Eastman y Tolkin, ¿verdad?

A la semana siguiente, Julia y Sally se mudaron al departamento de Overland Park. Consistía en dos dormitorios pequeños, un living con muebles que habían conocido a demasiados inquilinos, una kitchenette, un comedor chico y un cuarto de baño. "Este lugar jamás podrá confundirse con el Ritz", pensó Julia.

—Nos turnaremos para cocinar —sugirió Sally.

—De acuerdo.

Sally preparó la primera comida, y estuvo deliciosa.

A la noche siguiente, le tocaba a Julia hacerlo. Sally sólo necesitó probar un bocado del plato que Julia había cocinado para decir:

—Julia, mi seguro de vida no es muy elevado. ¿Por qué no me ocupo yo de cocinar y tú de la limpieza?

Las dos se llevaban bien. Los fines de semana iban a ver películas al Glenwood 4 y hacían compras en el Centro Comercial Bannister. Compraban la ropa en el Super Flea Discount House. Una noche por semana salían a comer a un restaurante barato: Stepehnson's Old Apple Farm o The Café Max, para especialidades mediterráneas. Cuando tenían dinero, iban al Charlie Charlies a escuchar jazz.

A Julia le gustaba trabajar para Peters, Eastman y Tolkin. Decir que a la firma no le iba bien era quedarse corto. Los clientes eran pocos. Julia tuvo la sensación de que no estaba contribuyendo mucho a construir la línea de edificación de la ciudad, pero disfrutaba de estar cerca de sus tres jefes. Eran un poco como un familia sustituta: cada uno le confiaba sus problemas. Ella era capaz y eficiente, y no tardó en reorganizar la oficina.

Julia decidió hacer algo con respecto a la falta de clientes. Pero, ¿qué? La respuesta llegó a la mañana siguiente. En el *Kansas City Star* leyó que una nueva asociación de secretarias ejecutivas, cuya presidenta era Susan Bandy, ofrecía un almuerzo.

Al mediodía siguiente, Julia le dijo a Al Peters:

—Tal vez me demore un poco en regresar.

Él sonrió.

—Ningún problema, Julia. —Y pensó en lo afortunados que eran en tenerla.

Julia llegó al Hilton Plaza Inn y se dirigió al salón donde se realizaba el almuerzo. La mujer sentada a una mesa, cerca de la puerta, le preguntó:

—¿Puedo hacer algo por usted?

—Sí. Estoy aquí para el almuerzo de las Mujeres Ejecutivas.

—¿Su nombre?

—Julia Stanford.

La mujer repasó la lista que tenía delante.

—Me temo que no encuentro su...

Julia sonrió.

—Típico de Susan. Tendré que hablar con ella. Soy la secretaria ejecutiva de Peters, Eastman y Tolkin.

La mujer pareció vacilar.

—Bueno...

—No se preocupe. Iré en busca de Susan.

En el salón de banquetes había un grupo de mujeres bien vestidas que conversaban entre sí. Julia se acercó a una de ellas.

—¿Cuál es Susan Bandy?

—Está allá —le contestaron, indicando a una mujer alta y atractiva de alrededor de cuarenta años.

Julia se le acercó.

—Hola. Soy Julia Stanford.

—Hola.

—Estoy con Peters, Eastman y Tolkin. Seguramente habrá oído hablar de ellos.

—Bueno, yo...

—Es la firma de arquitectos con un crecimiento más veloz de la ciudad de Kansas.

—Ajá.

—No tengo demasiado tiempo libre, pero me gustaría contribuir con la organización en todo lo que esté a mi alcance.

—Bueno, es muy amable de su parte, señorita...

—Stanford.

Ése fue el principio.

La organización Mujeres Ejecutivas representaba a la mayoría de las firmas principales de la ciudad de Kansas, y no pasó mucho tiempo antes de que Julia estuviera colaborando activamente en ella. Por lo menos una vez por semana almorzaba con uno o más de sus miembros.

—Nuestra firma piensa construir un nuevo edificio en Olathe.

Y Julia enseguida les pasaba el dato a sus jefes.

—El señor Hanley quiere construir una casa de verano en Tonganoxie.

Y, antes de que nadie pudiera enterarse, Peters, Eastman y Tolkin tenían el trabajo.

Cierto día, Bob Eastman llamó a Julia y le dijo:

—Te mereces un aumento, Julia. Estás haciendo un trabajo excelente. ¡Eres una secretaria fuera de serie!

—¿Me harían un favor? —preguntó Julia.

—Por supuesto.

—Nómbrenme secretaria ejecutiva. Eso ayudaría a mi credibilidad.

Cada tanto, Julia leía artículos periodísticos sobre su padre, o veía entrevistas que le hacían por televisión, pero jamás se los mencionó a Sally ni a sus empleadores.

Cuando era más joven, uno de sus sueños diurnos era que, al igual que Dorothy, algún día sería arrebatada mágicamente de Kansas y transportada a algún lugar hermoso y misterioso. Sería un lugar lleno de yates y aviones privados y palacios. Pero con la noticia de la muerte de su padre, ese sueño terminó para siempre. "Bueno, al menos en la parte de Kansas nada cambió", pensó con ironía.

"Ya no me queda familia. Pero no, no es verdad", se corrigió Julia. "Tengo dos hermanos y una hermana. Ellos son mi familia. ¿Debería ir a visitarlos? ¿Será una buena o mala idea? Me pregunto qué deberíamos sentir cada uno con respecto a los otros."

Su decisión resultó ser una cuestión de vida o muerte.

CAPÍTULO DOCE

ERA LA REUNIÓN DE UN CLAN DE DESCONOCIDOS: HACÍA años que no se veían ni se comunicaban entre sí.

El juez Tyler Stanford llegó a Boston por avión.

Kendall Stanford Renaud tomó un vuelo de París, y Marc Renaud, un tren desde Nueva York.

Woody Stanford y Peggy viajaron en auto desde Hobe Sound.

A los herederos se les había notificado que los servicios fúnebres se realizarían en King's Chapel. En la calle, frente a la iglesia, se habían colocado barreras, y había policías para detener al gentío reunido para ver la llegada de los dignatarios. El vicepresidente de los Estados Unidos se encontraba allí, al igual que senadores, embajadores y estadistas de sitios tan lejanos como Turquía y Arabia Saudita. Durante su vida, Harry Stanford había proyectado una larga sombra, y los setecientos asientos de la capilla estarían ocupados.

Tyler, y Woody y Kendall, con sus respectivas parejas, se reunieron en el interior de la sacristía. Fue un encuentro incómodo. Eran desconocidos entre sí, y lo único que tenían en común era el cuerpo del hombre en el ataúd, que estaba en el coche fúnebre que aguardaba en el exterior de la iglesia.

—Éste es Marc, mi marido —presentó Kendall.

—Ésta es Peggy, mi mujer. Peggy, éstos son Kendall, mi hermana, y Tyler, mi hermano.

Hubo un intercambio de saludos corteses y los cinco permanecieron allí, incómodos, observándose mutuamente, hasta que una persona se acercó al grupo y dijo:

—Los servicios están por comenzar. ¿Quieren acompañarme, por favor?

Los condujo a un banco reservado en la parte de adelante de la capilla. Ellos se sentaron y aguardaron, cada uno enfrascado en sus pensamientos.

A Tyler le resultaba raro estar de nuevo en Boston. Los únicos recuerdos agradables que tenía de esa ciudad eran cuando su madre y Rosemary estaban vivas. Cuando Tyler tenía once años, había visto una ilustración de la tela de Goya: *Saturno devorando a uno de sus hijos*, y siempre la identificó con su padre.

Y, ahora, mientras observaba cómo entraban el ataúd de su padre en la iglesia, pensó: "Saturno ha muerto.

Yo conozco tu sucio secreto."

El ministro había subido al histórico púlpito de la capilla en forma de copa de vino.

—Yo soy la resurrección y la vida, dijo el Señor;

el que cree en mí, aunque esté muerto vivirá; y el que vive y cree en mí no morirá jamás...

Woody se sentía muy estimulado: había consumido un poco de heroína antes de ir a la iglesia, y todavía no se le había pasado el efecto. Miró a su hermano y a su hermana. "Tyler ha aumentado de peso. Tiene aspecto de juez. Kendall se ha convertido en una belleza, pero parece estar muy tensa. Me pregunto si es porque murió papá. No. Ella lo odiaba tanto como yo." Miró a su esposa, sentada junto a él. "Lamento no haber tenido oportunidad de mostrársela al viejo; habría muerto de un infarto."

El ministro decía:
—... Así como un padre tiene piedad de sus hijos, así el Señor se apiada de los que le temen. Pues él sabe de qué estamos hechos; recuerda que somos polvo...

Kendall no lo escuchaba: pensaba en el vestido rojo. Su padre la había llamado cierta tarde por teléfono a Nueva York.
"¿Así que te has convertido en una gran diseñadora? Bueno, veamos cómo eres de buena. El sábado por la noche llevaré a mi nueva novia a un baile de caridad. Es de tu misma talla. Quiero que le diseñes un vestido.
¿Para el sábado? No podrá ser, papá. Yo...
Lo harás."
Entonces ella diseñó el vestido más feo que pudo

crear. Era rojo, tenía un gran moño negro adelante, y metros y metros de cintas y de encaje. Era una monstruosidad. Se lo envió a su padre, y él volvió a llamarla por teléfono.

"Recibí el vestido. A propósito, mi amiga no podrá asistir el sábado, de modo que tú me acompañarás y lo lucirás.

¡No!"

Y, entonces, la frase terrible:

"No querrás decepcionarme, ¿verdad?"

Y ella fue, no se atrevió a cambiar el vestido y pasó la noche más humillante de su vida.

—...No trajimos nada a este mundo, y por cierto no nos llevaremos nada de él. El Señor nos lo dio, el señor nos lo quitó; bendito sea el nombre del Señor.

Peggy Stanford estaba muy incómoda. El esplendor de esa iglesia enorme y la gente elegante que allí había la llenaban de pavor. No había estado antes en Boston, y para ella significaba el mundo de los Stanford, con toda su pompa y circunstancia. Esas personas eran tanto mejores que ella. Tomó la mano de su marido.

—... Toda carne es hierba, y todo su atractivo es como el de las flores del campo. La hierba se marchita y la flor se aja, pero la palabra de nuestro Dios permanece para siempre.

Marc pensaba en la carta de chantaje que su esposa había recibido. Estaba redactada con mucho cuidado y astucia. Sería imposible averiguar quién estaba detrás. Miró a Kendall, sentada junto a él, y la vio pálida y tensa. "¿Cuánto más podrá tolerar?", se preguntó. Se le acercó.

—Te entregamos a la misericordia y protección de Dios. Que el Señor te bendiga y te proteja. Que el Señor te muestre su rostro y sea bondadoso contigo. Que el señor te brinde paz, ahora y para siempre, Amén.

Cuando el servicio religioso concluyó, el ministro anunció:
—La sepultura se realizará en forma privada... sólo asistirán los miembros de la familia.
Tyler miró el féretro y pensó en el cuerpo que contenía. La noche anterior, antes de que sellaran el ataúd, él se había dirigido directamente del Aeropuerto Logan de Boston a la funeraria.
Quería ver muerto a su padre.
Woody observó cómo sacaban el féretro de la iglesia y sonrió: "Dale a la gente lo que quiere."

La ceremonia junto a la tumba, en el viejo Cementerio Mount Auburn en Cambridge, fue breve. La familia vio cómo bajaban el cuerpo de Harry Stanford a su última morada y, cuando arrojaron tierra sobre el féretro, el ministro dijo:
—No hace falta que se queden más si no lo desean.

Woody asintió.

—De acuerdo. —El efecto de la heroína comenzaba a disiparse, y empezó a ponerse nervioso. —Salgamos de aquí.

Marc preguntó:

—¿Adónde vamos?

Tyler miró al grupo.

—Nos alojamos en Rose Hill. Todo está arreglado. Nos quedaremos allí hasta que se solucione lo de la herencia.

Algunos minutos más tarde, viajaban en limusinas camino a la casa.

Boston tiene una estricta jerarquía social: los *nouveaux riches* vivían en la avenida Commonwealth, y los trepadores sociales, en la calle Newbury. Las familias antiguas y menos adineradas vivían en la calle Marlborough. Back Bay era el sector más nuevo y prestigioso, pero Beacon Hill seguía siendo la ciudadela de las familias más antiguas y opulentas de Boston. Era una mezcla de casas victorianas, residencias de tres o cuatro pisos, viejas iglesias y elegantes zonas comerciales.

Rose Hill, la propiedad de los Stanford, era una hermosa mansión victoriana antigua que se erigía en medio de más de una hectárea de terreno en Beacon Hill. La casa en la que crecieron los hijos de Stanford estaba llena de recuerdos desagradables. Cuando las limusinas llegaron al frente de la casa, sus ocupantes se apearon y observaron la vieja mansión.

—No puedo creer que papá no esté adentro, esperándonos —dijo Kendall.

Woody sonrió.

—Está demasiado ocupado tratando de manejar todo en el infierno.

Tyler respiró hondo:

—Entremos.

Cuando se aproximaban, la puerta principal se abrió y Clark, el mayordomo, se quedó parado frente a ella. Tenía algo más de sesenta años y era un criado capaz y digno, que trabajaba en Rose Hill desde hacía más de treinta años. Había visto crecer a los chicos y vivido en medio de todos los escándalos.

Su cara se iluminó al ver al grupo:

—¡Buenos días!

Kendall lo abrazó fuerte.

—Clark, qué bueno volver a verte.

—Sí, ha pasado mucho tiempo, señorita Kendall.

—Ahora soy la señora Renaud. Éste es Marc, mi marido.

—¿Cómo está, señor?

—Mi esposa me ha hablado mucho de usted.

—Espero que no le haya dicho nada terrible, señor.

—Al contrario. Sólo tiene recuerdos buenos de usted.

—Gracias, señor. —Clark se dirigió a Tyler. —Buenos días, juez Stanford.

—Hola, Clark.

—Es un placer verlo, señor.

—Gracias. Se te ve muy bien.

—A usted también, señor. Lamento lo ocurrido.

—Gracias. ¿Estás dispuesto a ocuparte de todos nosotros?

—Por supuesto. Creo que todos estarán cómodos.

—¿Estaré en mi antiguo cuarto?

Clark sonrió.

—Así es. —Miró a Woody. —Me alegro de verlo, señor Woodrow. Quiero...

Woody tomó a Peggy del brazo.

—Vamos —le dijo secamente—. Quiero refrescarme un poco.

Los otros contemplaron a Woody abrirse paso entre ellos y llevar a Peggy al piso superior.

El resto del grupo entró en la inmensa sala, dominada por un par de macizos armarios Luis XIV. Diseminados por el recinto había una mesa de consola con tapa de mármol y una variedad de exquisitas sillas y divanes de ese mismo estilo. Una araña de bronce dorado colgaba del cielo raso alto. Sobre las paredes había telas medievales sombrías.

Clark miró a Tyler.

—Juez Stanford, tengo un mensaje para usted. El señor Simon Fitzgerald desea que usted lo llame por teléfono para decirle cuándo le resulta conveniente concertar una reunión con la familia.

—¿Quién es Simon Fitzgerald? —preguntó Marc.

—Es el abogado de la familia —respondió Kendall—. Atiende los asuntos de papá desde siempre.

—Supongo que quiere hablar de la división de los bienes —dijo Tyler. Miró a los otros: —Si ustedes están de acuerdo, arreglaré una reunión con él para mañana por la mañana.

—Me parece bien —dijo Kendall.

—El chef ha preparado la cena —les dijo Clark—.
¿Las ocho les parece una hora adecuada?

—Sí —contestó Tyler—. Gracias.

—Eva y Millie los conducirán a sus habitaciones.

Tyler miró a su hermana y su marido.

—Nos encontraremos aquí a las ocho, ¿sí?

Cuando Woody y Peggy entraban en su dormitorio del piso superior, ella preguntó:

—¿Estás bien?

—Estoy muy bien —saltó Woody—. Déjame en paz.

Peggy lo vio entrar en el baño y dar un portazo. Ella se quedó allí de pie, esperando.

Diez minutos después, Woody salió. Sonreía.

—Hola, querida.

—Hola.

—Bueno, ¿qué te parece la vieja casa?

—Es... es inmensa.

—Es una monstruosidad. —Él se acercó a la cama y abrazó a Peggy. —Este es mi antiguo cuarto. Estas paredes estaban cubiertas con posters: de los Bruins, los Celtics, los Red Sox. En el último año del internado fui capitán del equipo de fútbol y recibí invitaciones de media docena de entrenadores de *colleges*.

—¿Cuál aceptaste?

Él sacudió la cabeza.

—Ninguna. Mi padre dijo que lo único que les interesaba era el apellido Stanford y que querían sacarle dinero. Me mandó a la facultad de ingeniería, donde no se jugaba al fútbol. —Se quedó callado un momento. Después, farfulló: —Yo podría haber sido rival del campeón...

Ella lo miró sin entender.

—¿Qué?

—¿No viste *Nido de ratas*?

—No.

—Es algo que decía Marlon Brando. Significa que los dos nos jodimos.

—Tu padre debió de ser un tipo recio.

Woody soltó una risa corta y despreciativa.

—Ese es el cumplido más grande que se ha dicho de él. Recuerdo que, cuando era chico, me caí de un caballo. Quería volver a subir y seguir andando, pero papá no me dejó. "Nunca serás un jinete", me dijo. "Eres demasiado torpe." —Woody la miró. —Por eso me convertí en un jugador de polo de nueve de handicap.

Se reunieron alrededor de la mesa del comedor, desconocido el uno para el otro, sentados en un silencio incómodo, unidos sólo por los traumas de la infancia.

Kendall paseó la vista por la habitación. Recuerdos terribles se fusionaron con la admiración por su belleza. El comedor era clásico estilo francés, Luis XV temprano, rodeado de sillas Directorio de nogal. En un rincón había un armario esquinero provincial francés pintado de azul y crema. En las paredes dibujos de Watteau y Fragonard.

Kendall se dirigió a Tyler.

—Leí sobre tu decisión en el caso Fiorello. Se merecía lo que le diste.

—Debe de ser excitante ser juez —dijo Peggy.

—A veces lo es.

—¿Qué clase de causas manejas? —preguntó Marc.

—Causas criminales... violaciones, drogas, homicidios.

Kendall se puso pálida y empezó a decir algo, pero Marc le tomó la mano y se la apretó como advertencia.

Tyler le dijo cortésmente a Kendall:

—Te has convertido en una diseñadora de éxito.

A Kendall le estaba resultando difícil respirar.

—Sí.

—Es fantástica —terció Marc.

—Y tú, Marc, ¿a qué te dedicas?

—Trabajo en una compañía de agentes de Bolsa.

—De modo que eres uno de esos jóvenes millonarios de Wall Street.

—Bueno, no exactamente, juez. En realidad, acabo de empezar.

Tyler le dirigió una mirada condescendiente.

—Supongo que tienes suerte de tener una esposa exitosa.

Kendall se ruborizó y le susurró a Marc en el oído:

—No le prestes atención. Recuerda que te amo.

Woody comenzaba a sentir el efecto de las drogas. Volvió la cabeza para mirar a su esposa.

—Peggy podría ponerse ropa decente —dijo—. Pero a ella no le importa qué aspecto tiene. ¿No es así, mi ángel?

Peggy se quedó allí sentada, sin saber qué decir.

—¿Quizás un traje de camarera? —sugirió Woody.

—Perdónenme —dijo Peggy, dio media vuelta y corrió hacia arriba.

Todos miraban fijo a Woody.

Él sonrió.

—Es una mujer demasiado sensible. Bueno, de modo que mañana hablaremos del testamento, ¿no?

—Así es —asintió Tyler.

—Apuesto a que el viejo no nos dejó ni un centavo.

—Pero sus bienes valen tanto dinero... —dijo Marc.

Woody rió a carcajadas.

—No conociste a nuestro padre. Lo más probable es que nos haya dejado sus chaquetas viejas y una caja de cigarros. Le gustaba usar su dinero para controlarnos. Su frase favorita era: "No querrás decepcionarme, ¿verdad?". Y entonces todos nos portábamos como chicos buenos porque, como dijiste, había mucho dinero. Bueno, apuesto a que el viejo encontró la manera de llevarse la plata con él.

—Lo sabremos mañana, ¿verdad? —dijo Tyler.

Temprano a la mañana siguiente, llegaron Simon Fitzgerald y Steve Sloane. Clark los escoltó a la biblioteca.

—Les informaré que ustedes están aquí —dijo.

—Gracias. —Lo vieron alejarse.

La biblioteca era grande y sus dos enormes puertas-ventana se abrían al jardín. El cuarto tenía revestimiento de roble oscuro, y las paredes estaban cubiertas de repisas llenas de libros encuadernados en cuero. Había un serie de cómodos sillones y de lámparas italianas de lectura. En un rincón, un armario de caoba con puertas de cristal biselado engastado en bronce, se exhibía la envidiable colección de armas de Harry Stanford. Debajo tenía cajones especiales para guardar las municiones.

—Será una mañana interesante —opinó Steve—. Me preguntó cómo reaccionarán.

—Pronto lo sabremos.

Kendall y Marc entraron en el cuarto.

Simon Fitzgerald les dijo:

—Buenos días. Soy Simon Fitzgerald. Éste es mi socio, Steve Sloane.

—Yo soy Kendall Renaud, y éste es Marc, mi marido.

Los hombres se estrecharon las manos.

Woody y Peggy entraron.

Kendall dijo:

—Woody, estos son el señor Fitzgerald y el señor Sloane.

Woody asintió.

—Hola. ¿Trajeron el efectivo con ustedes?

—Bueno, en realidad...

—¡Sólo bromeaba! Ésta es mi esposa Peggy. —Woody miró a Steve. —¿El viejo me dejó algo o...?

Tyler entró en la habitación.

—Buenos días.

—¿Juez Stanford?

—Sí.

—Soy Simon Fitzgerald y éste es Steve Sloane, mi socio. Steve fue el que consiguió permiso para traer el cuerpo de su padre de Córcega.

Tyler miró a Steve.

—Se lo agradezco. Todavía no estamos seguros de lo que sucedió en realidad. La prensa publicó versiones tan diferentes de los hechos. ¿Hubo algo irregular?

150

—No. Parece haber sido un accidente. El yate del padre de ustedes quedó atrapado en una terrible tempestad, cerca de las costas de Córcega. Según el testimonio de Dmitri Kaminsky, su guardaespaldas, Harry Stanford se encontraba de pie en la terraza de su cabina que daba a una cubierta privada cuando el viento le arrancó unos papeles de la mano. Él trató de atraparlos, perdió el equilibrio y cayó al agua. Cuando finalmente recuperaron su cuerpo, ya era demasiado tarde.

—¡Qué manera horrible de morir! —dijo Kendall y se estremeció.

—¿Habló usted personalmente con ese tal Kaminsky? —preguntó Tyler.

—Por desgracia, no. Cuando llegué a Córcega, él ya se había ido.

Fitzgerald dijo:

—El capitán del yate le había recomendado a su padre no navegar con esa tormenta, pero por alguna razón, él estaba apurado por volver aquí. Creo que había alguna clase de problema urgente.

—¿Sabe cuál era ese problema? —preguntó Tyler.

—No. Acorté mis vacaciones para venir aquí y reunirme con él. No sé qué...

Woody lo interrumpió.

—Todo esto es muy interesante, pero es historia antigua, ¿verdad? Hablemos del testamento. ¿Nos dejó o no algo? —Las manos se le movían espasmódicamente.

—¿Por qué no nos sentamos? —sugirió Tyler.

Todos tomaron asiento. Simon Fitzgerald lo hizo frente al escritorio, enfrentando a los demás. Abrió un maletín y comenzó a extraer algunos papeles.

Woody estaba por estallar.

—¿Y? Por el amor de Dios, ¿sí o no?

Kendall dijo:

—Woody...

—Yo sé la respuesta —gruñó Woody, furioso—. No nos dejó ni un maldito centavo.

Fitzgerald observó los rostros de los hijos de Harry Stanford.

—De hecho —dijo—, cada uno de ustedes recibe partes iguales de sus bienes.

Steve percibió la repentina euforia que vibró en la habitación.

Woody, boquiabierto, miraba fijo a Fitzgerald.

—¿Qué? ¿Lo dice en serio? —Se puso de pie de un salto. —¡Es fantástico! —Miró a los otros. —¿Lo han oído? ¡El hijo de puta finalmente hizo algo bueno! —Miró a Simon Fitzgerald. —¿De cuánto dinero estamos hablando?

—No tengo la cifra exacta. De acuerdo con el último número de la revista *Forbes*, las Empresas Stanford valen seis mil millones de dólares. La mayoría de ese dinero está invertido en diversas corporaciones, pero hay alrededor de cuatrocientos millones de dólares en el activo circulante.

Kendall escuchaba, aturdida.

—Eso es más de cien millones de dólares para cada uno de nosotros. ¡No puedo creerlo! —"Estoy libre, pensó. Puedo pagarles lo que me piden y desembarazarme de ellos para siempre." Con el rostro iluminado miró a Marc y le apretó la mano.

—Felicitaciones —dijo Marc. Sabía, más que los otros, lo que ese dinero podía significar.

Simon Fitzgerald tomó la palabra.

—Como saben, su padre poseía el noventa por

ciento de las acciones de las Empresas Stanford, de modo que esas acciones se repartirán en forma equitativa entre ustedes. Además, ahora que su padre ha fallecido, el fondo fiduciario en beneficio de Tyler ha quedado disuelto y el juez Stanford posee ese otro uno por ciento. Desde luego, habrá ciertas formalidades. Además, debo informarles que existe la posibilidad de que haya otro heredero.

—¿Otro heredero? —preguntó Tyler.

—El testamento de su padre especifica que los bienes deben ser divididos por partes iguales entre su descendencia.

Peggy parecía confundida.

—¿Qué quiere decir con su descendencia?

Tyler fue el que contestó.

—Hijos naturales e hijos legalmente adoptados.

Fitzgerald asintió.

—Es correcto. Cualquier hijo nacido fuera del matrimonio se considera descendiente de la madre y del padre, cuya protección se establece bajo la ley de la jurisdicción.

—¿Qué nos está diciendo? —preguntó Woody con impaciencia.

—Les estoy diciendo que otra persona puede reclamar también su herencia.

Kendall lo miró.

—¿Quién?

Simon Fitzgerald vaciló. No había manera de que lo dijera con tacto.

—Estoy seguro de que todos ustedes saben que, hace algunos años, su padre tuvo una criatura con la institutriz que trabajaba aquí.

—Rosemary Nelson —dijo Tyler.

—Sí. Su hija nació en el Hospital St. Joseph's de

Milwaukee, y ella la llamó Julia.

En la habitación reinó un silencio denso.

—¡Epa! —exclamó Woody—. Eso fue hace veinticinco años.

—Veinticuatro, para ser exactos.

—¿Alguien sabe dónde está? —preguntó Kendall.

A Simon Fitzgerald le pareció oír la voz de Harry Stanford. "Ella me escribió para avisarme que soy el padre de su bebita. Bueno, si cree que podrá sacarme un centavo, puede irse al infierno."

—No —dijo lentamente Fitzgerald—. Nadie sabe dónde está.

—Entonces, ¿de qué demonios estamos hablando? —preguntó Woody.

—Yo sólo quería que ustedes supieran que si ella llegara a presentarse, tendrá derecho a una parte equivalente de los bienes.

—No creo que tengamos por qué preocuparnos —dijo Woody con tono confiado—. Lo más probable es que ella ni siquiera sepa quién fue su padre.

Tylor se dirigió a Simon Fitzgerald.

—Usted dice que no conoce el valor exacto de los bienes. ¿Puedo preguntarle por qué no?

—Porque nuestra firma sólo maneja los asuntos personales de su padre. Todo lo que tenga que ver con sus empresas lo manejan otros dos estudios jurídicos. Me he puesto en contacto con ellos y les he pedido que preparen informes financieros lo antes posible.

—¿De qué plazo estamos hablando? —preguntó Kendall con ansiedad. "Nosotros necesitaremos cien mil dólares enseguida para cubrir nuestros gastos."

—Probablemente, de entre dos y tres meses.

Marc notó la consternación en el rostro de su mujer. Miró a Fitzgerald.

—¿No hay ninguna manera de apresurar las cosas?

—Me temo que no —respondió Steve Sloane—. El testamento tiene que pasar primero por un tribunal sucesorio, y en este momento la agenda de ellos está muy llena.

—¿No podemos terminar con las cosas ahora mismo? —saltó Woody.

—La ley no actúa de esa manera —señaló Tyler—. Cuando ocurre una muerte, el testamento debe ser homologado por un tribunal sucesorio. Es preciso evaluar todos los bienes: propiedades, empresas, efectivo, alhajas. Después hay que preparar un inventario y presentarlo a la corte. Hay que ocuparse de los impuestos y pagar los legados específicos. Luego, se solicita permiso para distribuir el balance de los bienes a los beneficiarios.

Woody sonrió.

—Qué diablos, he esperado casi cuarenta años para ser millonario. Supongo que puedo esperar uno o dos meses más.

Simon Fitzgerald se puso de pie.

—Aparte de los legados de su padre a ustedes, hay algunos legados menores que no afectan el total de los bienes. —Fitzgerald paseó la vista por el lugar. —Bueno, si no hay nada más...

Tyler se puso de pie.

—Creo que no. Gracias, señor Fitzgerald, señor Sloane. Si llegara a presentarse algún problema, nos mantendremos en contacto.

Fitzgerald inclinó la cabeza hacia el grupo.

—Señoras y señores —dijo, se dio media vuelta

y echó a andar hacia la puerta, seguido por Steve Sloane.

Una vez en el sendero de acceso, Simon Fitzgerald le dijo a Steve:

—Bueno, ya conoces a la familia. ¿Qué te parecieron?

—Fue más una celebración que un duelo. Una cosa me desconcertó, Simon. Si el padre los odiaba tanto como ellos parecen odiarlo a él, ¿por qué les dejó todo ese dinero?

Simon Fitzgerald se encogió de hombros.

—Eso es algo que jamás sabremos. Tal vez por eso quería verme, para dejarle el dinero a otra persona.

Ninguno del grupo pudo dormir esa noche; cada uno estaba preocupado con sus propios pensamientos.

Tyler pensaba: "Ha ocurrido. ¡Realmente ha ocurrido! Ahora puedo ofrecerle el mundo a Lee. ¡Cualquier cosa! ¡Todo!".

Kendall pensaba: "En cuanto reciba el dinero, buscaré la forma de terminar con ellos de manera definitiva, para asegurarme de que nunca volverán a molestarme".

Woody pensaba: "Tendré la mejor caballeriza de ponis de polo del mundo. Basta de tener que pedir caballos prestados. ¡Seré un jugador de diez goles de handicap!". Miró a Peggy, que dormía junto a él. "Lo primero que haré será librarme de esta perra estúpida." Pero enseguida pensó: "No, no puedo hacer eso..." Se levantó y fue al baño. Cuando salió, se sentía maravillosamente bien.

A la mañana siguiente, durante el desayuno, la atmósfera era completamente diferente de la de la cena de la noche anterior. Todos estaban de espléndido humor.

—Supongo —dijo Woody, entusiasmado—, que todos ustedes han estado haciendo planes.

Marc se encogió de hombros.

—¿Cómo se hace para planear algo como esto? Es una cantidad increíble de dinero.

Tyler levantó la vista.

—Por cierto, cambiará la vida de todos nosotros.

Woody asintió.

—El hijo de puta debería habernos dado el dinero mientras estaba vivo, para que pudiéramos disfrutarlo entonces. Si no es descortés odiar a los muertos, tengo que decirles algo...

—Woody ... —dijo Kendall con tono de reproche.

—Bueno, no seamos hipócritas. Todos lo despreciábamos, y él se lo merecía. Miren lo que trató de...

Clark entró en la habitación y se quedó allí parado, con expresión de pedir disculpas.

—Excúsenme —dijo—. Hay una tal señorita Julia Stanford en la puerta.

MEDIODÍA

CAPÍTULO TRECE

—¿JULIA STANFORD?

Todos se miraron, aterrados.

—¡Qué va a ser ella! —saltó Woody

Tyler se apresuró a decir:

—Sugiero que nos reunamos en la biblioteca. —
Se dirigió a Clark. —¿Podrías enviar a la señorita
allí, por favor?

—Sí, señor.

Ella se quedó de pie junto a la puerta, y miró a
cada uno, por lo visto sintiéndose muy incómoda.

—Yo... probablemente no debería haber venido
—dijo.

—¡Tiene muchísima razón! —dijo Woody—.
¿Quién demonios es?

—Soy Julia Stanford. —Los nervios casi la hicieron tartamudear.

—No. Lo que quiero saber es quién es en realidad.

Ella empezó a decir algo, pero luego sacudió la
cabeza.

—Yo... Mi madre era Rosemary Nelson. Harry Stanford, mi padre.

Los integrantes del grupo se miraron.

—¿Tiene alguna prueba? —preguntó Tyler.

Julia tragó fuerte.

—No creo tener ninguna verdadera prueba.

—Por supuesto que no —saltó Woody—. ¿Cómo tiene el atrevimiento de...?

Kendall lo interrumpió.

—Esto es una gran sorpresa para todos nosotros, como puede imaginar. Si lo que dice es verdad, entonces es... hermana nuestra.

Julia asintió.

—Usted es Kendall. —Miró a Tyler. —Y usted, Tyler. —Miró a Woody. —Y usted, Woodrow. Lo llaman Woody.

—Como la revista *People* puede haberle informado —dijo Woody con tono sarcástico.

—Estoy seguro de que entiende nuestra posición, señorita... —dijo Tyler—. Sin una prueba positiva, no podemos de ninguna manera aceptar...

—Lo entiendo —dijo ella y miró a todos con nerviosismo—. No sé por qué vine.

—Yo, en cambio, creo que lo sabe muy bien —dijo Woody—. Se llama dinero.

—El dinero no me interesa —dijo ella, indignada—. Lo cierto es que vine aquí con la esperanza de conocer a mi familia.

Kendall la observaba con atención.

—¿Dónde está su madre?

—Falleció. Y cuando leí que nuestro padre había muerto...

—Decidió buscarnos —dijo Woody con tono de burla.

162

—Dice que no tiene ninguna prueba legal de su identidad —dijo Tyler.

—¿Legal? Supongo que no. Ni siquiera lo pensé. Pero hay cosas que no podría saber a menos que me las hubiera contado mi madre.

—¿Por ejemplo? —preguntó Marc.

Ella se detuvo a pensar.

—Recuerdo que mi madre solía hablar del invernadero que había en la parte de atrás. Le encantaban las plantas y las flores, y pasaba allí horas...

—En muchas revistas aparecieron fotografías de ese invernadero —dijo Woody.

—¿Qué más le contó su madre? —preguntó Tyler.

—¡Tantas cosas! Le gustaba hablar de todos ustedes y de los buenos ratos que pasaban juntos. —Pensó un momento. —Por ejemplo, el día en que los llevó a andar en botes con forma de cisnes cuando eran muy chicos. Uno de ustedes casi cayó por la borda. No recuerdo cuál.

Woody y Kendall miraron a Tyler.

—Ése fui yo —dijo.

—Los llevó de compras a Faneuil Hall. Uno se perdió y cundió el pánico entre todos.

—Yo me perdí ese día —recordó Kendall en voz baja.

—¿Sí? ¿Qué más? —preguntó Tyler.

—Los llevó al Union Oyster House y allí probaron su primera ostra y se descompusieron.

—Lo recuerdo.

Todos se miraron en silencio.

Julia miró a Woody.

—Usted y mamá fueron al Charlestown Navy Yard para ver el uss *Constitution*, y usted no quería bajarse. Ella tuvo que sacarlo a la rastra. —Miró a Kendall. —Y cierto día, en el jardín botánico, usted cortó algunas flores y casi la arrestaron.

Kendall tragó saliva.

—Así es.

Ahora todos la escuchaban muy atentos y fascinados.

—Y, un día, mamá los llevó a todos al Museo de Brujas de Salem, y quedaron aterrorizados.

—Ninguno de nosotros pudo dormir esa noche —confesó Kendall muy despacio.

Julia miró a Woody.

—En una Navidad, ella lo llevó a usted a patinar al Jardín Público. Usted se cayó y se rompió un diente. Y cuando tenía siete años, se cayó de un árbol y tuvieron que darle puntos en la pierna. Le quedó una cicatriz.

—Todavía la tengo —asintió Woody de mala gana.

Julia miró a los otros.

—A uno de ustedes lo mordió un perro, pero no recuerdo a cuál. Mi madre fue corriendo a la sala de emergencias del hospital de Boston.

Tyler asintió:

—Tuvieron que darme suero antirrábico.

Ahora, las palabras brotaban a borbotones de la boca de Julia.

—Woody, cuando usted tenía ocho años, se escapó de su casa. Pensaba ir a Hollywood para convertirse en actor. Su padre se puso furioso. Como penitencia, le ordenó quedarse en su cuarto sin cenar, pero mamá consiguió llevarle un poco de comida de contrabando a su habitación.

Woody asintió en silencio.

—Bueno, no sé qué más puedo decirles. Yo... —De pronto recordó algo. —En la cartera tengo una fotografía. —La abrió, la sacó y se la entregó a Kendall.

Todos se apiñaron para verla. Era la foto de los tres cuando eran chicos, junto a una joven y atractiva mujer con uniforme de institutriz.

—Mamá me la dio.

—¿Le dejó alguna otra cosa? —preguntó Tyler.

Ella negó con la cabeza.

—No. Lo siento. No quería tener cerca nada que le recordara a Harry Stanford.

—Salvo usted, por supuesto —dijo Woody.

Ella lo miró, desafiante.

—No me importa que me crea o no me crea. Usted no entiende... yo esperaba tanto que... —No pudo seguir hablando.

—Como dijo mi hermana —acotó Tyler—, su repentina aparición ha sido un golpe para nosotros. Quiero decir... alguien que aparece de la nada y asegura ser miembro de la familia. Supongo que entiende nuestro problema. Creo que necesitamos un poco de tiempo para cambiar ideas.

—Desde luego que lo entiendo.

—¿Dónde se hospeda?

—En el Tremont House.

—¿Por qué no regresa al hotel? Haré que un auto la lleve. Y en poco tiempo nos comunicaremos con usted.

Ella asintió.

—Está bien. —Miró a cada uno un momento y luego dijo, con afecto: —No importa lo que piensen... ustedes son mi familia.

—La acompañaré a la puerta —dijo Kendall.

Ella sonrió.

—No se moleste. Encontraré el camino. Conozco cada centímetro de esta casa.

La vieron dar media vuelta y abandonar la habitación.

—¡Bueno! —dijo Kendall—. Parece que tenemos una hermana.

—Yo no lo creo —rezongó Woody.

—A mí me parece que... —comenzó a decir Marc.

Todos hablaban al mismo tiempo. Tyler levantó una mano.

—Esto no nos llevará a ninguna parte. Mirémoslo con lógica. En cierto sentido, esa persona está sometida a un juicio y nosotros somos los jurados. Depende de nosotros determinar su inocencia o su culpabilidad. En un juicio por jurados, la decisión debe ser unánime. Debemos estar todos de acuerdo.

—De acuerdo —dijo Woody y asintió.

—Entonces —dijo Tyler—, me gustaría dar el primer voto. Creo que esa mujer es una impostora.

—¿Una impostora? ¿Cómo es posible? —preguntó Kendall—. No podría saber tantos detalles íntimos sobre nosotros si no fuera la verdadera Julia.

Tyler la miró.

—Kendall, ¿cuántas criadas han trabajado en esta casa cuando éramos chicos?

Kendall lo miró, intrigada.

—¿Por qué?

—Decenas, ¿verdad? Y algunas de ellas podrían saber todo lo que esa joven nos contó. A lo largo de los años, en casa hubo mucamas, choferes, mayordomos, cocineros... cualquiera pudo saber todas esas cosas. Cualquiera pudo haberle dado esa fotografía.

—¿Lo que quieres decir es que podría estar actuando en complicidad con otra persona?

—Una o más —dijo Tyler—. No olvidemos que está en juego una cantidad enorme de dinero.

—Pero ella dice que no quiere el dinero —les recordó Marc.

Woody asintió.

—Sí, claro, eso es lo que dice. —Miró a Tyler. —Pero, ¿cómo hacemos para probar que es una impostora? No hay ninguna manera...

—Hay una manera —dijo Tyler.

Todos lo miraron.

—¿Cuál?

—Mañana les tendré la respuesta.

Simon Fitzgerald dijo, muy despacio:

—¿Me está diciendo que Julia Stanford apareció, después de todos estos años?

—Ha aparecido una mujer que *alega* ser Julia Stanford —lo corrigió Tyler.

—¿Y usted no le cree? —preguntó Steve.

—Decididamente no. La única supuesta prueba de su identidad que nos ofreció fueron algunas anécdotas de nuestra niñez que por lo menos una docena de personas podrían conocer, y una vieja fotografía que en realidad no demuestra nada. Ella podría estar en complicidad con cualquiera de esas·personas. Me propongo probar que es una impostora.

Steve frunció el entrecejo.

—¿Y cómo se propone hacerlo?

—Muy sencillo. Quiero que le hagan una prueba del ADN.

Steve Sloane se mostró sorprendido.

—Eso significaría exhumar el cuerpo de su padre.

—Sí —dijo Tyler y miró a Simon Fitzgerald—. ¿Será complicado?

—En estas circunstancias, creo que podré obtener una orden de exhumación. ¿Ella ha aceptado someterse a esa prueba?

—Todavía no se lo he preguntado. Si se niega, probará que tiene miedo del resultado. En ese caso, al menos nos libraremos de ella. —Vaciló un momento. —Debo confesar que no me gusta hacer esto. Pero creo que es la única forma de determinar la verdad.

Fitzgerald quedó pensativo un momento.

—Muy bien. —Se dirigió a Steve. —¿Puedes ocuparte de esto?

—Desde luego. —Miró a Tyler. —Sin duda usted está familiarizado con el procedimiento. El pariente más cercano —en este caso, cualquiera de los hijos del extinto— debe solicitar un permiso de exhumación a la oficina del médico forense. Si se aprueba, la oficina del forense se pone en contacto con la funeraria y le da permiso para seguir adelante con el procedimiento. Una persona de la oficina del forense debe estar presente durante la exhumación.

—¿Cuánto tiempo puede llevar esto? —preguntó Tyler.

—Diría que tres o cuatro días para obtener el permiso. Hoy es miércoles. Creo que podremos exhumar el cuerpo el lunes.

—Espléndido. —Tyler vaciló un momento. —Necesitaremos un experto en ADN, alguien que resulte convincente en un juzgado, si las cosas llegan a ese extremo. Esperaba que usted conociera a alguien.

—Conozco a la persona perfecta —dijo Steve—. Se llama Perry Winger y está aquí, en Boston. Ha prestado testimonio como experto en juicios en todo el país. Lo llamaré.

—Se lo agradecería mucho. Cuanto antes podamos terminar con esto, mejor será para todos nosotros.

A las diez de la mañana siguiente, Tyler entró en la biblioteca, donde Woody, Peggy, Kendall y Marc esperaban. Junto a Tyler entró un desconocido.

—Quiero presentarles a Perry Winger —dijo Tyler.

—¿Quién es? — preguntó Woody.

—Nuestro experto en ADN.

Kendall miró a Tyler.

—¿Para qué demonios necesitamos un experto en ADN?

—Para demostrar que esa desconocida, que tan oportunamente apareció de pronto, es una impostora —respondió Tyler—. No tengo intenciones de permitirle que se salga con la suya.

—¿Vas a desenterrar al viejo? —preguntó Woody.

—Así es. Los abogados tratan en este momento de obtener la orden de exhumación. Si esa mujer es nuestra hermana, el ADN lo demostrará. Si no lo es... también lo probará.

—Me temo que no entiendo lo del ADN —dijo Marc.

Perry Winger carraspeó.

—En términos sencillos, el ácido dexorribonucleico, o ADN, es la molécula de la herencia. Contiene el código genético único de cada individuo. Se lo puede extraer de rastros de sangre, semen, saliva, raíces capilares y hasta huesos. Los rastros de ADN puede durar hasta cincuenta años en un cadáver.

—Entiendo. De modo que, en realidad, es bastante simple —dijo Marc.

Perry Winger frunció el entrecejo.

—Créame, no lo es. Hay dos clases de pruebas del ADN. Una prueba PCR, que lleva tres días, y la prueba RFLP, más compleja, que lleva de seis a ocho semanas. Para nuestros fines, la prueba más sencilla bastará.

—¿Cómo se realiza la prueba? —preguntó Kendall.

—Se hace en varios pasos. Primero, se toma la muestra y el ADN se divide en fragmentos, que son clasificados por largo, colocándolos sobre un lecho de gel y aplicándoles corriente eléctrica. El ADN, que contiene corriente negativa, se desplaza hacia la positiva y, varias horas después, los fragmentos se han dispuesto por largo. Para escindir los fragmentos de ADN se utilizan sustancias químicas alcalinas; luego los fragmentos se transfieren a una plancha de nailon, que se sumerge en un baño...

Los ojos de los presentes comenzaban a entrecerrarse.

—¿Cuál es el grado de precisión de esa prueba? —lo interrumpió Woody.

—Del ciento por ciento en cuanto a determinar si un hombre no es el padre. Si la prueba da positiva, su precisión es del 99,9%.

Woody miró a su hermano.

—Tyler, tú eres juez. Digamos, y es sólo una suposición, que ella realmente es hija de Harry Stanford. Su madre y nuestro padre nunca se casaron.

¿Por qué tendría ella derecho a heredar?

—Según las leyes —explicó Tyler—, si se establece la paternidad de nuestro padre, ella tendría derecho a heredar por partes iguales con el resto de nosotros...

—Entonces, propongo que sigamos adelante con esa maldita prueba del ADN y la desenmascaremos.

Tyler, Woody, Kendall y Julia estaban sentados frente a una mesa en el restaurante del Tremont House.

Peggy había decidido quedarse en Rose Hill.

—Todo este asunto de desenterrar un cadáver me ha dado un miedo terrible —había dicho.

Ahora, el grupo se enfrentaba a la mujer que alegaba ser Julia Stanford.

—No entiendo qué me están pidiendo que haga.

—En realidad, es muy sencillo —le informó Tyler—. Un médico le tomará una muestra de piel para compararla con la de nuestro padre. Si las moléculas de ADN coinciden, será una prueba positiva de que usted realmente es su hija. En cambio, si usted se rehúsa a someterse a la prueba...

—Yo... no me gusta.

—¿Por qué no? —la apuró Woody.

—No lo sé —contestó ella y se estremeció—. La idea de desenterrar el cuerpo de mi padre para...

—Para demostrar quién es usted.

Ella le fue mirando la cara a cada uno.

—Desearía que todos ustedes...

—¿Sí?

—No hay ninguna forma de que pueda convencerlos, ¿verdad?

—Sí —contestó Tyler—. Acepte someterse a la prueba.

Se hizo un silencio prolongado.

—Está bien. Acepto.

Conseguir la orden de exhumación fue más difícil de lo que se preveía. Simon Fitzgerald había hablado personalmente con el forense.

—¡No! ¡Por el amor de Dios, Simon! ¡No puedo hacerlo! ¿Sabes el alboroto que se armaría? Quiero decir... no se trata de un don nadie sino de Harry Stanford. Si esto llegara a filtrarse, sería un festín para la prensa.

—Marvin, esto es importante. Están en juego millones de dólares. Así que asegúrate tú de que no se filtre.

—¿No hay ninguna otra manera de que...?

—Me temo que no. La mujer es muy convincente.

—Pero la familia no está convencida.

—No.

—¿Tú crees que es una impostora, Simon?

—Francamente, no lo sé. Pero mi opinión no cuenta. De hecho, ninguna de nuestras opiniones cuenta. Una corte exigirá pruebas, y el análisis del ADN las proporcionará.

El forense sacudió la cabeza.

—Yo conocía al viejo Harry Stanford. Él habría detestado esto. De veras, yo no debería permitir...

—Pero lo harás.

El hombre suspiró.

—Supongo que sí. ¿Me harías un favor?

—Desde luego.

—Mantén esto en secreto. No queremos que los medios de comunicación armen un circo.

—Tienes mi palabra. Será información ultrasecreta. Sólo lo sabrán los de la familia.

—¿Cuándo quieren hacerlo?

—Nos gustaría que fuera el lunes.

El forense volvió a suspirar.

—Está bien. Llamaré a la funeraria. Me debes una, Simon.

—No lo olvidaré.

A las nueve de la mañana del lunes, la entrada al sector del Cementerio Mount Auburn donde estaba enterrado el cuerpo de Harry Stanford se encontraba provisoriamente cerrada "por trabajos de mantenimiento". No se permitía la entrada de nadie. Woody, Peggy, Tyler, Kendall, Marc, Julia, Simon Fitzgerald, Steve Sloane y el doctor Collins, un representante de la oficina del forense, se encontraban de pie junto a la tumba de Harry Stanford y observaban a cuatro empleados del cementerio que levantaban el féretro. Perry Winger aguardaba a un costado.

Cuando el ataúd llegó al nivel del suelo, el capataz se dirigió al grupo.

—¿Qué quieren que hagamos ahora?

—Ábranlo, por favor —dijo Fitzgerald. Miró a Perry Winger. —¿Cuánto tiempo llevará esto?

—No más de un minuto. Obtendré una rápida muestra de piel.

—De acuerdo —dijo Fitzgerald. Le hizo una seña con la cabeza al capataz. Adelante.

El capataz y sus asistentes comenzaron a abrir el ataúd.

—Yo no quiero ver esto —dijo Kendall—. ¿Es necesario?

—¡Sí! —le dijo Woody—. Debemos hacerlo.

Todos observaron, fascinados, cómo lentamente levantaban la tapa del cajón y la colocaban a un lado. Se quedaron allí, mirando hacia abajo.

—¡Dios mío! —exclamó Kendall.

El féretro estaba vacío.

CAPÍTULO CATORCE

DE VUELTA EN ROSE HILL, TYLER ACABABA DE HABLAR por teléfono.

—Fitzgerald dice que no habrá filtraciones a los medios. El cementerio, por cierto, no quiere esa clase de publicidad negativa. El forense le ha ordenado al doctor Collins mantener la boca bien cerrada, y podemos confiar en que Perry Winger no hablará.

Woody no le prestaba atención.

—¡No sé cómo lo hizo la hija de puta —declaró—, pero no se saldrá con la suya! —Miró a los otros con furia. —¡Quiero creer que tampoco ustedes piensan que actuó por su cuenta!

—Concuerdo contigo, Woody —dijo Tyler—. Esa mujer es inteligente y astuta, pero es obvio que no trabaja sola. No estoy seguro de a qué nos enfrentamos.

—¿Qué haremos ahora? —preguntó Kendall.

Tyler se encogió de hombros.

—Francamente, no lo sé. Ojalá lo supiera. Estoy segura de que ella piensa ir a la corte a impugnar el testamento.

—¿Tiene alguna posibilidad de ganar? —preguntó tímidamente Peggy.

—Me temo que sí. Es muy persuasiva. Hasta había convencido a algunos de nosotros.

—Tiene que haber algo que podamos hacer —exclamó Marc—. ¿Qué tal si llevamos el asunto a la policía?

—Fitzgerald dice que ya investigan la desaparición del cuerpo, y que están en punto muerto. Y no es un juego de palabras —dijo Tyler—. Lo que es más, la policía quiere que esto se mantenga bajo cuerda, porque de lo contrario van a recibir una avalancha de cadáveres.

—Podemos pedirles que investiguen a esta impostora.

Tyler negó con la cabeza.

—Este no es un asunto policial sino privado... —Se interrumpió un momento y luego dijo: —Saben que...

—¿Qué?

—Que podríamos contratar a un investigador privado para tratar de desenmascararla.

—No es mala idea. ¿Conoces uno?

—No, no en esta ciudad. Pero podríamos pedirle a Fitzgerald que nos consiga uno. O... —Vaciló. — No lo conozco personalmente, pero he oído hablar de un detective privado cuyos servicios suele utilizar la oficina del fiscal de distrito de Chicago. Tiene una reputación excelente.

—¿Por qué no tratamos de contratarlo? —sugirió Marc.

Tyler miró a todos.

—Eso depende de ustedes.

—¿Qué podemos perder? —preguntó Kendall.

—Podría ser caro —advirtió Tyler.

—¿Caro? —se burló Woody—. Hablamos de millones de dólares.

Tyler asintió.

—Por supuesto. Tienes razón.

—¿Cómo se llama?

Tyler frunció el entrecejo.

—No lo recuerdo bien. Simpson... Simmons... No, no es así, pero es algo parecido. Puedo llamar a la oficina del fiscal de distrito de Chicago.

Todos vieron que Tyler tomaba el teléfono que estaba sobre la consola y discaba un número.

Dos minutos después, hablaba con un asistente del fiscal.

—Habla el juez Tyler Stanford. Tengo entendido que ustedes suelen contratar a un detective privado cuyo trabajo es excelente. Se llama Simmons o...

La voz del otro extremo de la línea dijo:

—Debe de referirse a Frank Timmons.

—¡Timmons! Sí, eso es. —Tyler miró a los otros y sonrió. —¿Podría darme su número de teléfono para que pueda comunicarme directamente con él?

Después de escribir el número de teléfono, Tyler colgó el tubo.

Cuando se reintegró al grupo, dijo:

—Bueno, entonces, si todos estamos de acuerdo, trataré de ponerme en contacto con él.

Todos asintieron.

A la tarde siguiente, Clark entró en la sala, donde aguardaba el grupo.

—El señor Timmons se encuentra aquí.

Era un hombre de algo más de cuarenta años, cutis claro y el porte corpulento de un boxeador. Tenía la nariz rota y ojos luminosos y curiosos. Miró a Tyler y luego a Woody, y preguntó:

—¿Juez Stanford?

Tyler asintió.

—Yo soy el juez Stanford.

—Frank Timmons —se presentó él.

—Por favor tome asiento, señor Timmons.

—Gracias. —Se sentó. —Usted es el que me llamó por teléfono, ¿verdad?

—Sí.

—Si quiere que le diga la verdad, no sé qué puedo hacer por usted. No tengo conexiones oficiales aquí.

—Este no es un asunto oficial —le aseguró Tyler—. Sólo queremos que verifique los antecedentes de una joven.

—Por teléfono me dijo que ella alega ser hermana de ustedes, y que no es posible hacer una prueba del ADN.

—Así es —dijo Woody.

Timmons observó a los presentes.

—Y ustedes no creen que lo sea.

Se hizo un silencio momentáneo.

—No lo creemos —dijo Tyler—. Por otro lado, cabe la posibilidad de que esté diciendo la verdad. Lo que queremos es que usted nos proporcione pruebas irrefutables de que ella es una Stanford o una impostora.

—Me parece justo. Les costará mil dólares diarios más gastos.

—¿Mil...? —farfulló Tyler.

—Se los pagaremos —lo interrumpió Woody.

—Necesitaré toda la información que posean sobre esa mujer.

—No creo que sea mucha —terció Kendall.

—Ella no tiene ninguna prueba concreta —dijo Tyler—. Se presentó aquí con una serie de anécdotas que asegura que le contó su madre sobre nuestra infancia, y...

Timmons levantó una mano.

—Un momento. ¿Quién era su madre?

—Su supuesta madre era una institutriz que tuvimos de chicos, llamada Rosemary Nelson.

—¿Qué fue de ella?

Todos se miraron con incomodidad.

Woody fue el que habló.

—Tuvo una aventura con nuestro padre y quedó embarazada. Luego se fue y tuvo una hijita. —Se encogió de hombros. —Desapareció.

—Entiendo. ¿Y esta mujer asegura ser su hija?

—Así es.

—No es mucho para empezar. —Se quedó allí sentado, pensando. Finalmente levantó la vista. —De acuerdo. Veré lo que puedo hacer.

—Eso es todo lo que le pedimos —dijo Tyler.

Lo primero que hizo Timmons fue ir a la Biblioteca Pública de Boston y leer todo lo referente al escándalo desatado veintiséis años antes referente a Harry Stanford, la institutriz y el suicidio de la señora Stanford. Había suficiente material para escribir una novela.

El paso siguiente fue visitar a Simon Fitzgerald.

—Me llamo Frank Timmons. Soy...

—Ya sé quién es usted, señor Timmons. El juez Stanford me pidió que cooperara con usted. ¿En qué puedo servirlo?

—Quiero rastrear a la hija ilegítima de Harry Stanford. Debe de tener alrededor de veintiséis años, ¿verdad?

—Sí. Nació el 9 de agosto de 1967 en el hospital St. Joseph's de Milwaukee, Wisconsin. Su madre la llamó Julia. —Se encogió de hombros. —Luego desaparecieron. Me temo que es toda la información que tenemos.

—Es un principio —dijo Timmons—. Un principio.

La señora Dougherty, supervisora del hospital St. Joseph's de Milwaukee, era una mujer canosa de algo más de cincuenta años.

—Sí, desde luego que lo recuerdo —dijo—. ¿Cómo olvidarlo? Fue un escándalo terrible, que apareció en todos los periódicos. Los periodistas de aquí averiguaron quién era ella y no quisieron dejar tranquila a la pobrecita.

—¿Adónde fue cuando ella y la beba abandonaron el hospital?

—No lo sé. No dejó ninguna dirección.

—¿Pagó la totalidad de la cuenta antes de irse, señora Dougherty?

—En realidad, no lo hizo.

—¿Cómo es que recuerda eso?

—Porque fue tan triste. Recuerdo que estaba sentada en la misma silla que usted, y me dijo que sólo podía pagar parte de la cuenta, pero prometió enviarme el resto del dinero. Desde luego, eso estaba en contra de las normas del hospital, pero sentí lástima por ella, estaba tan enferma cuando se fue de aquí, que le dije que sí.

—¿Y le envió ella el resto del dinero?

—Por supuesto que sí. Unos dos meses después. Había conseguido trabajo en un servicio de secretarias.

—¿Por casualidad no recuerda cuál?

—No. ¡Por Dios, eso fue hace casi treinta años, señor Timmons!

—Señora Dougherty, ¿mantiene a todos sus pacientes en el archivo?

—Desde luego. —Lo miró. —¿Quiere que revise los registros?

Él sonrió.

—Si no le importa...

—¿Ayudaría eso a Rosemary?

—Podría significar mucho para ella.

—Discúlpeme un momento, entonces —dijo la señora Dougherty y abandonó la oficina.

Volvió quince minutos más tarde, con un papel en la mano.

—Aquí está. Rosemary Nelson. La dirección es Servicio de Dactilógrafas Elite, Omaha, Nebraska...

El Servicio de Dactilógrafas Elite estaba dirigido por el señor Otto Broderick, un individuo de más de sesenta años.

—Tomamos a muchísimas empleadas transitorias —protestó—. ¿Cómo quiere que recuerde a alguien que trabajó aquí hace tanto tiempo?

—Este fue un caso bastante especial. Ella era una joven de poco más de veinte años, y su salud no era muy buena. Acababa de tener un bebé y...

—¡Rosemary!

—Así es. ¿Por qué la recuerda?

—Bueno, me gusta asociar cosas, señor Timmons. ¿Sabe lo que es la mnemotecnia?

—Sí.

—Bueno, es lo que yo uso. Asocio palabras. Hubo una película llamada *El bebé de Rosemary*. Así que cuando Rosemary vino y me dijo que acababa de tener un bebé, uní las dos cosas y...

—¿Cuánto tiempo estuvo Rosemary Nelson con ustedes?

—Supongo que alrededor de un año. Pero la prensa descubrió de alguna manera quién era, y no quisieron dejarla en paz. Rosemary abandonó la ciudad en mitad de la noche para huir de ellos.

—Señor Broderick, ¿tiene idea de adónde se dirigió Rosemary Nelson cuando se fue de aquí?

—Creo que a Florida. Quería estar en un clima más templado. Le recomendé una agencia que yo conocía en esa ciudad.

—¿Puede darme el nombre de esa agencia?

—Por cierto que sí. Es la Agencia Gale. Lo recuerdo porque en esa época yo salía con una chica que se llamaba así...

Diez días después de su reunión con la familia Stanford, Timmons regresó a Boston. Había llamado antes por teléfono, y la familia lo aguardaba. Todos estaban sentados en semicírculo frente a él.

—Dijo que tenía noticias para nosotros, señor Timmons —dijo Tyler.

—En efecto. —Abrió su maletín y sacó algunos papeles. —Éste ha sido un caso de lo más interesante —dijo—. Cuando empecé...

—Vayamos al grano —interrumpió Woody con impaciencia—. ¿Es o no es una impostora?

Él levantó la vista.

—Si no le importa, señor Stanford, me gustaría presentarles los hechos a mi manera.

Tyler le dirigió a Woody una mirada de advertencia.

—Me parece justo. Por favor, continúe.

Lo vieron consultar sus notas.

—La institutriz de la familia Stanford, Rosemary Nelson, tuvo una hija engendrada por Harry Stanford. Ella y la pequeña se dirigieron a Omaha, Nebraska, donde comenzó a trabajar para el Servicio de Dactilógrafas Acme. Su empleador me dijo que el clima no le sentaba.

"Después, las localicé en Florida, donde ella trabajó para la Agencia Gale. Se mudaron muchas veces de ciudad. Les seguí la pista hasta Hammond, Indiana, donde vivieron hasta hace diez años y donde terminó el rastro. Después de eso, desaparecieron. —Levantó la vista.

—¿Y eso es todo, Timmons? —preguntó Woody—. ¿Perdió el rastro hace diez años?

—No, de ninguna manera. —Metió la mano en el maletín y sacó otro papel. —La hija, Julia, solicitó registro de conductor cuando tenía diecisiete años.

—¿De qué nos sirve eso? —preguntó Marc.

—En el estado de California, a los conductores se les toman las impresiones digitales. —Levantó una tarjeta. —Éstas son las huellas dactilares de la verdadera Julia Stanford.

—¡Entiendo! —exclamó Tyler con entusiasmo—. Si coinciden...

Woody lo interrumpió.

—Entonces sería realmente nuestra hermana.

Él asintió.

—En efecto. Traje un equipo portátil para tomar impresiones digitales, por si ustedes quieren verificar ahora mismo a esa joven. ¿Está ella aquí?

—Está en un hotel —dijo Tyler—. He hablado con ella todas las mañanas para tratar de persuadirla de que se quede aquí hasta que esto se resuelva.

—¡La tenemos! —dijo Woody—. ¡Vayamos a verla!

Media hora después, el grupo entraba en su habitación del Tremont House. Al entrar, vieron que ella preparaba la valija.

—¿Adónde va? —preguntó Kendall.

Ella se volvió para enfrentarlos.

—A casa. Fue un error venir aquí.

—Usted no puede culparnos a nosotros de... —dijo Tyler.

Ella le retrucó, furiosa:

—Desde que llegué aquí, no he encontrado más que recelos y desconfianza. Ustedes creen que vine aquí a quitarles dinero. Pues bien, no es así. Vine porque quería encontrar a mi familia. Yo... no importa. —Volvió a dedicarse a llenar la valija.

—Éste es Frank Timmons —dijo Tyler—. Es detective privado.

Ella levantó la vista.

—Y ahora, ¿qué? ¿Me están arrestando?

—No, señora. Julia Stanford obtuvo licencia de conductor en San Francisco, California, cuando tenía diecisiete años.

—Así es —dijo ella—. ¿Es algo ilegal?

—No, señora. La cuestión es...

—La cuestión es —lo interrumpió Tyler—, que en esa licencia y en la ficha de la oficina están las impresiones digitales de Julia Stanford..

Ella los miró.

—No lo entiendo. ¿Qué...?

—Queremos compararlas con las suyas —dijo Woody.

Ella apretó los labios.

—¡No! ¡No lo permitiré!

—¿Nos está diciendo que no nos dejará tomarle las impresiones digitales?

—Así es.

—¿Por qué no? —preguntó Marc.

El cuerpo de la joven estaba tenso.

—Porque todos ustedes me hacen sentir una delincuente. Pues bien, ¡he tenido bastante! Quiero que me dejen en paz.

—Esta es su oportunidad de demostrar quién es en realidad —le dijo Kendall—. A todos nos ha trastornado esto tanto como a usted, y quisiéramos ponerle fin.

Ella permaneció allí de pie, mirándolos a la cara, uno por uno. Por último dijo, con voz cansada.

—Está bien. Terminemos con esto.

—Espléndido.

—Señor Timmons... —dijo Tyler.

—De acuerdo. —Sacó el equipo para tomar impresiones digitales y lo colocó sobre la mesa. Tomó la mano de Julia y le fue apretando cada uno de los dedos en la almohadilla. Después, los apretó sobre un trozo de papel blanco. —Ya está. No fue tan difícil, ¿verdad? —Y luego puso la ficha de la oficina junto a las huellas dactilares que acababa de tomar.

Todo el grupo se acercó a la mesa para observar.

Eran idénticas.

Woody fue el primero en hablar.

—Son... son iguales.

Kendall miraba a Julia con una mezcla de sentimientos encontrados.

—De veras eres nuestra hermana, ¿no?

Ella sonreía por entre sus lágrimas.

—Eso era lo que trataba de decirles.

De pronto, todos hablaban al mismo tiempo.

—¡Es increíble...!

—Después de todos estos años...

—¿Por qué no volvió nunca tu madre...?

—Lamento haberte hecho pasar tan malos ratos...

La sonrisa de Julia iluminó el cuarto.

—Está bien. Ahora todo está bien.

Woody tomó la tarjeta con las impresiones digitales y la miró, espantado.

—¡Dios mío! Esta tarjeta vale miles de millones de dólares. —Se la metió en el bolsillo. —La haré enmarcar.

Tyler se dirigió al grupo.

—¡Esto merece una verdadera celebración! Sugiero que volvamos todos a Rose Hill. —Miró a Julia y le sonrió. —Te daremos una fiesta de bienvenida. Pero, primero, firmemos tu salida del hotel.

Ella los miró con los ojos muy brillantes.

—Es como un sueño hecho realidad. ¡Finalmente tengo una familia!

Media hora más tarde se encontraban de regreso en Rose Hill y Julia se instalaba en su nuevo cuarto. Los otros estaban abajo y hablaban con excitación.

—La pobre debe de sentirse como si acabara de pasar por la Inquisición —dijo Tyler.

—Y así fue —coincidió Peggy—. No sé cómo lo toleró.

186

—Me pregunto cómo hará para adaptarse a su nueva vida —dijo Kendall.

—Igual que lo haremos nosotros —dijo secamente Woody—. Con mucho champagne y caviar.

Tyler se puso de pie.

—Personalmente, me alegro de que todo se haya arreglado finalmente. Subiré a ver si necesita ayuda.

Subió por la escalera y avanzó por el pasillo hasta su habitación. Llamó a la puerta y dijo en voz alta:

—¿Julia?

—Está abierto. Entra.

Él permaneció de pie junto a la puerta y ambos se miraron en silencio. Luego Tyler cerró con cuidado la puerta, extendió los brazos y sonrió.

Cuando habló, dijo:

—¡Lo logramos, Margo! ¡Lo logramos!

NOCHE

CAPÍTULO QUINCE

LO HABÍA PLANEADO CON LA INEFABLE HABILIDAD DE UN maestro de ajedrez. Sólo que esa había sido la partida de ajedrez más lucrativa de la historia, con apuestas por miles de millones de dólares... ¡y había ganado! Tenía la sensación de poseer un poder invencible. "¿Así te sentías, papá, cuando cerrabas un negocio importante? Pues bien, esto es algo mucho más importante que lo que tú has podido hacer jamás. He planeado el crimen del siglo, y lo he logrado."

En cierto sentido, todo había empezado con Lee. *El hermoso y maravilloso Lee.* La persona que él más amaba en el mundo. Se habían conocido en The Berlin, el bar gay de la avenida Belmont. Lee era alto, rubio y musculoso, y el hombre más hermoso que Tyler había visto jamás.

El encuentro de ambos empezó con:

—¿Puedo convidarte con una copa?

Lee lo había mirado de arriba abajo y asentido.

—Me parece bien.

Después de la segunda copa, Tyler dijo:

—¿Por qué no nos vamos a casa a beber un trago?

Lee sonrió.

—Soy muy caro.

—¿Cómo de caro?

—Quinientos dólares la noche.

Tyler no vaciló.

—Vamos —dijo.

Pasaron la noche en casa de Tyler.

Lee estuvo tierno, sensible y cariñoso, y Tyler se sintió con él como no se había sentido con ningún ser humano. Experimentaba cosas que no sabía que existían. Al llegar la mañana, Tyler estaba locamente enamorado de Lee.

En el pasado, había levantado a muchachos en The Cairo y The Bijou y varios otros bares gay de Chicago, pero sabía que todo eso iba a cambiar. De ahora en adelante, sólo quería a Lee.

Por la mañana, mientras preparaba el desayuno, Tyler preguntó:

—¿Qué te gustaría hacer esta noche?

Lee lo miró, sorprendido.

—Lo siento. Esta noche tengo un compromiso.

Tyler sintió que lo golpeaban en la boca del estómago.

—Pero, Lee, pensé que tú y yo...

—Tyler querido, yo soy una mercadería muy valiosa que se entrega al mejor postor. Me gustas, pero temo que soy demasiado caro para ti.

—Yo puedo darte todo lo que desees —dijo Tyler.

Lee sonrió.

—¿En serio? Bueno, lo que quiero es un viaje a St.-Tropez en un hermoso yate blanco. ¿Puedes pagármelo?

—Lee, yo soy más rico que todos tus amigos juntos.

—¿Ah, sí? Me pareció oírte decir que eras juez.

—Bueno, sí lo soy, pero seré muy rico. Muy rico.

Lee le pasó el brazo por los hombros.

—No te preocupes, Tyler. A partir del jueves estaré libre una semana. Esos huevos parecen deliciosos.

Ése fue el principio. Ya antes el dinero había sido importante para Tyler, pero ahora se convirtió en una obsesión. Lo necesitaba para Lee. No podía sacárselo de la cabeza. La sola idea de que él pudiera hacer el amor con otros hombres le resultaba intolerable. "Tengo que tenerlo sólo para mí."

Desde los doce años, Tyler supo que era homosexual. Un día, su padre lo había pescado acariciándose y besándose con un chico de su colegio, y Tyler tuvo que soportar su furia. "¡No puedo creer que tengo un hijo marica! Ahora que conozco tu sucio secreto, te vigilaré bien de cerca, preciosa."

El matrimonio de Tyler fue una broma cósmica, perpetrada por un dios con un sentido macabro del humor.

—Hay alguien que quiero que conozcas —anunció Harry Stanford.

Era Navidad, y Tyler estaba en Rose Hill para las fiestas. Kendall y Woody ya se habían ido y Tyler planeaba imitarlos cuando estalló la bomba.

—He decidido que te casarás.

—¿Casarme? ¡Es imposible! Yo no...

—Escúchame, preciosa. La gente comienza a murmurar y a decir cosas de ti, y no puedo permitirlo. Es malo para mi reputación. Si te casas les cerrarás la boca.

Tyler se mostró desafiante.

—No me importa lo que diga la gente. Es mi vida.

—Y yo quiero que tu vida sea rica, Tyler. Me estoy poniendo viejo. Muy pronto.... —Y se encogió de hombros.

El palo con la zanahoria.

Naomi Schuyler era una mujer común y nada atractiva, procedente de una familia de clase media, cuyo mayor deseo en la vida era "mejorar". El nombre de Harry Stanford la impresionaba tanto que probablemente se habría casado con su hijo aunque fuera expendedor de combustible en lugar de juez.

Harry Stanford se había acostado una vez con Naomi. Cuando alguien le preguntó por qué, Stanford le contestó: "Porque estaba allí".

Pero enseguida se aburrió de ella y decidió que sería perfecta para Tyler.

Y lo que Harry Stanford quería, Harry Stanford lo conseguía.

La boda se realizó dos meses más tarde. Fue una ceremonia sencilla —con sólo ciento cincuenta invitados— y el novio y la novia fueron a Jamaica para la luna de miel. Fue un fiasco.

La noche de bodas, Naomi dijo:

194

—¿Con qué clase de hombre me he casado, por el amor de Dios? ¿Para qué tienes un pito?

Tyler trató de hacerla entrar en razones.

—No necesitamos tener relaciones sexuales. Podemos vivir existencias separadas. Seguiremos juntos, pero cada uno tendrá sus propias... amistades.

—¡Ya lo creo que las tendremos!

Naomi se vengó de él convirtiéndose en una compradora insaciable. Compraba todo en las tiendas más caras de la ciudad y realizaba viajes de compras a Nueva York.

—Con mis ingresos no puedo pagar tus extravagancias —se quejó Tyler.

—Entonces consigue un aumento. Soy tu esposa y tengo derecho a que me mantengas.

Tyler acudió a su padre y le explicó la situación.

Harry Stanford sonrió.

—Las mujeres sí que pueden ser caras, ¿verdad? Bueno, tendrás que manejarlo tú mismo.

—Pero, papá, necesito...

—Algún día tendrás todo el dinero del mundo.

Tyler trató de explicárselo a Naomi, pero ella no tenía intenciones de esperar a "algún día". Intuyó que tal vez ese día no llegaría jamás. Cuando finalmente logró sacarle a Tyler todo el dinero posible, inició el divorcio, se contentó con lo que a él le quedaba en su cuenta bancaria y desapareció.

Cuando Harry Stanford se enteró, dijo:

—El que nace marica, siempre es marica.

Y ese fue el fin de la historia.

Harry Stanford hizo todo lo posible para denigrar a su hijo.

Cierto día, cuando Tyler se encontraba en el estrado, en mitad de un juicio, el oficial de justicia se le acercó y le susurró:

—Disculpe, su señoría...

Tyler lo miró, impaciente.

—¿Sí?

—Lo llaman por teléfono.

—¿Qué? ¿Se ha vuelto loco? Estoy en pleno juicio...

—Es su padre, su señoría. Dice que es muy urgente y que debe hablar inmediatamente con usted.

Tyler se puso furioso. Su padre no tenía derecho de interrumpirlo. Estuvo tentado de no hacer caso del llamado. Pero, por otro lado, si era tan urgente...

Se puso de pie.

—Hay un receso de quince minutos.

Tyler fue de prisa a su despacho y levantó el tubo.

—¿Papá?

—Espero no molestarte, Tyler. —En su voz había un dejo de malicia.

—En realidad sí lo haces. Estoy en mitad de un juicio y...

—Bueno, dale una multa por contravención de tráfico y olvídalo.

—Papá...

—Necesito tu ayuda en un problema muy serio.

—¿Qué clase de problema?

—Mi cocinero me está robando.

Tyler no podía creer lo que oía. Estaba tan furioso que casi no podía hablar.

—¿Me hiciste bajar del estrado sólo porque...?

—Tú representas a la ley, ¿no es verdad? Pues

196

bien, él la está violando. Quiero que vengas enseguida a Boston y verifiques a toda mi servidumbre. ¡Me están sacando los ojos!

—Papá... —fue todo lo que Tyler pudo decir para no estallar.

—Ya no se puede confiar en esas malditas agencias de personal doméstico.

—Estoy en mitad de un juicio. No puedo ir ahora.

Se hizo un silencio ominoso.

—¿Qué dijiste?

—Dije...

—No me vas a decepcionar de nuevo, ¿verdad, Tyler? Creo que tal vez debería hablar con Fitzgerald sobre algunas modificaciones en mi testamento.

De nuevo aparecía la zanahoria: el dinero. Su parte de los miles de millones de dólares que le esperaban cuando su padre muriera.

Tyler carraspeó.

—Si pudieras enviar tu avión a buscarme...

—¡Diablos, no! Si juegas bien tus cartas, juez, algún día ese avión será tuyo. Piénsalo. Mientras tanto, toma un vuelo comercial de línea como todos los demás. ¡Pero quiero que vengas aquí enseguida! —y la comunicación se cortó.

Tyler se quedó allí sentado, sintiéndose humillado. "Mi padre me ha hecho esto toda la vida. ¡Al demonio con él! No iré. No pienso hacerlo."

Esa tarde tomó un vuelo a Boston.

La servidumbre de Harry Stanford constaba de veintidós personas. Había una falange de secretarias, mayordomos, amas de llaves, mucamas, cocineros, choferes, jardineros, y un guardaespaldas.

—Todos son unos malditos ladrones —se quejó Harry Stanford a Tyler.

—Si eso te preocupa tanto, ¿por qué no contratas a un detective privado o vas a la policía?

—Porque te tengo a ti —dijo Harry Stanford—. Tú eres juez, ¿no? Pues bien, júzgalos en mi nombre.

Era pura maldad.

Tyler contempló esa mansión enorme con sus muebles y pinturas exquisitas, y pensó en la casa deprimente en que vivía. "Esto es lo que merezco tener", pensó. "Y algún día lo tendré."

Tyler habló con Clark, el mayordomo, y con otros de los integrantes más antiguos del personal. Entrevistó personalmente a cada uno de los criados y verificó sus antecedentes. La mayoría eran bastante nuevos porque era casi imposible trabajar para Harry Stanford. La rotación de personal era extraordinaria. Algunos empleados sólo duraban allí uno o dos días. Un número reducido de los nuevos eran culpables de raterías sin importancia, y uno era alcohólico, pero fuera de eso, Tyler no encontró ningún problema.

Salvo en lo referente a Dmitri Kaminsky.

Dmitri Kaminsky había sido contratado por su padre como guardaespaldas y masajista. El hecho de tener que intervenir en tantos procesos criminales había hecho que Tyler fuera un buen juez del carácter de las personas, y había algo en Dmitri que

198

hizo que desconfiara enseguida de él. Era el empleado más reciente. El anterior guardaespaldas de Harry Stanford había abandonado ese empleo —Tyler se imaginaba por qué—, y una agencia local de personal de seguridad había enviado a Kaminsky.

Era un hombre corpulento, de pecho amplio y brazos grandes y musculosos. Hablaba inglés con fuerte acento ruso.

—¿Usted desea verme?

—Sí. —Tyler le indicó una silla. —Siéntese. —Había revisado los antecedentes laborales de ese hombre y le dijeron muy poco, salvo que hacía poco que había salido de Rusia. —¿Usted nació en Rusia?

—Sí —contestó el individuo y miró a Tyler con cautela.

—¿En qué parte?

—En Georgia.

—¿Por qué abandonó Rusia para venir a los Estados Unidos?

Kaminsky se encogió de hombros.

—Aquí hay más oportunidades.

"¿Oportunidades para qué?", se preguntó Tyler. Había algo evasivo en la actitud de ese hombre. Hablaron durante veinte minutos, y al cabo de ese tiempo quedó convencido de que Dmitri Kaminsky ocultaba algo.

Tyler llamó por teléfono a Fred Masterson, un conocido suyo que trabajaba en el FBI.

—Fred, quiero que me hagas un favor.

—Por supuesto. Si alguna vez voy a Chicago, ¿te ocuparás de mis infracciones de tránsito?

—Hablo en serio.

—Dime lo que necesitas.

—Quiero que verifiques a un ruso que entró en el país hace seis meses.

—Espera un momento. Eso corresponde a la CIA.

—Tal vez, pero no conozco a nadie que trabaje allí.

—Tampoco yo.

—Fred, te agradecería muchísimo que hicieras esto por mí.

Tyler oyó que el otro hombre suspiraba.

—De acuerdo. ¿Cómo se llama?

—Dmitri Kaminsky.

—Te diré lo que haré. En Washington DC conozco a alguien que trabaja en la embajada rusa. Veré si tiene información sobre Kaminsky. Si no es así, me temo que no podré ayudarte.

—Hazlo, entonces.

Esa noche, Tyler cenó con su padre. Subconscientemente, había esperado que su padre estuviera más viejo, más frágil, más vulnerable con el paso del tiempo. Harry Stanford tenía, en cambio, un aspecto sano y vigoroso, como si estuviera en la flor de la vida. "Vivirá para siempre", pensó Tyler con desesperación. "Nos sobrevivirá a todos."

Durante la cena, la conversación fue absolutamente unilateral.

—Acabo de cerrar un trato para comprar la compañía de electricidad de Hawaii...

"La semana que viene volaré a Amsterdam para solucionar algunas complicaciones del GATT...

"El secretario de Estado me ha invitado a acompañarlo a China...

Tyler casi no pudo meter ninguna palabra. Al final de la comida, su padre se puso de pie.

—¿Cómo vas con el problema de la servidumbre?

—Sigo verificándolos, papá.

—Bueno, no demores una eternidad —gruñó su padre y abandonó la habitación.

A la mañana siguiente, Tyler recibió un llamado de Fred Masterson, del FBI.

—¿Tyler?

—Sí.

—Pescaste una joyita.

—¿Ah, sí?

—Dmitri Kaminsky era un asesino a sueldo de los *polgoprudnenskay*a.

—¿Qué demonios es eso?

—Te lo explicaré. Ocho grupos criminales han tomado el poder en Moscú. Todos luchan entre ellos, pero los dos más poderosos son los *chechen* y los *polgoprudnenskaya*. Tu amigo Kaminsky trabajaba para el segundo de esos grupos. Hace tres meses, le encargaron que matara a uno de los líderes de los *chechen*. En lugar de matarlo, Kaminsky se le acercó y le propuso un trato mejor. Los *polgoprudnenskaya* lo descubrieron y ordenaron matar a Kaminsky. Las pandillas tienen allá una costumbre muy rara; primero le cortan los dedos al individuo, después lo dejan desangrarse un tiempo y, finalmente, lo matan de un disparo.

—¡Dios mío!

—Kaminsky logró escapar de Rusia, pero todavía lo buscan.

—Es increíble —dijo Tyler.

—Y eso no es todo. También lo busca la policía por algunos homicidios. Si tú sabes dónde está, a ellos les encantaría tener esa información.

Tyler quedó pensativo un momento. No podía darse el lujo de involucrarse en ese asunto. Podría significar prestar testimonio y perder mucho tiempo.

—No tengo idea. Sólo quería verificarlo para un amigo ruso. Gracias, Fred.

Tyler encontró a Dmitri Kaminsky en su habitación, leyendo una revista pornográfica. Dmitri se puso de pie al verlo entrar.

—Quiero que empaque sus cosas y salga enseguida de aquí.

Dmitri se quedó mirándolo.

—¿Qué ocurre?

—Le estoy dando a elegir. O se va de aquí antes de esta tarde, o le diré a la policía rusa dónde está.

Dmitri palideció.

—¿Me ha entendido?

—*Da*. Entendí.

Tyler fue a ver a su padre. "Quedará complacido", pensó. "Le he hecho un auténtico favor." Lo encontró en el estudio.

—Verifiqué a todo el personal —dijo Tyler—. Y...

—Me impresionas. ¿Encontraste algún muchachito con el cual acostarte?

Tyler enrojeció.

—Papá...

—Eres marica, Tyler, y siempre lo serás. No sé

cómo alguien como tú puede ser hijo mío. Vuelve a Chicago con tus amiguitos.

Tyler se quedó allí, tratando de controlarse.

—Muy bien —dijo y se dirigió a la puerta.

—¿Averiguaste algo sobre el personal que yo debería saber?

Tyler volvió la cabeza y miró un momento a su padre.

—No —dijo en voz baja—. Nada.

Cuando Tyler entró en el cuarto de Kaminsky, éste empacaba sus cosas.

—Me voy —dijo con tono sombrío.

—No lo haga. He cambiado de idea.

Dmitri levantó la vista y lo miró, intrigado.

—¿Qué?

—No quiero que se vaya. Quiero que se quede como guardaespaldas de mi padre.

—¿Y qué pasa con... ya sabe... lo otro?

—Lo olvidaremos.

Dmitri lo observaba con desconfianza.

—¿Por qué? ¿Qué quiere que haga?

—Quiero que sea mis ojos y oídos aquí. Necesito que alguien vigile a mi padre y me cuente lo que ocurre.

—¿Por qué tengo que hacerlo?

—Por que si hace lo que le digo, no lo entregaré a los rusos. Y porque lo convertiré en un hombre rico.

Dmitri Kaminsky lo observó un momento. Luego, una sonrisa le iluminó el rostro.

—Me quedaré.

Fue el gambito de apertura. Tyler acababa de mover el primer peón.

* * *

Eso había sucedido dos años antes. Cada tanto, Dmitri le pasaba información a Tyler. En su mayor parte eran chismes sin importancia sobre el último romance de Harry Stanford o trozos de conversaciones de negocios oídas por Dmitri. Tyler comenzaba a pensar que se había equivocado, que debería haber entregado a Dmitri a la policía. Hasta que recibió el llamado telefónico de Cerdeña, y la jugada dio sus frutos.

Estoy con su padre en el yate. Él acaba de llamar por teléfono a su abogado. Se reunirá con él el lunes en Boston para modificar su testamento.

Tyler pensó en todas las humillaciones que su padre le había infligido a lo largo de los años, y sintió una furia terrible. "Si él cambia su testamento, he padecido por nada todos esos años de vejaciones. ¡No pienso permitirle que se salga con la suya!" Había una sola manera de impedirlo.

—Dmitri, quiero que me llames de nuevo el domingo.

—De acuerdo.

Tyler cortó la comunicación y se quedó sentado, pensando. Había llegado el momento de mover el caballo.

CAPÍTULO DIECISÉIS

EN EL CIRCUITO DE LA CORTE DEL CONDADO DE COOK había un constante ir y venir de individuos acusados de incendios intencionales, violencia destructiva, violaciones, tráfico de drogas, homicidios y una variedad de otras actividades ilegales y desagradables. En el curso de un mes, el juez Tyler Stanford se ocupó de por lo menos media docena de causas de homicidio. La mayoría nunca llegaban a juicio, puesto que los abogados del acusado decidían negociar con el fiscal, y como las agendas de los juzgados estaban tan abigarradas y las prisiones, tan repletas, por lo general el Estado accedía. Entonces las dos partes hacían un trato y se presentaban ante el juez Stanford para que lo aprobara.

La causa de Hal Baker fue una excepción.

Hal Baker era un hombre con buenas intenciones y muy mala suerte. Cuando tenía quince años, su hermano mayor lo convenció de que lo ayudara a robar un almacén. Hal trató de disuadirlo y, al fracasar en su intento, aceptó acompañarlo. A Hal lo pescaron y su hermano logró escapar. Dos años más tarde, cuando Hal Baker salió del reformatorio, decidió no volver a meterse en líos con la autoridad. Un mes después, acompañó a un amigo a una joyería.

—Quiero elegir un anillo para mi novia.

Una vez en el interior del local, su amigo sacó un arma y gritó:

—¡Esto es un asalto!

En el alboroto que siguió, su amigo mató a un empleado de un tiro y a Hal Baker lo arrestaron por robo a mano armada. Su amigo, en cambio, escapó.

Mientras Baker estaba en la cárcel, Helen Gowan, una asistente social que había leído todo lo referente a su causa y sintió lástima por él, fue a visitarlo. Fue amor a primera vista, y cuando Baker salió de la prisión, él y Helen se casaron. A lo largo de los siguientes cinco años tuvieron cuatro hijos preciosos. Hal Baker adoraba a su familia. Debido a sus antecedentes carcelarios le resultó difícil conseguir empleo y, para poder mantener a su familia, de mala gana aceptó trabajar para su hermano y participó de varios actos de violencia destructiva, incendio intencional y robos. Por desgracia para Baker, lo pescaron en *flagrante delicto* durante la comisión de un robo. Lo arrestaron, lo metieron en la cárcel y lo juzgaron en la sala del juez Tyler Stanford.

Llegó la hora de la sentencia. Baker era un delincuente reincidente y tenía malos antecedentes juveniles. Era un caso tan claro y definido que los asistentes del fiscal de distrito hacían apuestas sobre cuántos años le daría el juez Stanford a Baker. "¡Lo tratará con máximo rigor!", decía uno de los asistentes. "Apuesto a que le da veinte años. No por nada a Stanford lo llaman el juez de la horca."

Hal Baker, que en el fondo de su corazón se sabía inocente, no había solicitado abogado y se ocupaba de su propia defensa.

Estaba de pie delante del estrado del magistrado, con su mejor traje, y dijo:

—Su Señoría, sé que he cometido un error, pero todos somos humanos, ¿verdad? Tengo una esposa maravillosa y cuatro hijos —ojalá pudiera conocerlos, Su Señoría—. Son fantásticos. Lo que hice, lo hice por ellos.

Tyler Stanford lo escuchaba con rostro impasible. Esperaba que Hal Baker terminara para poder dictar sentencia. "¿Este tonto de veras creerá que saldrá adelante con esa estúpida historia lacrimógena?"

Hal Baker terminaba su perorata.

—... y como verá, Su Señoría, aunque actué mal, lo hice por la razón adecuada: mi familia. No necesito decirle lo importante que es para mí. Si voy a la cárcel, mi esposa y mis hijos morirán de hambre. Sé que cometí una equivocación, pero estoy dispuesto a hacer las reparaciones necesarias. Haré cualquier cosa que usted me pida, Su Señoría...

Y esa última frase fue la que atrajo la atención de Tyler Stanford. Miró con renovado interés al acusado que tenía delante. "Haré cualquier cosa que usted me pida." De pronto Tyler sintió lo mismo que cuando estaba frente a Dmitri Kaminsky. Ése era un hombre que podría resultarle muy útil algún día.

Para sorpresa del fiscal, Tyler dijo:

—Señor Baker, en su caso hay circunstancias atenuantes. Tomando en cuenta esas circunstancias y por su familia, lo pondré en libertad condicional durante cinco años. Deberá cumplir seiscientas horas de servicios públicos. Venga a mi despacho y lo hablaremos.

En la privacidad de su despacho, Tyler le dijo:

—Sabe bien que podría mandarlo a la cárcel por un período muy, muy largo.

Hal Baker palideció.

—¡Pero, Su Señoría! Usted dijo...

Tyler se inclinó hacia adelante.

—¿Sabe lo que más me impresionó de usted?

Hal Baker permaneció allí sentado, tratando de imaginarlo.

—No, Su Señoría.

—Lo que siente usted por su familia —dijo Tyler con tono piadoso—. Es algo que realmente admiro.

El rostro de Hal Baker se iluminó.

—Gracias, señor. Son lo más importante en el mundo para mí. Yo...

—Entonces no querrá perderlos, ¿verdad? Si yo lo enviara a prisión, sus hijos crecerían sin usted, y su esposa probablemente encontraría otro hombre. ¿Entiende adónde quiero llegar?

Hal Baker estaba desconcertado.

—Bueno... no, Su señoría. No exactamente.

—Le estoy salvando la familia, Baker. Y quiero creer que se siente agradecido.

—¡Por supuesto que lo estoy, Su Señoría! —exclamó Hal Baker con fervor—. No puedo decirle lo agradecido que me siento.

—Entonces quizá me lo podrá demostrar en el futuro. Es posible que le pida que me haga algunas diligencias.

—¡Lo que sea!

—Espléndido. Estará, como le dije, en libertad vigilada, y si llego a descubrir en su conducta algo que no me gusta...

—Sólo dígame lo que desea de mí —le suplicó Baker.

—Se lo avisaré cuando llegue el momento. Mientras tanto, esto será estrictamente confidencial y quedará entre usted y yo.

Hal Baker se puso la mano sobre el corazón.

—Moriría antes de contárselo a nadie.

—Y tiene razón —le aseguró Tyler.

Poco tiempo después, Tyler recibió el llamado telefónico de Dmitri Kaminsky. *Su padre acaba de hablar por teléfono con su abogado. Se reunirá con él el lunes, en Boston, para cambiar su testamento.*

Tyler sabía que tenía que ver ese testamento. Había llegado el momento de hablar con Hal Baker.

—... el nombre de la firma es Renquist, Renquist y Fitzgerald. Haga una copia del testamento y tráigamelo.

—Ningún problema. Yo me ocuparé de todo, Su Señoría.

Doce horas más tarde, Tyler tenía en sus manos una copia del testamento de su padre. Lo leyó y se llenó de júbilo: él, Woody y Kendall eran los únicos herederos. "Y el miércoles papá planea cambiar su testamento. ¡El muy hijo de puta nos despojará del dinero que nos corresponde!", pensó con amargura. "Después de todo lo que hemos tenido que soportar... esos millones nos pertenecen. ¡Él nos obligó a ganárnoslos!" Sólo había una manera de detenerlo.

Cuando llegó el segundo llamado de Dmitri, Tyler le dijo:

—Quiero que lo mates. Esta noche.

Se hizo un silencio prolongado.

—Pero si me pescan...

—No dejes que te pesquen. Estarás en el mar. Y allí pueden pasar muchas cosas.

—Está bien. Cuando termine...

—El dinero y un pasaje aéreo a Australia te estarán esperando.

Y, después, el último y maravilloso llamado.

—Lo hice. Fue fácil.

—¡No, no! Quiero oír los detalles. Cuéntamelo todo. No omitas nada...

Y, mientras escuchaba, Tyler iba visualizando la escena.

—Estábamos camino a Córcega en medio de un temporal. Él me llamó y me pidió que fuera a su cabina a darle un masaje.

Tyler descubrió que aferraba con fuerza el tubo del teléfono.

—Sí. Prosigue...

Dmitri luchaba por no perder el equilibrio con el fuerte movimiento del barco cuando se dirigía al camarote de Harry Stanford. Llamó a la puerta y, después de un momento, oyó la voz de Stanford.

—¡Adelante! —gritó éste. Estaba acostado sobre la mesa para masajes. —Es la zona lumbar.

—Yo me ocuparé de eso. Distiéndase, señor Stanford.

Dmitri se acercó a la mesa y untó con aceite la espalda de Stanford. Sus fuertes dedos comenzaron a trabajar y a aflojar esos músculos apretados. Se dio cuenta que Stanford comenzaba a relajarse.

—Sí, eso me hace sentir bien.

—Gracias.

El masaje duró una hora, y cuando Dmitri terminó, Stanford estaba casi dormido.

—Le prepararé un baño bien caliente —dijo Dmitri. Entró en el cuarto de baño, tambaleándose por el movimiento del barco. Abrió la canilla de agua de mar caliente para llenar la bañera de ónix negro y volvió al dormitorio. Stanford seguía acostado sobre la mesa y tenía los ojos cerrados.

—Señor Stanford...

Stanford abrió los ojos.

—Su baño está listo.

—No creo necesitar....

—Le asegurará una buena noche de descanso. —Ayudó a Stanford a bajar de la mesa y lo condujo al cuarto de baño.

Dmitri observó a Harry Stanford meterse en la bañera.

Stanford miró los ojos helados de Dmitri, y en ese instante su instinto le dijo lo que estaba por suceder.

—¡No! —gritó y comenzó a incorporarse.

Dmitri apoyó sus enormes manos sobre la cabeza de Stanford y la empujó hasta que quedó hundida en el agua. Stanford luchó con violencia y trató de salir a la superficie para poder respirar, pero no era rival para ese gigante. Dmitri lo sostuvo hundido hasta que el agua de mar le llenó los pulmones y todo movimiento cesó. Dmitri se quedó allí, respirando fuerte, y después se dirigió a la habitación.

Luchando para no perder el equilibrio, se acercó al escritorio, tomó algunos papeles y abrió la puerta de vidrio que daba a la terraza en cubierta, dejando entrar el fuerte viento. Arrojó algunos papeles sobre la terraza y otros por sobre la borda.

Satisfecho, volvió al baño y sacó el cuerpo de Stanford de la bañera. Le puso piyama, bata y pantuflas y lo llevó a la terraza. Dmitri permaneció un momento de pie junto a la barandilla y luego arrojó el cuerpo al agua. Contó hasta cinco y entonces tomó el teléfono y gritó: "¡Hombre al agua!"

Al escuchar el relato de Dmitri, Tyler sintió cierta excitación sexual. Le parecía sentir el gusto del agua salada que llenaba los pulmones de su padre y sus jadeos para respirar, el terror. Y, luego, la nada.

"Terminó", pensó. Después se corrigió. "No, la partida recién empieza. Llegó el momento de mover la reina."

CAPÍTULO DIECISIETE

LA ÚLTIMA PIEZA DE AJEDREZ CAYÓ EN SU LUGAR POR accidente.

Tyler había estado pensando en el testamento de su padre, y le enfureció la idea de que Woody y Kendall recibirían una parte de la fortuna igual a la suya. "Ellos no se lo merecen. Si no hubiera sido por mí, habrían quedado eliminados por completo del testamento. No habrían recibido nada. No es justo, pero ¿qué puedo hacer al respecto?"

Él tenía una acción de la compañía que su madre le había dado mucho tiempo antes, y recordó las palabras de su padre: *¿Qué crees poder hacer con una acción? ¿Apoderarte de la compañía?*

"En conjunto", pensó, "Woody y Kendall tienen dos tercios del total de las acciones de las Empresas Stanford. ¿Cómo puedo yo obtener el control con apenas una acción?" Y de pronto se le ocurrió la respuesta, y era tan ingeniosa que quedó asombrado.

Debo informarles que existe la posibilidad de que haya otro heredero... El testamento de su padre especifica que los bienes deben dividirse por partes

iguales entre sus descendientes... y su padre tuvo
una hija con la institutriz que trabajaba aquí...

"Si Julia apareciera, seríamos cuatro", pensó Tyler. "Y si yo pudiera controlar su parte, tendría entonces el cincuenta por ciento de la totalidad de acciones de papá, más el uno por ciento que ya me pertenece. Podría apoderarme de las Empresas Stanford y sentarme en el sillón de mi padre." Su siguiente pensamiento fue: "Rosemary está muerta, y lo más probable es que jamás le haya dicho a su hija quién fue su padre. ¿Por qué tiene que ser la auténtica Julia Stanford?".

La respuesta fue Margo Posner.

La había conocido dos meses antes, cuando la sala en su juzgado entró en sesión. El oficial de justicia se había dirigido a los espectadores que había en la sala. "Atención. La Corte del Circuito del Condado de Cook está en sesión, presidida por el honorable juez Tyler Stanford. Todos de pie."

Tyler salió de su despacho, ingresó en la sala y ocupó el estrado. Miró el orden del día. La primera causa era *El Estado de Illinois contra Margo Posner*. Los cargos eran agresión física e intento de homicidio.

El fiscal se puso de pie.

—Su Señoría, la acusada es una persona peligrosa, a la que debe impedírsele circular por las calles de Chicago. El Estado probará que la acusada tiene una larga historia criminal. Ha sido procesada por raterías en comercios, hurto y es una conocida prostituta. Era una de las jóvenes que trabajaban para un famoso proxeneta llamado Rafael. En enero de este año tuvieron un altercado y la acusada, premeditadamente y a sangre fría les disparó a él y a su compañera.

—¿Alguna de las dos víctimas murió? —preguntó Tyler.

—No, Su Señoría. Pero fueron hospitalizadas con lesiones muy graves. El revólver que estaba en posesión de Margo Posner era un arma ilegal.

Tyler volvió la cabeza para mirar a la acusada y se sorprendió; no se ajustaba para nada a la imagen de lo que acababa de escuchar. Era una mujer joven, atractiva y bien vestida, de cerca de treinta años, y la serena elegancia que trasuntaba contradecía por completo los cargos que pesaban en su contra. "Esto no hace más que demostrar", pensó con ironía, "que nunca se sabe."

Escuchó con atención los argumentos del fiscal y del abogado defensor, pero no podía apartar la vista de ella. Tenía algo que le recordaba a su hermana.

Cuando concluyeron los alegatos, la causa pasó al jurado, que en menos de cuatro horas regresó a la sala con un veredicto de culpable en todos los cargos.

Tyler miró a la acusada y le dijo:

—La corte no puede encontrar ninguna circunstancia atenuante en esta causa. Por lo tanto, la sentencio a cinco años en el Centro Correccional Dwight. El próximo caso.

Y sólo cuando se llevaban de la sala a Margo Posner, Tyler se dio cuenta de qué tenía ella que le recordaba tanto a Kendall: el mismo color de ojos gris oscuro. Los ojos Stanford.

Tyler no volvió a pensar en Margo Posner hasta recibir el llamado telefónico de Dmitri.

Las movidas de apertura de la partida de ajedrez se habían completado con éxito. Ahora había que pasar al juego propiamente dicho.

Tyler planeó mentalmente cada jugada. Utilizaría el clásico gambito de la reina.

Tyler fue a visitar a Margo Posner en la cárcel de mujeres.

—¿Me recuerda? —le preguntó.

Ella se quedó mirándolo.

—Imposible olvidarlo. Usted fue el que me mandó aquí.

—¿Cómo van las cosas en este lugar? —preguntó Tyler.

Ella hizo una mueca.

—¿Bromea usted? Es un agujero de mierda.

—¿Le gustaría salir?

—¿Cómo podría hacerlo? ¿Me lo pregunta en serio?

—Sí, muy en serio. Puedo arreglarlo.

—Bueno, ¡qué fantástico! Gracias. ¡No sé qué decirle! Realmente se lo agradecería muchísimo.

—Hay algo que quiero que haga para mí.

Ella lo miró con expresión seductora.

—Sí, claro. No es problema.

—No es precisamente eso lo que tenía en mente.

Ella preguntó, con cautela:

—¿Qué era, entonces, lo que tenía en mente, juez?

—Quiero que me ayude a hacerle una pequeña broma a alguien.

—¿Qué clase de broma?

—Quiero que finja ser otra persona.

—¿Que finja ser otra persona? Yo no sabría cómo...

—Le pagaré veinticinco mil dólares.

La expresión de la mujer cambió.

—Acepto —se apresuró a decir—. Puedo interpretar a cualquiera. ¿En quién pensaba usted?

Tyler se inclinó hacia adelante y comenzó a hablar.

Tyler hizo que pusieran a Margo Posner bajo su custodia.

Como se lo explicó a Keith, el juez principal:

—Me enteré de que es una artista muy talentosa y está impaciente por vivir una vida normal y decente. Creo que es importante que rehabilitemos a esa clase de personas cada vez que resulte posible, ¿no estás de acuerdo?

Keith quedó impresionado y sorprendido.

—Absolutamente, Tyler. Lo que haces es maravilloso.

Tyler llevó a Margo a su casa y pasó cinco días enteros hablándole de la familia Stanford y tomándole examen.

—¿Cómo se llaman tus hermanos?

—Tyler y Woodruff.

—Woodrow.

—Es verdad... Woodrow.

—¿Cómo lo llaman?

—Woody.

—¿Tienes una hermana?

—Sí, Kendall. Es diseñadora de modas.

—¿Está casada?

—Sí, está casada con un francés que se llama... Marc Renoir.

—Renaud.

—Renaud.

—¿Cómo se llamaba tu madre?

—Rosemary Nelson. Era la institutriz de los hijos de Stanford.

—¿Por qué se fue?

—Porque la volteó...

—¡Margo! —la reprendió Tyler.

—Quiero decir, quedó embarazada de Harry Stanford.

—¿Y qué fue de la señora Stanford?

—Se suicidó.

—¿Qué te dijo tu madre sobre los hijos de Stanford?

Margo calló un momento para pensar.

—¿Y bien?

—Me contó de la vez que te caíste del bote con forma de cisne.

—¡No me caí! —saltó Tyler—. Estuve a punto de caerme.

—Correcto. Y a Woody casi lo arrestaron por recoger flores en el Jardín Botánico.

—Ésa fue Kendall.

Tyler era implacable. Repasaban las situaciones una y otra vez hasta muy tarde por la noche, hasta que Margo quedaba agotada.

—A Kendall la mordió un perro.

—Me mordió a mí.

Margo se frotó los ojos.

—Ya ni siquiera puedo pensar correctamente. Estoy tan cansada. Necesito dormir.

—¡Puedes dormir después!

—¿Cuánto tiempo va a durar esto? —preguntó con tono desafiante.

—Hasta que creas estar lista. Repasémoslo de nuevo.

Y así seguían, y seguían, hasta que Margo lo supo a la perfección. Y Tyler sólo quedó satisfecho cuando ella supo la respuesta a cada una de las preguntas.

—Estás lista —declaró y le entregó algunos documentos legales.

—¿Qué es esto?

—Sólo tecnicismos —dijo Tyler sin darle importancia.

Lo que hizo que ella firmara era un papel dándole a él su parte de los bienes Stanford de una corporación controlada por una segunda corporación, la cual, a su vez, estaba controlada por una subsidiaria de la que Tyler era el único propietario. No había forma de que pudieran rastrear esa transacción hasta Tyler.

Tyler le entregó a Margo cinco mil dólares en efectivo.

—Te daré el resto cuando el trabajo quede terminado —le dijo—. Siempre y cuando los convenzas de que eres Julia Stanford.

Desde el momento en que Margo se presentó en Rose Hill, Tyler desempeñó el papel de abogado del diablo.

Estoy seguro de que entenderá nuestra posición, señorita... Sin una prueba concreta, no tenemos cómo...

...Creo que esa mujer es una impostora...

...¿Cuántas criadas han trabajado en esta casa cuando éramos chicos?... Decenas, ¿verdad? Y algunas de ellas podrían saber todo lo que esta joven nos contó... Cualquiera pudo haberle dado esa fotografía... No olvidemos que está en juego una cantidad enorme de dinero.

El toque final fue exigir que se realizara la prueba del ADN. Llamó entonces a Hal Baker y le dio sus instrucciones. Ya se había desenterrado el cuerpo de Harry Stanford y lo habían hecho desaparecer.

Y, entonces, su sugerencia de contratar a un detective privado. En presencia de la familia, había llamado por teléfono a la oficina del fiscal de distrito, en Chicago.

Hola. Habla el juez Tyler Stanford. Tengo entendido que ustedes suelen contratar a un detective privado cuyo trabajo es excelente. Se llama Simmons, o algo así...

Debe de referirse a Frank Timmons.

¡Timmons! Sí, eso es. ¿Podría darme su número de teléfono para que pueda comunicarme directamente con él?

En cambio, llamó a Hal Baker y luego lo presentó como Frank Timmons.

Al principio, el plan de Tyler era que Hal Baker sólo simulara verificar a Julia Stanford, pero después decidió que su informe impresionaría más si

Baker realmente lo hacía. Y la familia aceptó los hallazgos de Baker sin vacilar.

El plan de Tyler se cumplía sin ningún tropiezo. Margo Posner desempeñaba su papel a la perfección, y las huellas dactilares fueron el toque final y definitivo. Todos estaban convencidos de que ella era la auténtica Julia Stanford.

Me alegro de que esto haya terminado por fin. Subiré a ver cómo está ella.

Subió, caminó por el pasillo hacia el cuarto de Julia, llamó a la puerta y preguntó, en voz alta:

—¿Julia?

—Está abierto. Pasa.

Él se quedó parado junto a la puerta y los dos se miraron en silencio un momento, sonriendo. Luego Tyler cerró muy despacio la puerta, extendió los brazos y rió.

Cuando habló, dijo con aire triunfal:

—¡Lo logramos, Margo! ¡Lo logramos!

CAPÍTULO DIECIOCHO

EN LAS OFICINAS DE RENQUIST, RENQUIST & FITZGERALD, Steve Sloane y Simon Fitzgerald bebían un café.

—Como dijo el gran bardo, "Hay algo podrido en Dinamarca".

—¿Qué te molesta? —preguntó Fitzgerald.

Steve suspiró.

—No estoy seguro. Es la familia Stanford. Me desconciertan.

Simon Fitzgerald soltó una risotada.

—Somos muchos.

—Siempre termino haciéndome la misma pregunta, Simon, pero no encuentro la respuesta.

—¿Cuál es esa pregunta?

—La familia estaba impaciente por exhumar el cuerpo de Harry Stanford para poder verificar su DNA y compararlo con el de esa mujer. Así que tenemos que suponer que el único motivo posible para librarse del cuerpo sería asegurarse de que el DNA de la mujer no fuera comparado con el de Harry Stanford. La única persona que podría tener algo que ganar sería esa mujer, si fuera una impostora.

—Así es.

—Y, sin embargo, el detective privado, ese tal

Frank Timmons —lo verifiqué con la oficina del fiscal de distrito de Chicago y tiene una reputación excelente— se aparece con huellas dactilares que demuestran que ella es la auténtica Julia Stanford. Mi pregunta es: ¿quién demonios robó el cadáver de Harry Stanford y por qué lo hizo?

—Esa es la pregunta del millón. Si...

En ese momento sonó la chicharra del intercomunicador y se oyó la voz de la secretaria:

—Señor Sloane, tiene un llamado en la línea dos.

Steve levantó el tubo del teléfono que estaba sobre el escritorio.

—Hola...

La voz del otro extremo de la línea dijo:

—Señor Sloane, habla el juez Stanford. Le agradecería que pasara por Rose Hill esta mañana.

Steve Sloane miró a Fitzgerald.

—De acuerdo. ¿Qué le parece dentro de una hora?

—Perfecto. Gracias.

Steve colgó el tubo.

—Se requiere mi presencia en casa de los Stanford.

—Me pregunto qué quieren.

—Apuesto diez a uno que quieren apurar la homologación del testamento para poder ponerle las manos encima a esa hermosa cantidad de dinero.

—¿Lee? Es Tyler ¿Cómo estás?

—Muy bien, gracias.

—Te extraño.

Breve silencio.

223

—Yo también te extraño, Tyler.

Esas palabras lo fascinaron.

—Lee, tengo una noticia buenísima. No puedo dártela por teléfono, pero es algo que te hará muy feliz. Cuando tú y yo...

—Tyler, tengo que irme. Alguien me espera.

—Pero...

La comunicación se cortó.

Tyler quedó paralizado. Luego pensó: "Si no me hubiera extrañado no me lo habría dicho."

Con excepción de Woody y Peggy, toda la familia estaba reunida en la sala de Rose Hill. Steve los observó con detenimiento.

El juez Stanford parecía muy distendido.

Steve miró a Kendall. Parecía muy tensa. Su marido había viajado de Nueva York para esa reunión. Luego miró a Marc: el francés era muy bien parecido y tenía algunos años menos que su esposa... Y también estaba Julia, quien parecía tomarse con mucha calma el hecho de ser aceptada por la familia. "Yo habría esperado que alguien que acaba de heredar varios miles de millones de dólares estuviera más excitada", pensó Steve.

Volvió a observar los rostros de todos y se preguntó si uno de ellos sería responsable del robo del cuerpo de Harry Stanford y, en caso afirmativo, cuál y por qué.

—Señor Sloane —comenzó Tyler—, conozco bien las leyes sucesorias de Illinois, pero ignoro en qué medida difieren de las de Massachusetts. Nos preguntábamos si no habría forma de apresurar el trámite.

Steve sonrió para sí. "Debería haber obligado a Simon a tomarme la apuesta." Miró a Tyler.

—Ya lo estamos intentando, juez Stanford.

Tyler comentó, significativamente:

—Es posible que el apellido Stanford resulte útil para acelerar el procedimiento.

"En eso tiene razón", pensó Steve. Asintió.

—Haré todo lo que esté a mi alcance. Si es posible...

Se oyeron voces procedentes de la caja de la escalera.

—¡Cállate, perra estúpida! No quiero oír una palabra más, ¿me has entendido?

Woody y Peggy bajaron por la escalera y entraron en la habitación. Peggy tenía la cara muy hinchada y un ojo negro. Woody sonreía y tenía los ojos brillantes.

—Hola, todos. Espero que la fiesta no haya acabado.

El grupo miraba a Peggy con espanto.

Kendall se puso de pie.

—¿Qué te pasó?

—Nada. Yo... tropecé con una puerta.

Woody se sentó y Peggy tomó asiento junto a él. Woody le palmeó la mano y le preguntó con tono solícito:

—¿Estás bien, querida mía?

Peggy asintió, sin animarse a hablar.

—Bien. —Woody se dirigió a los otros. —Ahora bien, ¿qué me perdí?

Tyler lo miró con desaprobación.

—Acabo de preguntarle al señor Sloane si podría acelerar la homologación del testamento.

Woody sonrió.

—Eso sería lindo. —Miró a Peggy. —Supongo que te gustaría comprarte ropa nueva, ¿no es así, querida?

—No necesito ropa nueva —dijo ella tímidamente.

—Tienes razón. No sales a ninguna parte, ¿verdad? —Woody miró a los otros. —Peggy es muy tímida. No tiene nada de qué hablar, ¿no es cierto, querida?

Peggy se puso de pie y salió corriendo de la habitación.

—Iré a buscarla —dijo Kendall. Se paró y fue tras ella.

"¡Por Dios!", pensó Steve. "Si Woody se porta así delante de los otros, ¿cómo será cuando él y su esposa están a solas?"

Woody se dirigió a Steve.

—¿Cuánto hace que pertenece al estudio jurídico de Fitzgerald?

—Cinco años.

—Nunca entenderé cómo aguantaron trabajar para mi padre.

Steve dijo, con cautela:

—Tengo entendido que su padre fue... podía mostrarse algo difícil.

Woody soltó una carcajada.

—¿Difícil? era un monstruo de dos patas. ¿Sabía usted que tenía apodos para cada uno de nosotros? El mío era Charlie. Me lo puso por Charlie McCarthy, un muñeco que tenía un ventrílocuo llamado Edgar Bergen. Solía llamar Pony a mi hermana, porque decía que tenía cara de caballo. Y a Tyler le decía...

Steve dijo, muy incómodo:

—En realidad, no creo que debería...

Woody sonrió.

—Está bien. Varios miles de millones de dólares cicatrizan muchas heridas.

Steve se puso de pie.

—Bueno, si eso es todo, será mejor que me vaya. —Estaba impaciente por salir de allí y tomar aire fresco.

Kendall encontró a Peggy en el cuarto de baño: se estaba poniendo hielo en la mejilla hinchada.

—¿Peggy? ¿Estás bien?

Peggy la miró.

—Sí, muy bien. Gracias. Yo... bueno, lamento lo que pasó abajo.

—¿Te estás disculpando? Deberías sentirte furiosa. ¿Cuánto hace que Woody te golpea?

—Él no me golpea —dijo Peggy con obstinación—. Tropecé con una puerta.

Kendall se le acercó.

—Peggy, ¿por qué lo toleras? Sabes que no es preciso que lo hagas.

Pausa.

—Sí, debo hacerlo.

Kendall la miró, sorprendida.

—¿Por qué?

Ella la miró.

—Porque lo amo. —Y prosiguió: —Él también me ama. Créeme, no siempre se porta así. Lo que pasa es que a veces no es él mismo.

—Te refieres a cuando consume drogas.

—¡No!

—Peggy...

—¡No!

—Peggy...

Peggy vaciló.

—Supongo que sí.

—¿Cuándo empezó?

—Inmediatamente después de nuestra boda. Empezó por culpa de un partido de polo. Woody se cayó del poni y quedó gravemente herido. Mientras estaba en el hospital, le dieron drogas para calmarle el dolor. Ellos lo empezaron. —Miró a Kendall con expresión suplicante. —Así que, como ves, no fue culpa de él. Cuando Woody salió del hospital siguió consumiendo drogas. Cada vez que yo trataba de que las abandonara, me pegaba.

—¡Peggy, por el amor de Dios! ¡Woody necesita ayuda! ¿No lo entiendes? Tú no puedes hacerlo sola. Es un drogadicto. ¿Cuál droga consume? ¿Cocaína?

—No. —Breve silencio. —Heroína.

—¡Dios santo! ¿No puedes hacer que consiga ayuda?

—Lo he intentado —dijo con un hilo de voz—. ¡No sabes cuánto lo he intentado! Woody fue a tres clínicas de rehabilitación. —Sacudió la cabeza. —Por un tiempo está bien, pero luego vuelve a empezar. No puede evitarlo.

Kendall la abrazó.

—Lo siento tanto —dijo.

Peggy se obligó a sonreír.

—Estoy segura de que Woody estará bien. Se esfuerza mucho. De veras que sí. —Su rostro se iluminó. —Cuando acabábamos de casarnos era un hombre muy divertido. Nos reíamos todo el tiempo. Me traía pequeños regalos y... —Se le llenaron los ojos de lágrimas. —¡Lo amo tanto!

—Si hay algo que yo pueda hacer…

—Gracias —susurró Peggy—. Aprecio tu gesto.

Kendall le apretó la mano.

—Volveremos a hablar de esto.

Kendall comenzó a bajar las escaleras para reunirse con los otros. Pensaba: "Cuando éramos chicos, antes de que mamá muriera, planeábamos tantas cosas lindas. 'Tú serás una diseñadora famosa, hermanita, y yo seré el mejor atleta del mundo.' Y lo más triste", pensó, "es que podría haberlo sido. Y ahora, esto."

No sabía si sentir más lástima por Woody o por Peggy.

Al llegar abajo, Clark se le acercó, portando una bandeja con una carta.

—Disculpe, señorita Kendall. Un mensajero acaba de traer esto para usted —dijo y le entregó el sobre.

Kendall lo miró, sorprendida.

—¿Quién…? —Asintió. —Gracias, Clark.

Kendall abrió el sobre y, cuando empezó a leer la carta, palideció.

—!No! —dijo en voz muy baja. El corazón le latía con fuerza y sintió un leve mareo. Se quedó allí, de pie, apoyada en una mesa y tratando de normalizar su respiración.

Al cabo de un momento, se dio media vuelta y entró en la sala. La reunión comenzaba a dispersarse.

—Marc… —Kendall se obligó a parecer calma. —¿Puedo hablarte un momento?

Él la miró, preocupado.

—Sí, desde luego.

Tyler le preguntó a Kendall:

—¿Te sientes bien?

Ella forzó una sonrisa:

—Sí, estoy bien, gracias.

Kendall tomó la mano de Marc y lo condujo al piso superior. Cuando entraron en el dormitorio, Kendall cerró la puerta.

—¿Qué ocurre? —le preguntó Marc.

Kendall le entregó el sobre. La carta decía:

Estimada señora Renaud:

¡Felicitaciones! A nuestra Asociación para la protección de la Fauna Silvestre le alegró muchísimo enterarse de su buena fortuna. Sabemos lo mucho que le interesa el trabajo que estamos realizando, y contamos con su apoyo. Por lo tanto, mucho apreciaríamos que depositara un millón de dólares norteamericanos en nuestra cuenta numerada de Zurich dentro de los siguientes diez días. Esperamos tener noticias suyas muy pronto.

Igual que en las cartas anteriores, todas las letras E estaban incompletas.

—¡Hijos de puta! —estalló Marc.

—¿Cómo supieron que yo estaba aquí? —preguntó Kendall.

—Lo único que necesitaron era leer cualquier periódico —dijo Marc con amargura. Volvió a leer la carta y sacudió la cabeza. —No abandonarán. Tenemos que ir a la policía.

—¡No! —exclamó Kendall—. ¡No podemos! ¡Es demasiado tarde! ¿No lo entiendes? Sería el fin de todo. ¡De todo!

Marc la abrazó y la apretó fuerte.

—Está bien. Ya encontraremos la manera.

Pero Kendall sabía que no la había.

* * *

Había ocurrido seis meses antes, en lo que había comenzado como un glorioso día de primavera. Kendall asistía a la fiesta de cumpleaños de una amiga en Ridgefield, Connecticut. Era una reunión maravillosa, y Kendall conversaba con viejas amigas. Bebió una copa de champagne. En mitad de una conversación, de pronto miró su reloj y exclamó:

—¡Oh, no! No tenía idea de que fuera tan tarde. Marc me está esperando.

Las despedidas fueron rápidas y Kendall subió a su automóvil y partió. En el trayecto de regreso a Nueva York decidió tomar un sinuoso camino de campaña hasta la autopista I684. Avanzaba a casi ochenta kilómetros por hora al acercarse a una curva cerrada. A la derecha del camino había estacionado un automóvil, y Kendall automáticamente giró el volante hacia la izquierda. En ese momento, una mujer que tenía en las manos un puñado de flores recién cortadas comenzó a cruzar el estrecho camino. Kendall trató de evitarla, pero era demasiado tarde. Después de eso, todo pareció hundirse en la nebulosa. Oyó un golpe seco cuando golpeó a la mujer con el guardabarros delantero izquierdo. Kendall clavó los frenos, bajó del coche y, temblando como una hoja, corrió hacia donde la mujer yacía en el camino, bañada en sangre.

Kendall quedó paralizada. Por último se inclinó, volvió el cuerpo de la mujer y miró sus ojos sin vida.

—¡Dios mío! —murmuró. Sintió que la bilis ascendía por su garganta. Levantó la vista, desesperada, sin saber qué hacer. Llena de pánico, volvió la cabeza. No había automóviles a la vista. "Está muerta", pensó. "Yo no puedo ayudarla. No fue culpa mía, pero me acusarán de manejar en estado de ebriedad. El análisis de mi sangre mostrará la existencia de alcohol. ¡Me enviarán a la cárcel!" Miró por última vez el cuerpo de la mujer y corrió de vuelta a su auto. El guardabarros delantero izquierdo estaba abollado y en él había manchas de sangre. "Debo esconder el auto en un garaje", pensó Kendall. "La policía lo buscará." Subió al vehículo y aceleró.

Durante el resto del trayecto a Nueva York, estuvo todo el tiempo mirando por el espejo retrovisor, esperando ver luces rojas que destellaban y el sonido de una sirena. Metió el auto en el garaje de la calle Noventa y seis, donde siempre lo guardaba. Sam, el dueño del garaje, hablaba en ese momento con Red, su mecánico. Kendall se apeó.

—Buenas tardes, señora Renaud —dijo Sam.

—Buenas tardes. —Kendall luchaba para que no le castañetearan los dientes.

—¿No volverá a sacarlo esta noche?

—No.

Red miraba el guardabarros.

—Tiene una fea abolladura aquí, señora Renaud. Y parece que hay manchas de sangre.

Los dos hombres la miraban.

Kendall respiró hondo.

—Sí. Yo... atropellé un venado en la carretera.

—Tuvo suerte de que no le abollara más el coche —dijo Sam—. A un amigo mío le pasó lo mismo y el auto quedó hecho una ruina. —Sonrió. —Y no creo que al ciervo le haya ido mejor.

—Por favor, estaciónelo —dijo Kendall.

—Por supuesto.

Kendall se dirigió a la puerta del garaje y miró hacia atrás. Los dos hombres contemplaban el guardabarros.

Cuando Kendall llegó de vuelta a casa y le contó a Marc lo ocurrido, él la abrazó y le dijo:

—¡Dios mío! Querida, ¿cómo pudiste...?

Kendall sollozaba.

—Yo... no pude evitarlo. Ella cruzó el camino corriendo, justo delante de mí. Había estado recogiendo flores y...

—¡Sh! Estoy seguro de que no tuviste la culpa. Fue un accidente. Debemos informar a la policía.

—Ya lo sé. Tienes razón. Debería haberme quedado allí a esperar que llegara la policía. Pero tuve un ataque de pánico, Marc. Y ahora me he convertido en una conductora que atropelló a una persona y se dio a la fuga. Pero no había nada que yo pudiera hacer por ella. Estaba muerta. Deberías haberle visto la cara. Fue un espanto.

Marc la abrazó por un buen rato hasta que ella se calmó.

Cuando Kendall habló, dijo:

—Marc... ¿de veras tenemos que ir a la policía?

Él frunció el entrecejo.

—¿Qué quieres decir?

Ella luchaba contra la histeria.

—Bueno, ya todo terminó, ¿verdad? Nada podrá resucitarla. ¿Qué sentido tiene que me castiguen? Yo no lo hice a propósito. ¿Por qué no podemos simular que nunca ocurrió?

—Kendall, si alguna vez te siguen el rastro...

—¿Cómo podrían hacerlo? No había nadie cerca.

Nadie vio el accidente. ¿Sabes lo que me ocurriría si me arrestaran y me enviaran a la cárcel? Perdería mi negocio, lo que me costó tantos años construir, y ¿todo para qué? ¡Por algo que ya no tiene remedio! ¡Se terminó! —De nuevo comenzó a sollozar.

Él la apretó fuerte.

—¡Calla! Ya veremos. Ya veremos.

Los periódicos de la mañana le dieron mucha cobertura al hecho. Lo que le confirió todavía más dramatismo fue el hecho de que la mujer muerta estaba camino a Manhattan a casarse. El *New York Times* lo trató como una noticia más, pero el *Daily News* y *Newsday* lo mostraron como un drama desgarrador.

Kendall compró un ejemplar de cada periódico y se sintió cada vez más horrorizada por lo que había hecho. Su mente estaba llena de "si...":

"Si no hubiera ido a Connecticut para el cumpleaños de mi amiga...

Si ese día me hubiera quedado en casa...

Si la mujer hubiera recogido las flores algunos segundos antes o algunos segundos después...

¡Soy responsable de asesinar a otro ser humano!"

Al pensar en le congoja terrible que les había causado a la familia de la mujer y a la de su novio, Kendall sintió que se descomponía.

Según los periódicos, la policía pedía información a cualquiera que tuviera una pista sobre el accidente.

"No tienen cómo encontrarme", pensó Kendall. "Lo que tengo que hacer es actuar como si nada hubiera sucedido."

Cuando Kendall fue al garaje a buscar su automóvil, Red estaba allí.

—Limpié la sangre que había en el guardabarros —dijo—. ¿Quiere que le arregle la abolladura?

"¡Por supuesto! Debería haberlo pensado antes."

—Sí, por favor.

Red la miraba de manera extraña. ¿O era su imaginación?

—Sam y yo estuvimos hablando anoche sobre el tema —dijo—. Es muy extraño, ¿sabe? No es la temporada de los venados.

El corazón de Kendall comenzó a galoparle en el pecho. De pronto, sintió la boca tan seca que casi no podía hablar.

—Era... era un venado muy pequeño.

Red asintió.

—Debió de haberlo sido.

Kendall sintió que la miraba fijo cuando salió del garaje conduciendo el auto.

Cuando Kendall entró en su oficina, Nadine, su secretaria, la miró y le preguntó:

—¿Qué le sucedió?

Kendall quedó helada.

—¿Qué quieres decir?

—La noto temblorosa. Le traeré un café.

—Gracias.

Kendall se acercó al espejo. Estaba muy pálida y desmejorada. "Lo sabrán con sólo mirarme."

Nadine entró en la oficina con una taza de café humeante.

—Tome. Esto la hará sentirse mejor. —Miró a Kendall con curiosidad. —¿Está todo bien?

—Bueno, yo... tuve un pequeño accidente ayer —dijo Kendall.

—¿Ah, sí? ¿Alguien se lastimó?

Mentalmente, Kendall vio el rostro de la mujer muerta.

—No. Atropellé un venado.

—¿Y el auto? ¿Cómo quedó?

—Lo mandé arreglar.

—Llamaré a la compañía de seguros.

—Oh, no, Nadine, por favor no lo hagas.

Kendall vio la expresión de sorpresa en los ojos de su secretaria.

Dos días después llegó la primera carta.

Estimada Señora Renaud:

Soy el presidente de una organización que está en una situación desesperante. Estoy seguro de que usted querrá ayudarnos. La organización necesita dinero para la preservación de la fauna silvestre. Nos interesan sobre todo los venados. Puede girarnos cincuenta mil dólares a la cuenta número 804072-A del Banco Credit Suisse de Zurich. Le sugiero que el dinero esté depositado dentro de los próximos cinco días.

No llevaba firma. Todas las "E" de la carta estaban incompletas. En el sobre había también un recorte periodístico del accidente.

Kendall volvió a leer la carta. La amenaza era inequívoca. No supo qué hacer. "Marc tenía razón", pensó. "Debería haber ido a la policía." Pero ahora las cosas habían empeorado: era una fugitiva. Si la

236

encontraban ahora, significaría la cárcel y el deshonor, así como el fin de su negocio.

A la hora del almuerzo fue a su Banco.

—Quiero girar cincuenta mil dólares a Suiza...

Cuando esa tarde Kendall volvió a su casa, le mostró la carta a Marc.

Él quedó helado.

—¡Dios mío! —dijo—. ¿Quién pudo enviarte esto?

—Nadie... nadie lo sabe. —Temblaba.

—Kendall, alguien sí lo sabe.

—No había nadie cerca, Marc. Yo...

—Un momento. Tratemos de pensar un poco. ¿Exactamente qué pasó cuando volviste a la ciudad?

—Nada. Llevé el auto al garaje y... —Se detuvo. *Tiene una fea abolladura en el guardabarros, señora Renaud. Y parece que hay manchas de sangre.*

Marc vio la expresión de su cara.

—¿Qué?

—El dueño del garaje y su mecánico estaban allí —dijo ella en voz baja—. Vieron la sangre en el guardabarros. Les dije que había atropellado un venado, y ellos comentaron que el auto debería haber quedado con más abolladuras. —Recordó otra cosa. —Marc...

—¿Sí?

—Nadine, mi secretaria. Le dije lo mismo y vi que tampoco me creía. Así que debió ser alguno de ellos tres.

—No —dijo Marc.

Ella lo miró, sin entender.

—¿Qué quieres decir?

237

—Siéntate, Kendall, y escúchame. Si alguno de ellos no te creyó, pudo habérselo contado a una docena de personas. La noticia del accidente salió en todos los diarios. Alguien sólo tuvo que sumar dos más dos. Creo que la carta sólo fue una baladronada, algo para ponerte a prueba, y que fue un tremendo error haber enviado ese dinero.

—Pero, ¿por qué?

—Porque ahora saben que eres culpable, ¿no lo entiendes? Les has dado la prueba que necesitaban.

—¡Dios mío! ¿Qué debo hacer? —preguntó Kendall.

Marc Renaud pensó un momento.

—Tengo una idea de cómo podemos averiguar quiénes son esos hijos de puta.

A las diez de la mañana siguiente, Kendall y Marc se encontraban sentados en la oficina de Russell Gibbons, vicepresidente del Boston First Security Bank.

—¿Qué puedo hacer por ustedes? —preguntó el señor Gibbons.

Marc le contestó:

—Nos gustaría averiguar algo sobre una cuenta bancaria numerada de Zurich.

—¿Sí?

—Queremos saber a quién pertenece esa cuenta.

Gibbons se frotó el mentón con las manos.

—¿Hay algún delito involucrado?

Marc se apresuró a responder:

—¡No! ¿Por qué lo pregunta?

—Porque, a menos que exista alguna actividad criminal, como el lavado de dinero o una violación de las leyes de Suiza o de los Estados Unidos, Suiza se negará a violar el secreto de sus cuentas bancarias numeradas. La reputación que poseen se basa en la confidencialidad.

—Pero sin duda debe de haber una manera de...

—Lo siento. Me temo que no.

Kendall y Marc se miraron. Había desesperación en la cara de ella.

Marc se puso de pie.

—Gracias por su tiempo.

—Lamento no haber podido ayudarlos —dijo el vicepresidente y los acompañó a la puerta de su oficina.

Cuando Kendall entró esa tarde en el garaje, no vio allí a Sam ni a Red. Estacionó el auto y, al pasar por la pequeña oficina, a través de la ventana vio una máquina de escribir sobre una mesa. Se detuvo, se quedó mirándola y se preguntó si tendría una letra E incompleta. "Tengo que averiguarlo", pensó.

Se acercó a la oficina, dudó un momento, luego abrió la puerta y entró. Cuando se acercaba a la máquina de escribir, Sam apareció de pronto de la nada.

—Buenas tardes, señora Renaud —dijo—. ¿Puedo hacer algo por usted?

Ella giró sobre sus talones, sorprendida.

—No. Acabo de dejar mi automóvil. Buenas noches. —Y se apresuró hacia la puerta.

—Buenas noches, señora Renaud.

Por la mañana, cuando Kendall pasó por la oficina del garaje, la máquina de escribir había desaparecido y en su lugar había una computadora.

Sam vio que la observaba.

—Linda, ¿no? Decidí llevar este lugar al siglo XX.

"¿Ahora que tenía dinero para hacerlo?"

Cuando Kendall le relató a Marc lo sucedido esa tarde, él dijo:

—Es una posibilidad, pero necesitamos tener pruebas.

El lunes por la mañana, cuando Kendall fue a su oficina, Nadine la esperaba.

—¿Se siente mejor, señora Renaud?

—Sí, gracias.

—Ayer fue mi cumpleaños. ¡Mire lo que me regaló mi marido! —Se acercó al placard y sacó un lujoso tapado de visón. —¿No es precioso?

CAPÍTULO DIECINUEVE

JULIA STANFORD DISFRUTABA DE TENER A SALLY COMO compañera de vivienda. Siempre se mostraba optimista, divertida y alegre. Había tenido un mal matrimonio y jurado no volver nunca a tener una relación estrecha con un hombre. Julia no estaba segura de cuál era el significado de "nunca" para Sally, porque parecía salir todas las semanas con un hombre diferente.

—Los hombres casados son los mejores —filosofaba Sally—. Se sienten culpables, así que siempre le compran regalos a una. Con los solteros, uno tiene que preguntarse: ¿por qué no se habrá casado?

Cierto día le dijo a Julia:

—No estás saliendo con ningún hombre, ¿verdad?

—No. —Julia pensó en los hombres que habían querido salir con ella. —No quiero salir sólo por el hecho de salir, Sally. Tengo que estar con alguien que realmente me importa.

—Pues bien, ¡yo tengo un hombre para ti! —dijo Sally—. ¡Te encantará! Se llama Tony Vinetti. Le hablé de ti y está muerto de ganas de conocerte.

—Realmente, no creo que...

—Pasará a buscarte mañana a las ocho.

Tony Vinetty era alto, muy alto, y de aspecto algo desmañado pero atractivo. Tenía pelo oscuro y grueso, y una sonrisa cautivante cuando miraba a Julia.

—Sally no exageraba. ¡Eres deslumbrante!

—Gracias —dijo Julia y sintió una oleada de placer.

—¿Has ido alguna vez al Houston's?

Era uno de los restaurantes más elegantes de la ciudad de Kansas.

—No. —Lo cierto era que no podía darse el lujo de comer en ese lugar. Ni siquiera con el aumento que le habían dado.

—Bueno, allí es donde tenemos reservada una mesa.

Durante la cena, Tonny habló en su mayor parte sobre sí mismo, pero a Julia no le importó. Era un hombre entretenido y encantador. "Es una maravilla", le había dicho Sally. Y lo era.

La cena estuvo deliciosa. De postre, Julia ordenó *soufflé* de chocolate y Tony, helado. Mientras tomaban el café, Julia pensó: "¿Me invitará a su departamento? Y, si lo hace, ¿iré? No. No puedo aceptar. No en nuestra primera salida. Pensará que soy una mujer fácil. Cuando salgamos la próxima vez..."

Llegó la cuenta. Tony la revisó y dijo:

—Parece estar bien. —Fue tildando los distintos platos. —Tú comiste paté y langosta...

—Sí.

—Y, además, papas fritas y ensalada, y luego el *soufflé*, ¿no es así?

Ella lo miró, desconcertada.

—Sí, es verdad...

242

—Muy bien. —Hizo una suma rápida. —Tu parte de la cuenta son cincuenta dólares con cuarenta centavos.

Julia quedó petrificada.

—¿Cómo dices?

Tony sonrió.

—Sé lo independientes que son en la actualidad ustedes, las mujeres. No dejan que los hombres las conviden con nada. Pero yo —dijo con tono magnánimo— me haré cargo de tu parte de la propina.

—Lamento que no haya funcionado —se disculpó Sally—. Realmente es un dulce. ¿Volverás a verlo?

—No puedo darme ese lujo —dijo Julia con amargura.

—Bueno, tengo a alguien más para ti. Te encantará...

—No. Sally, realmente no quiero...

—Confía en mí.

Ted Riddle tenía poco menos de cuarenta años, y Julia tuvo que admitir que era bastante atractivo. La llevó al Restaurante Jennie's, ubicado en Strawberry Hill, famoso por su auténtica comida croata.

—Sally me hizo un gran favor —dijo Riddle—. Eres preciosa.

—Gracias.

—¿Te dijo Sally que tengo una agencia de publicidad?

—No, no me lo dijo.

—Pues sí, tengo una de las firmas más importantes de la ciudad. Todo el mundo me conoce.

—Qué agradable. Yo no...

—Pues sí. Nos ocupamos de celebridades, Bancos, negocios grandes, cadenas de tiendas...

—Bueno, yo...

—... supermercados, lo que se te ocurra.

—Me parece...

—Te contaré cómo empecé...

Y en ningún momento dejó de hablar durante la cena, y el único tema fue Ted Riddle.

—Lo más probable es que se haya sentido nervioso —se disculpó Sally.

—Bueno, te aseguro que me puso nerviosa a mí. Si quieres saber algún dato sobre la vida de Ted Riddle desde el día en que nació, no tienes más que preguntármelo.

—Jerry McKinley.

—¿Qué?

—Jerry McKinley. Acabo de recordarlo. Solía salir con una amiga mía. Y ella estaba absolutamente loca por él.

—Gracias, Sally, pero no.

—Lo llamaré.

A la noche siguiente, Jerry McKinley se presentó. Era bien parecido y tenía una personalidad dulce y agradable. Cuando transpuso la puerta y miró a Julia, dijo:

—Sé que las citas a ciegas son siempre difíciles.

244

Yo soy bastante tímido, así que sé cómo debes de sentirte, Julia.

A ella le cayó bien enseguida.

Fueron a cenar al restaurante chino Evergreen, sobre la calle State.

—Sé que trabajas para una firma de arquitectos. Debe de ser emocionante. Creo que la gente no se da cuenta de lo importantes que son los arquitectos.

"Es un hombre muy sensible", pensó Julia, feliz. Le sonrió.

—No puedo estar más de acuerdo contigo.

La velada fue deliciosa, y cuanto más hablaban, más admiración sentía Julia por él. Decidió mostrarse audaz.

—¿Quieres subir a mi departamento para tomar una última copa? —le preguntó.

—No. Vayamos al mío.

—¿A tu departamento?

Él se inclinó hacia adelante y le apretó la mano.

—Sí. Allí es donde guardo los látigos y las cadenas.

Henry Wesson era el dueño de un estudio contable ubicado en el mismo edificio que Peters, Eastman & Tolkin. Dos o tres mañanas por semana, Julia se encontraba con él en el ascensor. Parecía un hombre bastante agradable. Tendría poco más de treinta años, parecía inteligente, era rubio y usaba anteojos con armazón negro.

La relación de ambos comenzó con saludos corteses con la cabeza, luego "buenos días", después "está muy linda hoy", y, al cabo de varios meses, "me pregunto si no querrá cenar conmigo una de estas noches". La miró con ansiedad, esperando una respuesta.

Julia sonrió.

—Está bien.

Por parte de Henry, fue amor a primera vista. En la primera salida, llevó a Julia al EBT, uno de los restaurantes más importantes de Kansas. Era obvio que estaba encantado de salir con ella.

Le habló un poco sobre sí mismo:

—Nací aquí, en la ciudad de Kansas. También mi padre nació aquí. La bellota no cae muy lejos del roble. ¿Entiendes lo que quiero decir?

Julia lo sabía.

—Siempre supe que quería ser contador. Cuando terminé mis estudios, empecé a trabajar para la Compañía Financiera Bigelow y Benson. Ahora tengo mi propio estudio.

—Qué bueno —dijo Julia.

—Es prácticamente todo lo que tengo para decirte sobre mí. Ahora háblame de ti.

Julia permaneció un momento en silencio. "Soy la hija ilegítima de uno de los hombres más ricos del mundo. Probablemente has oído hablar de él. Acaba de morir ahogado. Soy la heredera de su fortuna." Paseó la vista por ese salón elegante. "Yo podría comprar este restaurante si lo deseara. En realidad, creo que si quisiera podría comprar toda esta ciudad."

Henry la miraba fijo.

—¿Julia?

—Oh... lo siento. Nací en Milwaukee. Mi padre

murió cuando yo era chica. Mi madre y yo viajamos mucho por el país. Cuando ella falleció, decidí quedarme aquí y conseguir trabajo. —"Espero que la nariz no me haya crecido demasiado por mentir."

Henry Wesson puso una mano sobre la de Julia.

—De modo que nunca tuviste un hombre que te cuidara. —Se inclinó hacia adelante y le dijo, con sinceridad: —A mí me gustaría cuidar de ti por el resto de tu vida.

Julia lo miró, sorprendida.

—No quisiera parecer Doris Day, pero casi no nos conocemos.

—Quiero modificar eso.

Cuando Julia volvió al departamento, Sally la esperaba despierta.

—¿Y bien? —le preguntó—. ¿Cómo te fue?

Julia le respondió, pensativa.

—Henry es muy dulce, y...

—¡Está loco por ti!

Julia sonrió.

—Creo que se me declaró.

Sally abrió los ojos de par en par.

—¿Crees que se te declaró? ¡Por Dios! ¿No sabes si lo hizo o no?

—Bueno, dijo que quería cuidar de mí durante el resto de mi vida.

—¡Eso es una declaración! —exclamó Sally—. ¡Es una declaración! ¡Cásate con él! ¡Enseguida! ¡Cásate con él antes de que cambie de idea!

Julia se echó a reír.

—¿Cuál es el apuro?

—Escúchame bien. Invítalo aquí a cenar. Yo prepararé la comida y tú le dirás que fuiste tú.

Julia rió.

—Gracias, no. Cuando encuentre al hombre con el que quiero casarme, tal vez tengamos que comer comida china en envases de cartón, pero, créeme, la mesa estará maravillosamente puesta, con flores y luz de velas.

La siguiente vez que salieron, Henry dijo:

—¿Sabes?, Kansas es una ciudad maravillosa para criar chicos.

—Sí, lo es. —El único problema de Julia era que no estaba segura de querer que fueran los hijos de Henry. Era un hombre confiable, sensato, decente, pero...

Lo habló con Sally.

—No hace más que pedirme que me case con él —dijo Julia.

—¿Qué aspecto tiene?

Julia pensó un momento, y trató de pensar en cuáles eran las cosas más románticas y cautivantes que podía decir de Henry Wesson.

—Es un hombre confiable, sensato, decente...

Sally la miró un momento.

—En otras palabras, aburrido.

—No es exactamente aburrido —dijo Julia, defensivamente.

Sally asintió con aire de sabihonda.

—Es aburrido. Cásate con él.

—¿Qué?

—Cásate con él. Los maridos buenos y aburridos son difíciles de encontrar.

Llegar de un día de pago al siguiente era un milagro financiero. Había deducciones del sueldo, alquiler, gastos del automóvil, y era preciso comprar provisiones y ropa. Julia tenía un Toyota Tercel, y le parecía que gastaba más en el auto que en su persona. Constantemente tenía que pedirle dinero prestado a Sally.

Cierta tarde, cuando Julia se vestía para salir, Sally dijo:

—Otra noche importante para Henry, ¿verdad? ¿Adónde te lleva hoy?

—Iremos al Symphony Hall. Toca Cleo Laine.

—¿El querido Henry se te ha vuelto a declarar?

Julia vaciló. En realidad, Henry le proponía matrimonio cada vez que estaban juntos. Ella se sentía presionada, pero no podía convencerse de decir "sí".

—No lo pierdas —le advirtió Sally.

"Sally probablemente tiene razón", reflexionó Julia. "Henry Wesson podría ser un buen marido. Es..." vaciló. "Es sensato, confiable, decente... ¿Es eso suficiente?"

Cuando Julia estaba por salir, Sally le preguntó:

—¿Puedes prestarme los zapatos negros?

—Por supuesto —contestó y se fue.

Sally entró en el dormitorio de Julia y abrió la puerta del placard. El par de zapatos que quería estaba en el estante superior. Al tratar de bajarlos, cayó al suelo una caja de cartón que había en ese mismo estante, y su contenido quedó esparcido en el piso.

—¡Maldición! —Sally se agachó para juntar los papeles. Eran decenas de recortes periodísticos, fotografías y artículos, y todos se referían a la familia de Harry Stanford. Parecía haber cientos.

Julia entró corriendo en la habitación.

—Olvidé mi... —Se frenó al ver los papeles en el suelo. —¿Qué estás haciendo?

—Lo siento —se disculpó Sally—. La caja se cayó.

Julia, con las mejillas encendidas, se agachó y comenzó a poner los papeles de vuelta en la caja.

—No tenía idea de que te interesaran tanto los ricos y famosos —dijo Sally.

Con los labios apretados, Julia siguió metiendo las papeles en la caja. Al tomar un puñado de fotografías, encontró un pequeño relicario de oro con forma de corazón, que su madre le había regalado antes de morir y lo apartó.

Sally la observaba, intrigada.

—¿Julia?

—Sí.

—¿Por qué te interesa tanto Harry Stanford?

—A mí no. Esto... era de mi madre.

Sally se encogió de hombros.

—Está bien. —Extendió la mano para tomar un papel. Pertenecía a una revista sensacionalista, y le llamaron la atención los titulares: *Magnate embaraza a institutriz ... Hija ilegítima ... ¡La madre y la bebita desaparecen!*

Sally miraba a Julia, boquiabierta.

—¡Por Dios! ¡Eres la hija de Harry Stanford!

Julia apretó los labios. Sacudió la cabeza y siguió guardando los papeles.

—¿No lo eres?

Julia interrumpió lo que estaba haciendo.

—Por favor, si no te importa, prefiero no hablar del asunto.

Sally se puso de pie de un salto.

—¿Prefieres no hablar del asunto? ¿Eres la hija

de uno de los hombres más ricos del mundo y prefieres no hablar del asunto? ¿Estás loca?

—Sally...

—¿Sabes cuánto dinero tenía? Miles de millones.

—Eso no tiene nada que ver conmigo.

—Si tú eres su hija, tiene todo que ver contigo. ¡Eres su heredera! Lo único que tienes que hacer es decirle a su familia quién eres y...

—No.

—No... ¿qué?

—Tú no entiendes. —Julia se puso de pie y se dejó caer en la cama. —Harry Stanford era un hombre terrible. Abandonó a mi madre. Ella lo odiaba y yo lo odio.

—No se odia a alguien con tanto dinero. Se lo entiende.

Julia sacudió la cabeza.

—Yo no quiero ninguna parte de ese dinero.

—Julia... las herederas no viven en departamentos de mala muerte, ni compran su ropa en el mercado de pulgas, ni piden prestado dinero para pagar el alquiler. Tu familia detestaría saber que vives de esta manera. Se sentirían humillados.

—Ni siquiera saben que estoy viva.

—Entonces tienes que informárselo.

—Sally...

—¿Sí?

—Cambia de tema.

Sally la miró un buen rato.

—Sí, claro. A propósito, ¿no podrías prestarme uno o dos millones hasta el día de pago?

CAPÍTULO VEINTE

TYLER COMENZABA A PONERSE HISTÉRICO. DURANTE LAS últimas veinticuatro horas había estado discando el número particular de Lee sin obtener respuesta. "¿Con quién está?", se torturaba. "¿Qué está haciendo?"

Tomó el tubo y volvió a discar. El teléfono sonó un buen rato y, justo cuando estaba por cortar, oyó la voz de Lee.

—Hola.

—¡Lee! ¿Cómo estás?

—¿Quién demonios habla?

—Soy Tyler.

—¿Tyler? —Pausa. —Ah, sí.

Tyler sintió una punzada de desilusión.

—¿Cómo estás?

—Muy bien —contestó Lee.

—Te dije que tendría una sorpresa maravillosa para ti.

—¿Ah, sí? —Lee parecía aburrido.

—¿Recuerdas lo que me dijiste sobre ir a St.-Tropez en un hermoso yate blanco?

—¿Y?

—¿Te gustaría partir el mes próximo?

—¿Hablas en serio?

—Ya lo creo que sí.

—Bueno, no sé. ¿Tienes un amigo con un yate?

—Estoy por comprar uno.

—No estarás metido en algún lío, ¿verdad, juez?

—Para nada. Es sólo que acabo de recibir dinero. Mucho dinero.

—St.-Tropez, ¿eh? Sí, suena estupendo. Por supuesto que me encantaría ir contigo.

Tyler sintió un profundo alivio.

—¡Maravilloso! Mientras tanto, no... —Ni siquiera se animaba a pensarlo. —Me mantendré en contacto contigo, Lee. —Colgó el tubo y se sentó en el borde de la cama. "Me encantaría ir contigo." Se imaginaba a los dos en un yate precioso, viajando juntos por el mundo. "Juntos."

Tyler tomó la guía telefónica y se puso a buscar en las páginas amarillas.

Las oficinas de Yates John Alden, Inc. están ubicadas en la Dársena Comercial de Boston. El gerente de ventas se acercó a Tyler cuando él entró.

—¿En qué puedo servirlo, señor?

Tyler lo miró y dijo, con tono indiferente:

—Quiero comprar un yate.

Lo más probable era que el yate de su padre formara parte de los bienes, pero Tyler no tenía intención de compartir un barco con su hermano y hermana.

—¿De motor o de vela?

—Bueno, no estoy seguro. Quiero poder viajar en él por todo el mundo.

—Entonces probablemente se trate de uno de motor.

—Tiene que ser blanco.

El gerente de ventas lo miró, extrañado.

—Sí, por supuesto. ¿De qué tamaño le gustaría?

El *Blue Skies* tenía cincuenta y cinco metros de eslora.

—De sesenta metros.

El gerente de ventas parpadeó.

—Entiendo. Desde luego, un barco de ese tamaño sería muy caro, señor...

—Juez Stanford. Mi padre era Harry Stanford.

La cara del hombre se iluminó.

—El dinero no es problema —aclaró Tyler.

—¡Desde luego que no! Pues bien, juez Stanford, le conseguiremos un yate que todo el mundo envidiará. Blanco, por supuesto. Mientras tanto, aquí tiene una carpeta con algunos barcos disponibles. Llámeme cuando decida cuáles le interesan.

Woody Stanford pensaba en ponis de polo. Toda su vida había tenido que montar animales pertenecientes a amigos, pero ahora podía darse el lujo de comprar caballos de las caballerizas más importantes del mundo.

En ese momento hablaba por teléfono con Mimi Carson.

—Quiero comprarte la caballeriza —dijo, con voz excitada. Escuchó un momento. —Sí, toda la caballeriza. Hablo en serio. Eso es...

La conversación duró media hora, y cuando finalmente Woody cortó la comunicación, sonreía. Fue en busca de Peggy.

Ella estaba sentada, sola, en la terraza. Woody alcanzó a verle los moretones en la cara, allí donde le había pegado.

—Peggy...

Ella levantó la vista, temerosa.

—¿Sí?

—Tengo que hablar contigo. Yo... no sé por dónde empezar.

Ella esperó.

Woody respiró hondo.

—Sé que he sido un marido espantoso. Algunas de las cosas que hice eran imperdonables. Pero, querida, ahora todo cambiará. ¿No lo entiendes? Somos ricos. Realmente ricos. Quiero compensarte. —Le tomó la mano. —Esta vez dejaré las drogas. De veras. Tendremos una vida completamente diferente.

Ella lo miró a los ojos y dijo, con voz apagada:

—¿En serio, Woody?

—Sí. Lo prometo. Sé que lo he dicho antes, pero esta vez va en serio. Lo he decidido. Iré a alguna clínica para que me curen. Quiero salir de este infierno. Peggy... —En su voz había desesperación. —No puedo hacerlo sin ti. Sabes que no...

Ella lo miró un buen rato y después lo acunó en sus brazos.

—Pobrecito mi bebé. Ya lo sé —susurró—. Ya lo sé. Yo te ayudaré...

Había llegado el momento en que Margo Posner debía irse.

Tyler la encontró en el estudio. Cerró la puerta.

—Quería agradecerte de nuevo, Margo.

Ella sonrió.

—Fue divertido. Lo pasé muy bien. —Lo miró con expresión taimada. —Tal vez debería convertirme en actriz.

Él sonrió.

—Y serías una actriz excelente. Por cierto que engañaste a este público.

—Sí lo hice, ¿verdad?

—Aquí tienes el resto de tu dinero. —Tyler sacó un sobre del bolsillo. —Y el pasaje aéreo a Chicago.

—Gracias.

Tyler consultó su reloj.

—Será mejor que te vayas si no quieres perder el avión.

—Así es. Sólo quiero que sepas cuánto aprecio lo que hiciste por mí. Me refiero a sacarme de la cárcel y todo eso.

Él sonrió.

—No es nada. Que tengas buen viaje.

—Gracias.

Tyler la observó subir a preparar su equipaje. La partida había terminado.

"Jaque mate."

Margo Posner estaba en su dormitorio y terminaba de preparar la valija cuando Kendall entró.

—Hola, Julia. Sólo quería... —Se frenó en seco. —¿Qué estás haciendo?

—Me vuelvo a casa.

Kendall la miró, sorprendida.

—¿Tan pronto? ¿Por qué? Esperaba que pudiéramos pasar un tiempo juntas y conocernos más. Tenemos que ponernos al día... fueron tantos años.

—Sí, claro. Tendrá que ser otra vez.

Kendall se sentó en el borde de la cama.

—Es como un milagro, ¿verdad? Encontrarnos después de todos estos años.

Margo siguió preparando sus cosas.

—Sí. Ya lo creo que es un milagro.

—Debes de sentirte un poco como Cenicienta. Quiero decir, eso de vivir una vida común y corriente, y de pronto que alguien te entregue mil millones de dólares.

Margo interrumpió su tarea.

—¿Qué?

—Dije...

—¿Mil millones de dólares?

—Sí. Según el testamento de papá, eso es lo que heredará cada uno de nosotros.

Margo miraba a Kendall, estupefacta.

—¿Cada uno recibirá mil millones de dólares?

—¿No te lo dijeron?

—No —respondió Margo muy despacio—. No me lo dijeron. —En su rostro apareció una expresión pensativa. —¿Sabes, Kendall?, tienes razón. Tal vez deberíamos conocernos más.

Tyler estaba en el solarium, viendo fotografías de yates, cuando Clark se le acercó.

—Disculpe, juez Stanford. Tiene un llamado telefónico.

—Lo tomaré aquí.

Era Keith Percy, de Chicago.

—¿Tyler?

—Sí.

—¡Tengo muy buenas noticias para ti!

—¿Ah, sí?

—¿Qué te parecería ser nombrado juez principal?

—Sería maravilloso, Keith —contestó Tyler, tratando de reprimir la risa.

—¡Pues entonces el nombramiento es tuyo!

—Bueno... no sé qué decir. —"¿Qué tendría que decir? ¿Que los multimillonarios no ocupan el estrado de una mugrienta sala de Chicago, ni les dictan sentencias a los inadaptados de este mundo? ¿Que estaré demasiado ocupado navegando por el mundo en mi yate?"

—¿Cuándo es lo más rápido que puedes estar de regreso en Chicago?

—Lo cierto es que tardaré un tiempo —respondió Tyler—. Tengo mucho que hacer aquí.

—Bueno, todos te estaremos esperando.

—Adiós. —Colgó el tubo y consultó su reloj. Era la hora en que Margo debía salir para el aeropuerto. Tyler subió a despedirse de ella.

Cuando entró en el dormitorio, Margo deshacía su valija.

Él la miró, sorprendido.

—No estás lista.

Ella lo miró y sonrió.

—No. Estoy deshaciendo la valija. He estado pensando. Me gusta estar aquí. Creo que debería quedarme un tiempo.

Él frunció el entrecejo.

—¿Qué dices? Tienes que tomar el vuelo a Chicago.

—Ya habrá otro vuelo, juez —dijo ella y sonrió—. Hasta es posible que me compre el avión.

—¿De qué hablas?

—Me dijiste que querías mi ayuda para hacerle una broma a otra persona.

—¿Sí?

—Pues bien, creo que la broma estaba dirigida a mí. Y yo valgo mil millones de dólares.

La expresión de Tyler se endureció.

—Quiero que salgas de aquí. Ahora mismo.

—¿Ah, sí? Creo que me iré cuando esté lista —replicó Margo—. Y todavía no lo estoy.

Tyler se quedó allí inmóvil, observándola.

—¿Qué es lo que quieres?

Ella asintió.

—Así me gusta más. Los mil millones de dólares que se supone que recibiré yo... tú pensabas quedártelos, ¿verdad? Supuse que planeabas una pequeña treta para conseguir dinero extra... pero ¡mil millones de dólares es otra cosa! Y creo que me merezco una parte.

Alguien llamó a la puerta.

—El almuerzo está servido —anunció Clark.

Margo miró a Tyler.

—Ve tú. Yo no me reuniré con ustedes. Tengo que hacer algunas cosas importantes.

Esa misma tarde empezaron a llegar paquetes a Rose Hill. Eran cajas de vestidos de Armani, ropa deportiva de la Boutique Scassi, ropa interior de Jordan Marsh, un tapado de marta cibelina de Neiman-Marcus, y una pulsera de diamantes de Cartier's. Todos los paquetes estaban dirigidos a la señorita Julia Stanford.

Cuando Margo transpuso la puerta a las cinco de la tarde, Tyler la esperaba, furioso, para enfrentarla.

—¿Qué estás haciendo? —le preguntó.

Ella sonrió.

—Necesitaba algunas cosas. Después de todo, tu hermana tiene que estar bien vestida, ¿no lo crees? Es sorprendente lo fácil que dan crédito las tiendas cuando una es una Stanford. Tú te ocuparás de las cuentas, ¿verdad?

—Julia...

—Margo —le recordó ella—. A propósito, vi las fotografías de los yates sobre la mesa. ¿Piensas comprar uno?

—No es asunto tuyo.

—No estés tan seguro. Quizá tú y yo emprendamos un crucero. Llamaremos al barco *Margo*. ¿O deberíamos bautizarlo *Julia*? Podemos recorrer el mundo juntos. No me gusta estar sola.

Tyler pensó un momento.

—Creo que te subestimé. Eres muy astuta.

—Viniendo de ti, es un gran cumplido.

—Espero que seas, también, una joven muy razonable.

—Eso depende. ¿A qué llamas razonable?

—A un millón de dólares. En efectivo.

El corazón de Margo comenzó a latir más de prisa.

—¿Y puedo quedarme con las cosas que compré hoy?

—Sí, con todas.

Ella respiró hondo.

—Trato hecho.

—Espléndido. Te haré llegar el dinero lo antes posible. Dentro de unos días volveré a Chicago. — Sacó una llave del bolsillo y se la dio. —Esta es la llave de mi casa. Quiero que te quedes allí y me esperes. Y que no hables con nadie.

—Está bien. —Margo trató de ocultar su entusiasmo. "Tal vez debería haberle pedido más dinero", pensó.

—Te reservaré pasaje en el próximo vuelo.

—¿Y las cosas que compré...?

—Te las haré enviar.

—Muy bien. Los dos salimos muy bien parados de esto, ¿no lo crees?

Él asintió.

—Sí, es verdad.

Tyler llevó a Margo al Aeropuerto Internacional Logan para despedirla.

Una vez allí, ella dijo:

—¿Qué les dirás a los otros? Sobre mi partida, quiero decir.

—Les diré que tuviste que ir a visitar a una amiga tuya muy querida que enfermó, una amiga de América del Sur.

Ella lo miró, con nostalgia.

—¿Quieres saber algo, juez? Ese viaje en yate habría sido divertido.

Por el altoparlante se anunció la partida de su vuelo.

—Supongo que es el mío.

—Que tengas buen viaje.

—Gracias. Te veré en Chicago.

Tyler la vio entrar en el sector de preembarque y se quedó allí, esperando que el avión despegara. Después, volvió a la limusina y le dijo al chofer:

—A Rose Hill.

Cuando Tyler llegó de vuelta a la casa, fue directamente a su cuarto y llamó por teléfono al juez principal Keith Percy.

—Todos te estamos esperando, Tyler. ¿Cuándo piensas venir? Planeamos una pequeña reunión en tu honor.

—Muy pronto, Keith —dijo Tyler—. Mientras tanto, quiero que me ayudes con un problema que se me ha presentado.

—Por supuesto. ¿Qué puedo hacer por ti?

—Es sobre una delincuente que yo traté de ayudar. Margo Posner. Creo que te hablé de ella.

—Lo recuerdo. ¿Cuál es el problema?

—La pobre mujer sufre de alucinaciones y se cree mi hermana. Me siguió a Boston y trató de asesinarme.

—¡Dios mío! ¡Es espantoso!

—En este momento viaja de vuelta a Chicago, Keith. Me robó la llave de mi casa, y no sé qué planea hacer a continuación. Esa mujer es una lunática peligrosa. Amenazó matar a toda mi familia. Quiero que la internen en el Centro Reed de Salud Mental. Si me envías por fax los papeles de la reclusión, yo los firmaré. Y también me encargaré personalmente de que le realicen exámenes psiquiátricos.

—Desde luego. Me ocuparé de ello enseguida, Tyler.

—Te lo agradeceré mucho. Viaja en el vuelo 307 de United Airlines. La hora de arribo a Chicago es esta noche, a las ocho. Te sugiero que pongas gente en el aeropuerto para arrestarla. Diles que tengan cuidado. Debe ser confinada en una celda de máxima seguridad de Reed, y no permitir visitas.

—Yo me ocuparé. Lamento que hayas tenido que pasar por esto, Tyler.

—Ya sabes cómo es el dicho, Keith: "Ninguna mala acción, por pequeña que sea, queda impune".

Esa noche, durante la cena, Kendall preguntó:

—¿Julia no come con nosotros?

Tyler dijo, con pesar:

—Por desgracia, no. Me pidió que la despidiera de ustedes. Se fue a cuidar de una amiga que tiene en América del Sur y que sufrió un ataque cerebral. Fue algo muy repentino.

—Pero el testamento todavía no ha sido...

—Julia me dio un poder general y quiere que yo deposite su parte en un fondo fiduciario.

Un criado colocó un bol de guiso de almejas delante de Tyler.

—Ah —dijo él—. ¡Parece delicioso! Esta noche tengo un apetito bárbaro.

El vuelo 307 de la United Airlines hacía su aproximación final en horario al Aeropuerto Internacional O'Hare. Una voz metálica brotó del altoparlante.

—Damas y caballeros, se les ruega colocarse los cinturones de seguridad.

Margo Posner disfrutó muchísimo del vuelo. Se pasó casi todo el tiempo soñando con lo que haría con el millón de dólares y con toda la ropa y las joyas que había comprado. "¡Y todo porque me arrestaron! ¿No es increíble?"

Cuando el avión aterrizó, Margo tomó las cosas que llevaba a bordo y comenzó a bajar por la rampa. Una azafata caminaba detrás de ella. Junto al avión había una ambulancia, flanqueada por dos paramédicos con chaquetas blancas, y un médico. La azafata vio que señalaban a Margo.

Cuando Margo bajó de la rampa, uno de los hombres se le acercó.

—Disculpe —dijo.

Margo lo miró.

—¿Sí?

—¿Es usted Margo Posner?

—Sí. ¿Qué...?

—Soy el doctor Zimmerman —dijo el hombre y la tomó del brazo—. Nos gustaría que nos acompañara, por favor. —Comenzó a llevarla hacia la ambulancia.

Ella trató de liberarse.

—¡Espere un minuto! ¿Qué hace?

Los otros dos hombres se colocaron a ambos lados de Margo para sostenerle los brazos.

—Sólo acompáñenos en silencio, señorita Posner —dijo el médico.

—¡Auxilio! —gritó Margo—. ¡Ayúdenme!

Los otros pasajeros contemplaban la escena, boquiabiertos.

—¿Qué les ocurre a todos ustedes? —aulló Margo—. ¿Están ciegos? ¡Me están secuestrando! ¡Yo soy en realidad Julia Stanford! ¡Soy la hija de Harry Stanford!

—Por supuesto que lo es —dijo el doctor Zimmerman con tono tranquilizador—. Pero cálmese.

Los otros pasajeros vieron, con azoramiento, que llevaban a Margo a la parte posterior de la ambulancia, mientras ella pataleaba y gritaba.

Una vez dentro de la ambulancia, el médico sacó una jeringa y le clavó la aguja en el brazo.

—Relájese —le dijo—. Todo estará bien.

—¡Usted debe de estar loco! —protestó Margo—. Debe de... —Sus ojos comenzaron a cerrarse.

Las puertas de la ambulancia se cerraron y el vehículo se alejó a toda velocidad.

Cuando Tyler recibió el informe, estalló en carcajadas. Le parecía ver a la perra codiciosa cuando se la llevaban. Dispondría que la mantuvieran encerrada en el hospicio durante el resto de su vida.

"Ahora la partida realmente ha terminado", pensó. "¡Lo logré! El viejo se retorcería en su tumba —si todavía tuviera una— si supiera que yo controlo las Empresas Stanford. Le daré a Lee todo lo que siempre ha soñado."

Perfecto. Todo estaba perfecto.

Los acontecimientos del día despertaron en Tyler una gran excitación sexual. "Necesito aliviarme." Abrió su maletín y, de la parte de atrás extrajo un ejemplar de la *Guía Damron*. En Boston figuraban varios bares para gays.

Eligió The Quest, ubicado en la calle Boylston. "Me saltearé la cena e iré directamente al club."

Julia y Sally se vestían para salir a trabajar.

Sally preguntó:

—¿Cómo fue tu salida de anoche con Henry?

—Igual que siempre.

—¿Así de mala, eh? ¿Todavía no han fijado fecha para el matrimonio?

—¡Dios no lo quiera! —exclamó Julia—. Henry es muy dulce, pero... —Suspiró. —No es para mí.

—Es posible que él no lo sea —dijo Sally—, pero estos sí son para ti. —Le entregó cinco sobres.

Todos contenían cuentas. Julia los abrió. Tres decían "Vencida" y otra llevaba la leyenda "Tercer aviso". Julia los observó un momento.

—Sally, ¿podrías prestarme...?

Sally la miró, sorprendida.

—No te entiendo, Julia.

—¿Qué quieres decir?

—Trabajas como una esclava, no puedes pagar tus cuentas, y lo único que tendrías que hacer es levantar el dedo meñique y terminar con algunos millones de dólares.

—No es mi dinero.

—¡Por supuesto que lo es! —saltó Sally—. Harry Stanford era tu padre, ¿no? Ergo, tienes derecho a parte de sus bienes. Y te prevengo que no uso con frecuencia la palabra "ergo".

—Olvídalo. Ya te conté cómo trató a mi madre. Seguro que no me dejó ni un centavo.

Sally suspiró.

—¡Maldición! ¡Y yo que tenía la ilusión de estar viviendo con una millonaria!

Caminaron hacia la playa de estacionamiento donde tenían sus automóviles.

El lugar de Julia estaba vacío. Ella lo miró, sobresaltada.

—¡Ha desaparecido!

—¿Estás segura de que lo dejaste aquí anoche? —preguntó Sally.

—Sí.

—¡Entonces alguien te lo robó!

Julia sacudió la cabeza.

—No —dijo en voz baja.

—¿Qué quieres decir?

Volvió la cabeza para mirar a Sally.

—Deben de haberlo recuperado. Estoy atrasada en tres pagos.

—Maravilloso —comentó Sally—. Realmente maravilloso.

Sally no pudo dejar de pensar en la situación de su compañera de departamento. "Es como un cuento de hadas", pensó. "Una princesa que no sabe que es una princesa. Sólo que en este caso ella lo sabe, pero es demasiado porfiada como para hacer algo al respecto. ¡No es justo! La familia tiene todo ese dinero, y ella no tiene nada. Bueno, si Julia no quiere hacer nada, yo lo haré. Y ella me lo agradecerá."

Esa noche, cuando Julia salió, Sally volvió a examinar la caja con los recortes. Sacó un artículo periodístico reciente que mencionaba que los herederos de Stanford habían regresado a Rose Hill para los servicios fúnebres.

"Si la princesa no va a ellos", pensó Sally, "ellos vendrán a la princesa."

Se sentó y comenzó a escribir una carta. Estaba dirigida al juez Tyler Stanford.

CAPÍTULO VEINTIUNO

TYLER STANFORD FIRMÓ LOS PAPELES DE LA RECLUSIÓN de Margo Posner en el Centro Reed de Salud Mental. Tres psiquiatras debían refrendar la internación, pero Tyler sabía que le resultaría fácil conseguirlos.

Repasó mentalmente todo lo que había hecho desde el principio y decidió que no había fallas. Dmitri había desaparecido en Australia, y se había librado de Margo Posner. Quedaba sólo Hal Baker, pero él no sería problema. Todo hombre tiene su talón de Aquiles, y el suyo era su estúpida familia. "No, Baker jamás hablará porque no podría soportar la idea de pasar el resto de su vida en la cárcel, lejos de sus seres queridos."

Todo estaba perfecto.

"No bien se homologue el testamento, volveré a Chicago y recogeré a Lee. Hasta es probable que compremos una casa en St.-Tropez." La sola idea lo excitó sexualmente. "Navegaremos alrededor del mundo en mi yate. Siempre he querido conocer Venecia... y Positano... y Capri... Tomaremos un safari en Kenia, y veremos juntos el Taj Mahal a la luz de la Luna. Y, ¿a quién le debo todo esto? A papito, mi querido papito. 'Eres un marica, Tyler, y siempre lo serás. No sé cómo diablos pude engendrar a alguien como tú...'

¿Quién ríe último ahora, papá?"

Tyler bajó por la escalera para almorzar con su hermano y hermana. De nuevo tenía hambre.

—Es una pena que Julia se haya tenido que ir tan pronto —dijo Kendall—. Me habría gustado conocerla mejor.

—Estoy seguro de que planea volver tan pronto como le sea posible —dijo Marc.

"Vaya si es cierto", pensó Tyler. Él se aseguraría de que Margo no saliera nunca de la institución para enfermos mentales.

La conversación giró hacia el futuro.

Peggy dijo, tímidamente:

—Woody piensa comprarse un grupo de ponis de polo.

—¡No es un "grupo"! —saltó Woody—. Es una caballeriza. Una caballeriza de ponis de polo.

—Lo siento, querido. Yo sólo...

—¡Olvídalo!

—¿Qué planes tienes tú? —le preguntó Tyler a Kendall.

"...contamos con el apoyo de su padre... apreciaríamos que depositaran un millón de dólares norteamericanos... dentro de los siguientes diez días."

—¿Kendall?

—Ah, sí. Pienso...bueno, expandir mi negocio. Abriré tiendas en Londres y en París.

—Suena maravilloso —dijo Peggy.

—Dentro de dos semanas tengo un desfile en Nueva York. Debo viajar allá y prepararlo.

Kendall miró a Tyler.

—¿Qué harás tú con tu parte de la herencia?

Tyler contestó, con tono piadoso:

—En su mayor parte, obras de caridad. ¡Son tantas las organizaciones que necesitan ayuda!

Sólo escuchaba a medias la conversación que se desarrollaba en la mesa. Miró a su hermano y a su hermana. "Si no fuera por mí, ustedes no recibirían nada. ¡Nada!"

Volvió la cabeza para observar a Woody. Su hermano se había convertido en un drogadicto, se había arruinado la vida. "El dinero no lo ayudará, pensó. Sólo le permitirá comprar más drogas." Se preguntó dónde la conseguiría Woody.

Tyler miró a su hermana. Kendall era una mujer brillante y exitosa, y había sacado partido de su talento.

Marc estaba sentado junto a ella, y en ese momento le relataba una anécdota divertida a Peggy. "Es atractivo y encantador. Una lástima que esté casado."

Y, después, estaba Peggy. La pobre Peggy. Jamás entendería cómo soportaba a Woody. "Debe de amarlo mucho. Por cierto que no ha obtenido nada de su matrimonio."

Se preguntó cuál sería la expresión de sus caras si él se pusiera de pie y les dijera: "Yo controlo las Empresas Stanford. Mandé asesinar a nuestro padre y, después, hice desenterrar su cuerpo y contraté a una mujer para que se hiciera pasar por nuestra hermana." La sola idea lo hizo sonreír. Resultaba difícil mantener un secreto tan delicioso como ese.

$$* * *$$

Después del almuerzo, Tyler fue a su cuarto para volver a llamar por teléfono a Lee. No hubo respuesta. "Ha salido con alguien", pensó, desesperado. "No me cree lo del yate. Pues bien, ¡se lo probaré! ¿Cuándo homologarán ese maldito testamento? Tendré que llamar a Fitzgerald, o a ese joven abogado Steve Sloane."

Alguien llamó a la puerta. Clark estaba allí.

—Disculpe, juez Stanford. Llegó una carta para usted.

"Seguro que es de Keith Percy, felicitándome."

—Gracias, Clark. —Tomó el sobre. Tenía un remitente de la ciudad de Kansas. Se quedó mirándolo un momento y luego lo abrió y comenzó a leer la carta.

Estimado juez Stanford:

Creo que debería saber que tiene una hermana llamada Julia. Es la hija de su padre y de Rosemary Nelson. Vive aquí en la ciudad de Kansas. Su dirección es 1425 avenida Metcalf, departamento 3B, Ciudad de Kansas, Kansas.

Estoy segura de que Julia se alegrará mucho de tener noticias suyas.

Atentamente,

Una amiga

Tyler se quedó mirando la carta con incredulidad y sintió que un escalofrío le recorría el cuerpo.

—¡No! —gritó—. ¡No! —"¡No lo toleraré! ¡No ahora! Quizá sea una impostora." Pero tuvo la espantosa premonición de que esa Julia era la auténtica. "Y, ahora, la hija de puta se presentará para reclamar su parte de la herencia! Mi parte", se corrigió. No le pertenece a ella. No puedo permitir que venga aquí. Lo arruinaría todo. Tendría que explicar lo de la otra Julia, y... Se estremeció. —¡No! — Tengo que conseguir que la eliminen. Y rápido.

Tomó el teléfono y discó el número de Hal Baker.

CAPÍTULO VEINTIDÓS

EL DERMATÓLOGO SACUDIÓ LA CABEZA.

—He visto casos similares al suyo, pero nunca tan graves.

Hal Baker se rascó la mano y asintió.

—Verá, señor Baker, nos enfrentamos a tres posibilidades. La picazón puede estar causada por un hongo, una alergia o una neurodermatitis. La muestra de piel que tomé de su mano y puse en el microscopio me demostró que no era un hongo. Y usted dijo que no tuvo que manejar sustancias químicas en su trabajo...

—Así es.

—De modo que las posibilidades se redujeron. Lo que usted tiene es *lichen simplex chronicus*, o una neurodermatitis localizada.

—Suena espantoso. ¿Hay algo que pueda hacer al respecto?

—Por fortuna, sí. —El médico tomó un pomo de un armario que había en un rincón del consultorio y lo abrió. —¿En este momento le pica la mano?

Hal Baker volvió a rascársela.

—Sí. Es como si tuviera un fuego.

—Quiero que se unte esta crema en la mano.

Hal Baker apretó el pomo y comenzó a frotarse la crema en la mano. Fue una especie de milagro.

—¡La picazón desapareció! —exclamó Baker.

—Bien. Use esa crema y no tendrá más problemas.

—Gracias, doctor. No sé cómo decirle el alivio que es esto.

—Le daré una receta. Puede llevarse ese pomo.

—Gracias.

Mientras conducía el auto de vuelta a casa, Hal Baker cantaba en voz alta. Era la primera vez que la mano no le picaba desde que conocía al juez Tyler Stanford. Experimentaba una sensación maravillosa de libertad. Sin dejar de silbar, entró el auto al garaje y entró en la cocina. Helen lo aguardaba.

—Tuviste un llamado telefónico —dijo ella—. Era un tal señor Jones y dijo que era urgente.

La mano comenzó a picarle de nuevo.

Había lastimado a algunas personas, pero lo había hecho por amor a sus hijos. Había cometido algunos crímenes, pero por el bien de su familia. Hal Baker no se consideraba culpable. Pero eso era diferente. Era un asesinato a sangre fría.

Cuando devolvió el llamado telefónico, dijo:

—No puedo hacer eso, juez. Tiene que buscar a otra persona.

Se hizo un silencio. Luego:

—¿Cómo está su familia?

El vuelo a la ciudad de Kansas se desarrolló sin inconvenientes. El juez Stanford le había dado instrucciones detalladas. "Se llama Julia Stanford. Usted tiene su dirección y el número de su departamento. Ella no lo estará esperando. Lo único que tiene que hacer es ir y terminar con el asunto."

Desde el Aeropuerto Municipal de la Ciudad de Kansas tomó un taxi a la ciudad.

—Hermoso día —dijo el conductor.

—Sí.

—¿De dónde viene?

—De Nueva York. Vivo allí.

—Lindo lugar para vivir.

—Ya lo creo que sí. Tengo que hacer unas reparaciones en casa. ¿Por favor, me lleva a una ferretería?

—Correcto.

Cinco minutos después, Hal Baker le decía a un empleado del negocio:

—Necesito un cuchillo de caza.

—Tenemos justo lo que necesita, señor. ¿Quiere acompañarme, por favor?

El cuchillo era precioso: tenía unos quince centímetros de largo, punta bien afilada y filo en forma de sierra.

—¿Éste le viene bien?

—Por supuesto que sí —contestó Hal Baker.

—¿Lo pagará en efectivo o con tarjeta?

—En efectivo.

Su siguiente parada fue una papelería.

Hal Baker observó el edificio de departamentos de la avenida Metcalf 1425 durante cinco minutos, y examinó las entradas y salidas. Se fue y volvió a las siete de la tarde, cuando comenzaba a oscurecer. Quería estar seguro de que, si Julia Stanford tenía empleo, estaría de vuelta del trabajo. Había notado que el edificio no tenía portero. Había ascensor, pero él subió por la escalera. No le parecía seguro estar en espacios pequeños y cerrados. Eran trampas. Llegó al tercer piso. El departamento 3B estaba al final de pasillo, a la izquierda. Tenía el cuchillo sujeto con cinta adhesiva al bolsillo interior de la chaqueta. Tocó el timbre. Un momento después, la puerta se abrió y se encontró frente a una mujer atractiva.

—Hola —dijo ella con una sonrisa agradable—. ¿En qué puedo servirlo?

Era más joven de lo que esperaba, y se preguntó fugazmente por qué querría el juez Stanford que la matara. "Bueno, no es asunto mío." Sacó una tarjeta y se la entregó.

—Pertenezco a la Compañía A. C. Nielson —dijo—. No tenemos a nadie de la familia Nielson en esta zona, y buscamos a cualquier persona que esté interesada.

Ella sacudió la cabeza.

—No, gracias. —Comenzó a cerrar la puerta.

—Pagamos cien dólares por semana.

La puerta permaneció entreabierta.

—¿Cien dólares por semana?

—Sí, señora.

Ahora la puerta se abrió de par en par.

—Lo único que tiene que hacer es escribir los nombres de los programas que mira. Le daremos contrato por un año.

"¡Cinco mil dólares!"

—Pase —dijo ella.

Baker entró en el departamento.

—Siéntese, señor…

—Allen. Jim Allen.

—…señor Allen. ¿Cómo fue que me seleccionó a mí?

—Nuestra compañía hace verificaciones al azar. Debemos asegurarnos de que ninguna de las personas está relacionada de alguna manera con la televisión, para que nuestras mediciones de audiencia sean exactas. Usted no tiene ninguna relación con la producción de programas ni con redes de televisión, ¿verdad?

Ella se echó a reír.

—Diablos, no. ¿Qué tendría que hacer yo exactamente?

—En realidad es muy sencillo. Le daremos un gráfico con todos los programas de televisión que existen, y todo lo que usted deberá hacer es poner un tilde cada vez que ve un programa. Así, nuestra computadora puede calcular cuántos espectadores tiene cada programa. La familia Nielson está diseminada por todos los Estados Unidos, y eso nos permite tener una idea bien clara de cuáles programas son más vistos y en cuáles zonas. ¿Le interesa a usted el trabajo?

—Sí, por supuesto.

Sacó algunos formularios impresos y una lapicera.

—¿Cuántas horas por día mira televisión?

—No muchas. Trabajo todo el día.

—Pero, ¿ve algo de televisión?

—Sí, claro. Miro los noticiarios por la noche y, a veces, alguna película antigua. Me gusta Larry King.

Él hizo una anotación.

—¿Ve televisión educativa?

—Bueno, miro el PBS los domingos.

—A propósito, ¿vive aquí sola?

—Tengo una compañera, pero no está aquí.

"De modo que los dos estaban solos."

La mano empezó a picarle. La llevó al bolsillo interior para soltar la cinta adhesiva que sujetaba el cuchillo. Oyó pasos en el vestíbulo de afuera. Se detuvo.

—¿Dijo que me pagarían cinco mil dólares por año sólo para hacer esto?

—Así es. Ah, y olvidaba mencionarle que también le daremos un nuevo televisor color.

—¡Qué fantástico!

Las pisadas se alejaron. Baker volvió a meter la mano en el bolsillo y tocó el mango del cuchillo.

—¿Podría tomar un vaso de agua, por favor? Ha sido un día muy largo.

—Por supuesto que sí.

Él la vio ponerse de pie y acercarse al pequeño bar que había en un rincón. Sacó el cuchillo de la vaina y se acercó a la mujer.

En ese momento, ella decía:

—Mi compañera sí ve mucho los programas educativos.

Él levantó el cuchillo, listo para dar el golpe.

—Julia es más intelectual que yo.

La mano de Baker se paralizó en el aire.

—¿Julia?

—Mi compañera de departamento. Sólo que ya no lo es. Se ha ido. Cuando volví a casa encontré una nota en la que me decía que se iba y no sabía dónde podría localizarla... —Se volvió, con el vaso de agua en la mano, y vio que Baker tenía el cuchillo en alto. —¿Qué...?

Gritó.

Hal Baker dio media vuelta y huyó.

Hal Baker llamó por teléfono a Tyler Stanford.

—Estoy en la ciudad de Kansas, pero la chica ha desaparecido.

—¿Qué quiere decir?

—Su compañera de departamento dice que se fue.

Tyler permaneció un momento en silencio.

—Tengo la sensación de que se dirigirá a Boston. Quiero que venga aquí enseguida.

—Sí, señor.

Tyler Stanford colgó el tubo con un golpe y comenzó a pasearse por la habitación. "¡Todo había salido tan bien!" Era preciso encontrar a la muchacha y eliminarla. Era una amenaza permanente. Aun después de recibir el control de la fortuna de su padre, Tyler sabía que no estaría tranquilo mientras ella siguiera con vida. "Tengo que encontrarla", pensó. "¡Debo hacerlo! Pero, ¿dónde?"

En ese momento, Clark entró en el cuarto. Parecía perplejo.

—Disculpe, juez Stanford. Acaba de llegar una señorita Julia Stanford y quiere verlo.

CAPÍTULO VEINTITRÉS

FUE POR KENDALL QUE JULIA DECIDIÓ IR A BOSTON. Cierto día, al volver de almorzar, pasó por una tienda de ropa de alta costura y en la vidriera había un diseño original de Kendall. Julia se quedó mirándolo un buen rato. "Ésa es mi hermana", pensó. "No puedo culparla por lo que le pasó a mi madre. Y tampoco puedo culpar a mis hermanos." Y, de pronto, sintió un deseo apremiante de verlos, de conocerlos, de hablar con ellos, de tener por fin una familia.

Cuando volvió a la oficina, le dijo a Max Tolkin que estaría ausente unos días. Con bastante vergüenza, le preguntó:

—¿Podría tener un adelanto de mi sueldo?

Tolkin sonrió.

—Sí, por supuesto. Falta poco para las vacaciones. Toma. Y pásalo bien.

"¿Realmente lo pasaré bien?", se preguntó Julia. "¿O estaré cometiendo un terrible error?"

Cuando regresó a su casa, Sally todavía no había vuelto. "No puedo esperarla", decidió. "Si no lo hago ahora, no iré nunca." Preparó su valija y dejó una nota.

Camino a la terminal de ómnibus, lo pensó mejor. "¿Qué estoy haciendo? ¿Por qué tomé esta decisión tan repentina?" Entonces pensó, con ironía: "¿Repentina? ¡Me ha llevado veinte años!". De pronto sintió un enorme entusiasmo. ¿Cómo sería su familia? Sabía que uno de sus hermanos era juez y el otro, un famoso jugador de polo, y que su hermana era una conocida diseñadora de modas. "Es una familia de triunfadores, pensó, y yo, ¿quién soy? Espero que no me desprecien." El solo hecho de pensar en lo que la esperaba hizo que su corazón se salteara un latido. Subió al ómnibus de la compañía Greyhound y emprendió el viaje.

Cuando el ómnibus llegó a la South Station de Boston, Julia tomó un taxi.

—¿Adónde la llevo, señora? —preguntó el chofer.

Y, en ese momento, Julia perdió todo su coraje. Había tenido la intención de contestar: "A Rose Hill". En cambio, dijo:

—No lo sé.

El hombre volvió la cabeza para mirarla.

—Caramba —dijo—, yo tampoco lo sé.

—¿No podría dar una vuelta? Es la primera vez que vengo a Boston.

Él asintió.

—Sí, por supuesto.

Avanzaron hacia el oeste por la calle Summer, hasta llegar al Boston Common.

El chofer dijo:

—Este es el parque público más antiguo de los Estados Unidos. Solían usarlo para las ejecuciones en la horca.

Y a Julia le pareció oír la voz de su madre: "Yo solía llevar a los chicos al Common en invierno, para que patinaran sobre hielo. Woody era un atleta natural. Ojalá hubieras podido conocerlo, Julia. Era un chico tan apuesto. Siempre pensé que sería el más exitoso de la familia." Fue como si su madre estuviera allí con ella, compartiendo ese momento.

Habían llegado a la calle Charles, la entrada al Jardín Público. El chofer dijo:

—¿Ve esos patitos de bronce? Aunque no lo crea, todos tienen nombre.

"Solíamos ir de picnic al Jardín Público. En la entrada hay preciosos patitos de bronce. Se llaman Jack, Kack, Lack, Mack, Nack, Ouack, Pack y Quack." A Julia le había parecido tan divertido, que hacía que su madre le repitiera los nombres una y otra vez.

Julia miró el reloj del taxímetro. El viaje se estaba encareciendo.

—¿Podría recomendarme un hotel no demasiado caro?

—Sí, claro. ¿Qué le parecería el Hotel Copley Square?

—¿Me llevaría allí, por favor?

—De acuerdo.

Cinco minutos después, el taxi se detenía frente al hotel.

—Disfrute de Boston, señora.

—Gracias. —"¿Lo disfrutaré, o será un desastre?" Julia le pagó y entró en el hotel. Se acercó al empleado joven que estaba detrás del mostrador de recepción.

—Hola —dijo él—. ¿En qué puedo servirla?

—Quiero una habitación, por favor.

—¿Para una persona?

—Sí.

—¿Cuánto tiempo piensa quedarse?

Ella vaciló.

"¿Una hora? ¿Diez años?"

—No lo sé.

—Muy bien —dijo él y observó el tablero con las llaves—. Tengo una linda habitación para usted en el cuarto piso.

—Gracias —dijo ella y firmó el registro con mano firme. *Julia Stanford*.

El empleado le entregó una llave.

—Aquí tiene. Disfrute de su estadía.

El cuarto era pequeño, pero limpio y prolijo. En cuanto deshizo la valija, Julia llamó por teléfono a Sally.

—¿Julia? ¡Dios mío! ¿Dónde estás?

—En Boston.

—¿Estás bien? —Sally parecía histérica.

—Sí. ¿Por qué?

—Un hombre vino al departamento a buscarte, y creo que pensaba matarte.

—¿Qué dices?

—Tenía un cuchillo y... deberías haber visto la expresión de su cara... —Sally casi no podía hablar.

—Cuando descubrió que yo no era tú, ¡salió corriendo!

—¡No puedo creerlo!

—Dijo que trabajaba con A.C.Nielsen, pero llamé a la oficina de esa compañía y jamás oyeron hablar de él. ¿Conoces a alguien que quiera dañarte?

—¡Por supuesto que no, Sally! ¡No seas ridícula! ¿Llamaste a la policía?

—Sí, lo hice. Pero no había mucho que pudieran hacer, salvo decirme que fuera más cuidadosa.

—Bueno, yo estoy muy bien, así que no te preocupes.

Oyó que Sally respiraba hondo.

—Está bien. Si dices que no te pasa nada. ¿Julia?

—Sí.

—Ten cuidado, ¿sí?

—Desde luego. —"¡Sally y su imaginación trasnochada! ¿Quién podría querer matarme?"

—¿Sabes cuándo volverás?

Lo mismo que le había preguntado el empleado del hotel.

—No.

—Estás allí para ver a tu familia, ¿no?

—Sí.

—Buena suerte.

—Gracias, Sally.

—Manténte en contacto conmigo.

—Lo haré.

Julia colgó el tubo. Se quedó allí, de pie, sin saber qué hacer. "Si tuviera sentido común, me subiría a un ómnibus y volvería a casa. No he hecho otra cosa que andar con rodeos, ganar tiempo. ¿Vine a Boston a recorrer la ciudad? No. Vine para conocer a mi familia. ¿Lo haré? No... Sí..."

Se sentó en el borde de la cama, con la cabeza hecha un caos.

"¿Y si me odiaran? No, no debo pensarlo. Me amarán, y yo los amaré." Miró el teléfono y pensó: "Tal vez sería mejor que los llamara por teléfono. No. Entonces quizá no querrán verme." Se acercó al placard y eligió su mejor vestido. "Si no lo hago ahora, no lo haré jamás", decidió.

Treinta minutos más tarde estaba en un taxi, camino a Rose Hill, para conocer a su familia.

CAPÍTULO VEINTICUATRO

TYLER MIRABA A CLARK CON INCREDULIDAD.

—¿Julia Stanford... está aquí?

—Sí, señor. —Había un tono de desconcierto en la voz del mayordomo. —Pero no es la misma señorita Stanford que estuvo aquí antes.

Tyler forzó una sonrisa.

—Desde luego que no. Me temo que es una impostora.

—¿Una impostora, señor?

—Sí. Empezarán a aparecer de todas partes, Clark, para reclamar su derecho a la fortuna de la familia.

—Qué terrible, señor. ¿Quiere que llame a la policía?

—No —se apresuró a decir Tyler. Era lo último que quería. —Yo me ocuparé. Házla pasar a la biblioteca.

—Sí, señor.

Tyler pensaba a toda velocidad. De modo que finalmente se había presentado la verdadera Julia Stanford. Era una suerte que ninguno de los otros miembros de la familia estuviera en casa en ese momento. Tendría que librarse de ella enseguida.

Tyler se dirigió a la biblioteca. Julia estaba de pie en el medio de la habitación, y contemplaba un retrato de Harry Stanford. Tyler permaneció allí un momento observando a la mujer. Era hermosa. Una pena que...

Julia se volvió y lo vio.

—Hola.

—Hola.

—Usted es Tyler.

—Así es. ¿Quién es usted?

La sonrisa de ella desapareció.

—¿No le dijo...? Soy Julia Stanford.

—¿De veras? Me perdonará que se lo pregunte, pero ¿tiene usted alguna prueba de lo que dice?

—¿Prueba? Bueno, sí... yo... es decir... no, ninguna prueba. Sólo pensé que...

Tyler se le acercó.

—¿Cómo llegó aquí?

—Decidí que había llegado el momento de conocer a mi familia.

—¿Después de veintitantos años?

—Sí.

Al mirarla, al oírla hablar, Tyler no dudó ni un instante: era auténtica, peligrosa, y era preciso eliminarla enseguida.

Se obligó a sonreír.

—Bueno, se imagina el sacudón que esto significa para mí. Quiero decir, que haya aparecido aquí inesperadamente y...

—Ya lo sé. Lo siento. Tal vez debería haber llamado antes por teléfono.

Tyler preguntó, como al pasar:

—¿Vino a Boston sola?

—Sí.

Pensaba a mil.

—¿Alguna otra persona sabe que está aquí?

—No. Bueno, sí. Sally, mi amiga que vive conmigo en la ciudad de Kansas...

—¿Dónde se aloja?

—En el Hotel Copley Square.

—Es un buen hotel. ¿En qué habitación?

—Cuatrocientos diecinueve.

—Está bien. ¿Por qué no vuelve al hotel y nos espera allí? Quiero preparar primero a Woody y a Kendall. Estarán tan sorprendidos como yo.

—Lo siento. Debería haber...

—Ningún problema. Ahora que nos hemos conocido, sé que todo saldrá muy bien.

—Gracias, Tyler.

—De nada... —le costó pronunciar la siguiente palabra—... Julia. Te pediré un taxi.

Cinco minuto después, ella se había ido.

Hal Baker acababa de regresar a la habitación de su hotel situado en el centro de Boston cuando sonó el teléfono. Levantó el tubo.

—¿Hal?

—Lo siento. Todavía no tengo noticias, juez. He peinado toda la ciudad. Fui al aeropuerto y...

—¡Ella está aquí, imbécil!

—¿Qué?

—Está aquí, en Boston. Se hospeda en el Hotel Copley Square, habitación 419. Quiero que se ocupe de ella esta noche. Y nada de chambonadas, ¿está claro?

—Lo que ocurrió no fue mi...

—¿Está claro?

—Sí, señor.

—Entonces, ¡hágalo! —dijo Tyler, cortó la comunicación y fue a buscar a Clark.

—Clark, con respecto a esa joven que estuvo aquí simulando ser mi hermana...

—¿Sí, señor?

—Yo que usted no le diría nada a los otros integrantes de la familia. Se sentirían muy mal.

—Lo entiendo, señor. Usted piensa en todo...

Julia fue a cenar al Ritz Carlton Hotel. Era hermoso, tal como su madre se lo había descripto. "Los domingos, solía llevar a los chicos allí a comer algo." Julia, sentada en el comedor, se imaginó a su madre allí, frente a una mesa, con Tyler, Woody y Kendall chicos. "¡Cómo desearía haber crecido con ellos!", pensó. "Pero, al menos, ahora los conoceré." Se preguntó si su madre aprobaría lo que estaba haciendo. En realidad, Julia se había sentido desconcertada por la recepción de Tyler. Le pareció... frío. "Pero es natural", pensó. "De pronto una desconocida se presenta y dice: 'Soy su hermana'. Por supuesto que debió de sentir desconfianza. Pero estoy segura de que podré convencerlos."

Cuando llegó la cuenta, Julia la miró, horrorizada. "Tengo que tener más cuidado", pensó. "Me tiene que quedar suficiente dinero para tomar el ómnibus de regreso a Kansas."

Al salir, vio que un ómnibus de turismo que hacía el recorrido por la ciudad estaba por partir. Movida por un impulso, lo abordó. Quería conocer lo más posible la ciudad de su madre.

* * *

Hal Baker entró en el lobby del Hotel Copley
Square como si viviera allí, y subió por la escalera
hasta el cuarto piso. Esta vez no habría equivocacio-
nes. La habitación 419 estaba en el medio del corredor. Hal Baker hizo un escrutinio visual del pasillo
para estar seguro de que no hubiera nadie cerca, y
llamó a la puerta. No hubo respuesta. Volvió a gol-
pear.

—¿Señorita Stanford? —Nada.

Sacó un pequeño estuche del bolsillo y seleccionó una ganzúa. Sólo le llevó algunos segundos abrir.
Entró y cerró la puerta. La habitación estaba vacía.

—¿Señorita Stanford?

Entró en el cuarto de baño. Estaba vacío. Sacó el
cuchillo del bolsillo, corrió una silla hasta ponerla
detrás de la puerta y se sentó a esperar en la oscuri-
dad. Una hora después oyó que alguien se acercaba.

Hal Baker se paró enseguida y permaneció de
pie detrás de la puerta, con el cuchillo en la mano.
Oyó que la llave giraba en la cerradura y vio que la
puerta comenzaba a abrirse. Oculto detrás de la
puerta, levantó el cuchillo por encima de la cabeza,
listo para dar el golpe. Julia entró y encendió las luces. Hal oyó que decía:

—Muy bien, pasen.

Y un batallón de periodistas inundó el cuarto.

CAPÍTULO VEINTICINCO

FUE GORDON WELLMAN, EL GERENTE NOCTURNO DEL hotel Copley Square, quien sin saberlo le salvó la vida a Julia. Había entrado en servicio esa tarde a las seis, y revisado automáticamente el registro del hotel. Cuando se topó con el nombre de Julia Stanford, se quedó mirándolo, sorprendido. Desde la muerte de Harry Stanford, los periódicos habían estado llenos de relatos sobre la familia Stanford. Habían sacado a la luz el viejo escándalo de la aventura de Harry con la institutriz de sus hijos, y el suicido de su esposa. Harry Stanford tenía una hija ilegítima llamada Julia. Corrían rumores de que había viajado a Boston en secreto y que, poco después de una serie de compras costosas, supuestamente había partido a América del Sur. Ahora, todo parecía indicar que había vuelto. "¡Y se aloja en mi hotel!", pensó, entusiasmado.

Le dijo al empleado del mostrador de recepción:

—¿Sabes la publicidad que esto podría significar para el hotel?

Un minuto después, hablaba por teléfono con la prensa...

Cuando Julia llegó de vuelta al hotel después de su recorrida por la ciudad, el lobby estaba lleno de periodistas que la aguardaban con impaciencia. En cuanto entró, se abalanzaron sobre ella.

—¡Señorita Stanford! Soy del *Boston Globe*. Hemos estado tratando de localizarla, pero nos dijeron que se había ido de la ciudad. ¿Podría decirnos...?

Una cámara de televisión la enfocaba.

—Señorita Stanford, soy del canal de televisión MCVB. Nos gustaría tener una declaración suya...

—Señorita Stanford, soy del *The Phoenix*. Queremos saber cuál fue su reacción al...

—¡Mire hacia aquí, señorita Stanford! ¡Sonría! Gracias.

Y los flashes destellaban sin cesar.

Julia permaneció allí de pie, llena de confusión. "¡Dios mío!", pensó. "La familia pensará que yo armé esto." Miró a los periodistas.

—Lo siento, no tengo nada que decir.

Corrió hacia un ascensor, pero ellos la siguieron.

—La revista *People* quiere publicar la historia de su vida, y lo que se siente al haber estado separada de su familia desde hace casi treinta años...

—Oímos decir que se había ido a América del Sur...

—¿Piensa vivir en Boston...?

—¿Por qué no se hospeda en Rose Hill...?

Julia salió del ascensor en el cuarto piso, y corrió por el pasillo. Pero ellos le pisaban los talones. No había forma de escapar.

Sacó la llave y abrió la puerta de su habitación. Entró y encendió la luz.

—Muy bien, pasen.

Oculto detrás de la puerta, Hal Baker quedó paralizado por la sorpresa, el cuchillo en su mano levantada. Cuando los periodistas pasaron junto a él, se apresuró a poner el cuchillo de vuelta en el bolsillo y a mezclarse con el grupo.

Julia se dirigió a los periodistas.

—De acuerdo, una pregunta a la vez, por favor.

Frustrado, Baker retrocedió hacia la puerta y se deslizó afuera. El juez Stanford no estaría nada complacido.

Durante los siguientes treinta minutos, Julia respondió preguntas lo mejor que pudo. Hasta que finalmente todos se fueron, y ella cerró la puerta con llave y se acostó.

Por la mañana, los canales de televisión y los periódicos presentaban noticias acerca de Julia Stanford.

Tyler leyó los diarios y se puso furioso. Woody y Kendall se reunieron con él para el desayuno.

—¿Qué es todo este disparate sobre una mujer que se hace llamar Julia Stanford? —preguntó Woody.

—Es una impostora —contestó Tyler con desenvoltura—. Ayer vino a casa a reclamar dinero, y yo la eché. No esperaba que recurriera a este juego sucio de la publicidad. Pero no se preocupen, yo me ocuparé de ella.

Llamó por teléfono a Simon Fitzgerald.

—¿Ha visto los periódicos de la mañana? —le preguntó.

—Sí.

—Esa estafadora se ha puesto a recorrer la ciudad alegando ser nuestra hermana.

—¿Quiere que la haga arrestar? —preguntó Fitzgerald.

—¡No! Eso sólo crearía más publicidad. Quiero que la obligue a salir de la ciudad.

—Está bien. Yo me ocuparé, juez Stanford.

—Gracias.

Simon Fitzgerald mandó llamar a Steve Sloane.

—Tenemos un problema —dijo.

Steve asintió.

—Ya lo sé. Oí el noticiario de la mañana y leí los diarios. ¿Quién es ella?

—Por lo visto, alguien que cree que puede sacar partido de la fortuna de la familia. El juez Stanford me sugirió que la hiciéramos abandonar la ciudad. ¿Puedes encargarte de ello?

—Con todo gusto —dijo Steve.

Una hora más tarde, Steve llamaba a la puerta de la habitación del hotel de Julia.

Cuando ella abrió la puerta, y lo vio allí parado, dijo:

—Lo siento. No recibo a más periodistas. Yo...

—No soy periodista. ¿Puedo pasar?

—¿Quién es usted?

—Me llamo Steve Sloane. Trabajo en el estudio jurídico que se ocupa de los bienes de Harry Stanford.

—Ah, bueno. Sí. Pase.

Steve entró en la habitación.

—¿Le dijo usted a la prensa que era Julia Stanford?

—Me temo que me pescaron con la guardia baja. Verá, yo no los esperaba y...

—¿Pero sí les dijo que era la hija de Harry Stanford?

—Sí. Soy su hija.

Él la miró y le dijo, cínicamente.

—Por supuesto, tiene pruebas de ello.

—Bueno, no —dijo Julia en voz baja—. No las tengo.

—Oh, vamos —insistió Steve—. Debe de tener alguna prueba. —Su propósito era hacer que cayera con sus propias mentiras.

—No tengo nada —dijo ella.

Steve la observó, sorprendido. No era como había esperado. Había en ella una franqueza que desarmaba. "Parece inteligente. ¿Cómo pudo ser tan estúpida como para venir y alegar ser hija de Harry Stanford sin tener pruebas?"

—¡Qué pena! —dijo—. El juez Stanford quiere que abandone la ciudad.

Julia abrió los ojos de par en par.

—¿Qué?

—Lo que oyó.

—Pero... no lo entiendo. Todavía no he conocido a mi hermana ni a mi otro hermano.

"De modo que está decidida a seguir con la comedia", pensó Steve.

—Mire, no sé quién es usted, o cuál es su juego, pero podría terminar en la cárcel por esto. Le estamos dando una oportunidad. Lo que usted hace es contra la ley. De usted depende. Puede irse de la ciudad y dejar de molestar a la familia, o podemos hacerla arrestar.

Julia parecía paralizada por la impresión.

—¿Arrestar? Yo... no sé qué decir.

—Es su decisión.

—¿Ellos ni siquiera quieren verme? —preguntó Julia, atontada.

—Eso es quedarse corto.

Julia hizo una inspiración profunda.

—Está bien. Si eso es lo que quieren, regresaré a Kansas. Y le prometo que jamás volverán a tener noticias mías.

"Kansas. Parece que hiciste un viaje muy largo para hacer tu pequeña estafa."

—Me parece muy sensato. —Se quedó allí un momento observándola, desconcertado. —Bueno, adiós.

Ella no contestó.

Steve estaba en la oficina de Simon Fitzgerald.

—¿Viste a la mujer, Steve?

—Sí. Se vuelve a su casa.

—Bien. Se lo diré al juez Stanford. Se mostrará muy complacido.

—¿Sabe qué me molesta, Simon?

—¿Qué?

—El perro no ladró.

—¿Cómo dices?

—Es la historia de Sherlock Holmes. La clave estaba en lo que no sucedió.

—Steve, ¿qué tiene eso que ver con...?

—Ella vino aquí sin ninguna prueba.

Fitzgerald lo miró, intrigado.

—No entiendo. Eso debería haberte convencido.

—Al contrario. ¿Por qué habría de venir aquí desde Kansas, alegar ser la hija de Harry Stanford, y no tener nada con qué respaldar esa afirmación?

—Hay mucha gente chiflada, Steve.

—Pero ella no tiene nada de chiflada. Debería haberla visto. Y también hay otro par de cosas que me molestan, Simon.

—¿Sí?

—El cuerpo de Harry Stanford desapareció. Cuando yo fui a hablar con Dmitri Kaminsky, el único testigo del accidente, también él había desaparecido. Y, de pronto, nadie parece saber adónde está la primera Julia Stanford.

Simon Fitzgerald frunció el entrecejo.

—¿Qué me quieres decir?

—Que está ocurriendo algo que necesita ser explicado —respondió Steve—. Creo que iré a tener otra conversación con esa señora.

Steve Sloane entró en el lobby del Hotel Copley Square y se acercó al empleado de recepción.

—¿Podría llamar, por favor, a la señorita Julia Stanford?

El empleado levantó la vista.

—Lo siento, señor. La señorita Stanford se marchó del hotel.

—¿Dejó alguna dirección?

—No, señor. Me temo que no.

Steve se sintió muy frustrado. No había nada más que podía hacer. "Bueno, tal vez estaba equivocado", pensó con filosofía. "Quizá realmente es una impostora. Ahora no lo sabré jamás." Dio media vuelta y salió a la calle. En ese momento, el portero conducía a una pareja a un taxi.

—Disculpe —le dijo Steve.

El portero lo miró.

—¿Desea un taxi, señor?

—No. Quiero preguntarle algo. ¿Vio usted esta mañana salir del hotel a la señorita Stanford?

—Desde luego que sí. Todo el mundo la miraba. Es toda una celebridad. Yo le conseguí un taxi.

—Y supongo que no sabe adónde se dirigió. —Steve descubrió que contenía la respiración.

—Claro que sí. Yo mismo le dije al conductor adónde llevarla.

—¿Y adónde era eso? —preguntó Steve con impaciencia.

—A la Terminal de los ómnibus Greyhound, en la South Station. Me pareció raro que una persona tan rica como ella fuera...

—Sí, quiero un taxi —lo interrumpió Steve.

Steve entró en la terminal de ómnibus Greyhound y recorrió el lugar con la mirada. No la vio. "Se ha ido", pensó, con desesperación. Por el altoparlante anunciaban la salida de los coches. Oyó que la voz decía: "...y ciudad de Kansas". Corrió hacia la plataforma anunciada.

Julia estaba subiendo al ómnibus.

—¡Un momento! —gritó él.

Ella giró, asombrada.

Steve corrió hacia ella.

—Tengo que hablar con usted.

Julia lo miró, furiosa.

—Yo no tengo nada más que decirle —dijo y giró para irse.

Él la tomó del brazo.

—¡Espere un minuto! De veras, tenemos que hablar.

—Mi ómnibus se va.

—Habrá otro.

—Es que mi valija está a bordo.

Steve se dirigió a un changador.

—Esta mujer está a punto de tener un bebé. Saque enseguida su valija del ómnibus. ¡Apúrese!

El changador miró a Julia, desconcertado.

—Muy bien. —Y abrió el compartimento de equipajes. —¿Cuál es la suya, señora?

Julia miró a Steve, sin entender nada.

—¿Sabe lo que está haciendo?

—No —contestó Steve.

Ella lo observó un momento y luego tomó una decisión. Señaló su valija.

—Es ésa.

El changador la sacó.

—¿Quiere que le consiga una ambulancia o un taxi?

—Gracias. Estaré bien.

Steve levantó la valija y los dos se dirigieron a la salida.

—¿Ya desayunó?

—No tengo apetito —dijo ella con frialdad.

—Será mejor que desayune. No olvide que ahora tendrá que comer por dos.

Desayunaron en Biba's. Julia se encontraba sentada frente a Steve, tensa por la furia.

Cuando terminaron de ordenar, Steve dijo:

—Tengo curiosidad por una cosa. ¿Qué le hizo pensar que podía reclamar parte de la fortuna de los Stanford sin tener pruebas de su identidad?

Ella lo miró, indignada.

—No fui allí a reclamar parte de la fortuna

Stanford. Seguro que mi padre no me dejó nada. Lo que quería era conocer a mi familia. Pero es obvio que ellos no querían conocerme.

—¿No tiene ningún documento... ninguna prueba en absoluto de quién es usted?

Ella pensó en todos los recortes acumulados en su departamento, y sacudió la cabeza.

—No, nada.

—Hay alguien con quien quiero que hable.

—Éste es Simon Fitzgerald. —Vaciló. —Ésta es...

—Julia Stanford.

Fitzgerald dijo, con escepticismo:

—Siéntese, señorita.

Julia se sentó en el borde de una silla, lista para ponerse de pie e irse.

Fitzgerald la observaba con atención. La muchacha tenía los ojos color gris profundo de los Stanford, pero también los tenían millones de otras personas.

—Usted alega ser la hija de Rosemary Nelson.

—Yo no alego nada. Soy la hija de Rosemary Nelson.

—¿Y dónde está su madre?

—Murió hace algunos años.

—Oh, lamento saberlo. ¿Podría hablarnos de ella?

—No —dijo Julia—. Preferiría no hacerlo. —Se puso de pie. —Quiero salir de aquí.

—Mire... estamos tratando de ayudarla —alegó Steve.

Ella lo miró.

—¿Ah, sí? Mi familia no quiere verme. Usted quiere entregarme a la policía. No necesito esa clase de ayuda —dijo y enfiló hacia la puerta.

Steve dijo:

—¡Espere! Si usted es quien dice ser, debe de tener algo que pruebe que es la hija de Harry Stanford.

—Ya le dije que no —dijo Julia—. Mi madre y yo apartamos por completo de nuestras vidas a Harry Stanford.

—¿Qué aspecto tenía su madre? —preguntó Simon Fitzgerald.

—Era hermosa —respondió Julia. Su voz se suavizó. —Era la más hermosa de... —Recordó algo. — Tengo un retrato de ella. —Se quitó un pequeño relicario de oro, con forma de corazón, que llevaba sujeto al cuello, y se lo entregó a Fitzgerald.

Él la miró un momento y después abrió el relicario. De un lado había una fotografía de Harry Stanford, y del otro, una de Rosemary Nelson. La inscripción rezaba: A.R.N., con amor, de H.S. La fecha era 1967.

Simon Fitzgerald se quedó mirando el relicario un buen rato. Cuando levantó la vista, dijo con voz ronca.

—Le debemos una disculpa, querida. —Miró a Steve. —Ésta es Julia Stanford.

CAPÍTULO VEINTISÉIS

KENDALL NO PODÍA SACARSE DE LA CABEZA LA CONVERsación con Peggy. La pobre no parecía capaz de enfrentar la situación por sí sola. ...*Woody lo intenta mucho. De veras que sí. No sabes lo maravilloso que es... ¡Cuánto lo amo!*

"Woody necesita ayuda", pensó Kendall. "Tengo que hacer algo. Es mi hermano. Hablaré con él."

Kendall fue en busca de Clark.

—¿El señor Woodrow está en casa?

—Sí, señora. Creo que se encuentra en su habitación.

—Gracias.

Pensó en la escena ocurrida en la mesa, y en los moretones que Peggy tenía en la cara. "¿Qué ocurrió? Tropecé con una puerta... ¿Cómo pudo ella tolerarlo todo ese tiempo?" Kendall subió y llamó a la puerta del cuarto de Woody. No hubo respuesta.

—¿Woody?

Abrió la puerta y entró. En el cuarto había un fuerte olor a almendras amargas. Kendall permaneció allí de pie un momento, y luego se dirigió al baño. Alcanzaba a ver a Woody por la puerta entreabierta: calentaba heroína sobre un trozo de papel de

302

aluminio. Cuando el polvo comenzó a licuarse, Woody inhaló el humo a través de una pajita que tenía en la boca.

Kendall entró en el baño.

—¿Woody...?

Él le echó una mirada y sonrió.

—¡Hola, hermanita! —Volvió la cabeza e inhaló profundamente.

—¡Por el amor de Dios, deja de hacer eso!

—¡Epa, tranquilízate! ¿Sabes cómo llaman a esto? Perseguir al dragón. ¿Ves el pequeño dragón que se forma en el humo? —Parecía encantado.

—Woody, quiero hablar contigo.

—Por supuesto, hermanita. ¿Qué puedo hacer por ti? Sé que no es un problema de dinero. ¡Somos millonarios! ¿Por qué estás tan deprimida? ¡El sol resplandece en el cielo y es un día hermoso! —Le brillaban los ojos.

Kendall se quedó mirándolo, llena de compasión.

—Woody, estuve hablando con Peggy y ella me contó cómo empezaste a consumir drogas en el hospital.

Él asintió.

—Sí. Es lo mejor que me pasó en la vida.

—No, es lo peor. ¿Tienes idea de lo que estás haciendo con tu vida?

—Por supuesto que sí. ¡La estoy viviendo a fondo, hermanita!

Ella le tomó la mano y le dijo, de corazón:

—Necesitas ayuda.

—¿Yo? Yo no necesito ayuda. ¡Estoy diez puntos!

—No es verdad. Escúchame, Woody. Se trata de tu vida, y no es sólo tuya. Piensa en Peggy. Durante años la has hecho vivir un infierno, y ella lo soportó por lo mucho que te ama. No sólo estás destruyendo tu vida sino también la de ella. Tienes que hacer algo al respecto, Woody, y ahora mismo, antes de que sea demasiado tarde. Lo importante no es cómo comenzaste a consumir drogas sino que logres dejarlas.

La sonrisa desapareció del rostro de Woody. Miró a Kendall a los ojos y empezó a decir algo, pero se detuvo.

—Kendall...

—¿Sí?

Woody se pasó la lengua por los labios.

—Sé que tienes razón. Quiero dejar esto. Lo he intentado. ¡Dios, cómo lo he intentado!, pero no puedo.

—Por supuesto que puedes —dijo ella con vehemencia—. Puedes hacerlo. Ganaremos esta batalla juntos. Peggy y yo te ayudaremos. ¿Quién te proporciona la heroína, Woody?

Él se quedó mirándola, perplejo.

—¡Por Dios! ¿No lo sabes?

Kendall sacudió la cabeza.

—No.

—Peggy.

CAPÍTULO VEINTISIETE

SIMON FITZGERALD OBSERVÓ EL RELICARIO DE ORO DU-
rante un buen rato.

—Yo conocí a su madre, Julia, y le tenía aprecio.
Fue maravillosa con los hijos de Stanford, y ellos la
adoraban.

—También ella los adoraba —dijo Julia—. Solía
hablarme de ellos todo el tiempo.

—Lo que le sucedió a su madre fue terrible. No
puede imaginar el escándalo que provocó. Boston
puede ser una ciudad muy pequeña. Harry Stanford
se portó muy mal, y a su madre no le quedó otra salida que irse. —Sacudió la cabeza. —La vida debe
de haber sido muy difícil para ustedes dos.

—Mamá lo pasó mal. Lo peor fue que creo que
siguió amando a Harry Stanford, a pesar de todo. —
Miró a Steve. —No entiendo qué está ocurriendo.
¿Por qué mi familia no quiere verme?

Los dos hombres se miraron.

—Yo se lo explicaré —dijo Steve y vaciló un instante para tratar de encontrar las palabras adecua-
das—. Hace poco, una mujer se presentó aquí alegando ser Julia Stanford.

—¡Pero eso es imposible! —saltó Julia—. Yo soy...

Steve levantó una mano.

—Ya lo sé. La familia contrató a un detective privado para asegurarse de que fuera la auténtica Julia Stanford.

—Y descubrieron que no lo era.

—No. Descubrieron que sí lo era.

Julia lo miró, confundida.

—¿Qué?

—Ese detective dijo que tenía las impresiones digitales de Julia Stanford, de cuando ella sacó una licencia de conducir en San Francisco cuando tenía diecisiete años, y que esas huellas dactilares eran idénticas a las que le tomó a la mujer que decía llamarse Julia Stanford.

Julia entendía todavía menos que antes.

—Pero yo... yo jamás estuve en California.

—Julia —dijo Fitzgerald—, por lo visto existe una complicada conspiración para obtener parte de los bienes de Stanford. Me temo que usted se encuentra en medio de ella.

—¡No puedo creerlo!

—Quienquiera está detrás de esto no puede permitir que haya cerca dos Julias Stanford.

Steve agregó:

—La única forma en que el plan puede tener éxito es sacarla a usted de en medio.

—Cuando dice "sacarla de en medio"... —Se detuvo, al recordar algo. —¡Oh, no!

—¿Qué sucede? —preguntó Fitzgerald.

—Hace dos noches hablé por teléfono con una amiga que comparte el departamento conmigo, y la encontré histérica. Dijo que un hombre fue a nuestro departamento con un cuchillo y trató de atacarla. ¡Creyó que ella era yo! —Julia casi no podía hablar. —¿Quién... quién está haciendo esto?

—Probablemente, un miembro de la familia —le dijo Steve.

—Pero... ¿por qué?

—Está en juego una gran fortuna, y el testamento será homologado dentro de pocos días.

—¿Qué tiene que ver eso conmigo? Mi padre ni siquiera me reconoció. No pudo haberme dejado nada.

—En realidad —dijo Fitzgerald—, si logramos probar su identidad, su parte de la herencia será de aproximadamente mil millones de dólares.

Julia quedó atónita. Cuando recuperó la voz, dijo:

—¿Mil millones de dólares?

—Así es. Pero otra persona anda detrás de ese dinero. Por eso usted corre peligro.

—Entiendo. —Los miró y empezó a sentir pánico. —¿Qué voy a hacer?

—Le diré lo que no va a hacer —dijo Steve—. No volverá a su hotel. Quiero que permanezca oculta hasta que descubramos qué está pasando.

—Podría volver a Kansas hasta...

—Creo que será mejor que se quede aquí, Julia —aconsejó Fitzgerald—. Ya encontraremos un lugar para esconderla.

—Podría quedarse en mi casa —sugirió Steve—. A nadie se le ocurrirá buscarla allí.

Los dos hombres miraron a Julia.

Ella dudó un momento.

—Bueno... sí. Me parece bien.

—Espléndido.

—Nada de esto ocurriría —dijo Julia, muy despacio— si mi padre no se hubiera caído del yate.

—Bueno, yo no creo que se haya caído —opinó Steve—. Creo que lo empujaron.

Tomaron el ascensor de servicio hasta el garaje ubicado en el subsuelo del edificio y subieron al automóvil de Steve.

—No quiero que nadie la vea —dijo Steve—. Tenemos que mantenerla oculta durante los próximos días.

Cuando avanzaban por la calle State, él preguntó:

—¿Qué tal si almorzamos?

Julia lo miró y sonrió.

—Siempre parece estar alimentándome.

—Conozco un restaurante que está fuera de la zona más transitada. Es una vieja casona en la calle Gloucester. No creo que nadie nos vea allí.

L'Espalier era una casa elegante del siglo XIX, con una de las mejores vistas de Boston. Cuando Steve y Julia entraron, fueron recibidos por el dueño.

—Buenas tardes —dijo—. Acompáñenme, por favor. Tengo una linda mesa para ustedes junto a la ventana.

—Si no le importa —dijo Steve—, preferiríamos una junto a la pared.

El dueño parpadeó.

—¿Contra la pared?

—Sí. Nos gusta la privacidad.

—Desde luego. —Los condujo a una mesa ubicada en un rincón. —Enseguida les mandaré a un camarero. —Miró fijo a Julia un momento, y de pronto su cara se iluminó. —¡Ah, señorita Stanford! Es un placer tenerla aquí. Vi su fotografía en el periódico.

Julia miró a Steve, sin saber qué decir.

Steve exclamó:

—¡Dios mío! ¡Dejamos a los chicos en el auto! ¡Vayamos a buscarlos! —Y, al dueño: —Quisiéramos dos martinis, muy secos. Sin aceitunas. Enseguida volvemos.

—Sí, señor. —El dueño los vio salir de prisa.

—¿Qué estamos haciendo? —preguntó Julia.

—Huyendo de aquí. Lo único que tiene que hacer ese tipo es llamar por teléfono a la prensa, y entonces sí que estaremos metidos en un lío. Iremos a otro lugar.

Encontraron un pequeño restaurante en la calle Dalton, y ordenaron el almuerzo.

Steve la contempló un momento.

—¿Qué se siente al ser una celebridad? —le preguntó.

—Por favor, no haga chistes sobre eso. Me siento terriblemente mal.

—Ya lo sé —dijo él con tono contrito—. Lo siento. —Le resultaba muy fácil y cómodo estar con ella. Pensó en lo grosero que había estado cuando la conoció.

—¿Realmente cree que corro peligro, señor Sloane? —preguntó Julia.

—Llámeme Steve. Sí. Me temo que sí. Pero sólo será por un tiempo. Cuando el testamento sea homologado, sabremos quién está detrás de esto. Mientras tanto, me aseguraré de que esté a salvo.

—Gracias. Lo valoro mucho.

Los dos se miraban fijo, y cuando un camarero que se acercaba vio la expresión de sus caras, decidió no interrumpirlos.

En el auto, Steve preguntó:

—¿Es la primera vez que viene a Boston?

—Sí.

—Es una ciudad interesante. —En ese momento pasaron frente al viejo Edificio John Hancock. Steve le indicó la torre. —¿Ve ese faro?

—Sí.

—Transmite el pronóstico del tiempo.

—¿Cómo es posible que un faro...?

—Me alegra que me lo preguntara. Cuando la luz es de color azul fijo, significa buen tiempo. Si titila, se aproximan nubes. Un rojo fijo significa probabilidad de lluvias, y si titila, lluvia inmediata.

Julia se echó a reír.

Llegaron al puente Harvard. Steve redujo la marcha.

—Este puente une Boston y Cambridge. Tiene una longitud de exactamente 364,4 *smoots* y una oreja.

Julia volvió la cabeza para mirarlo.

—¿Qué?

Steve sonrió.

—Es verdad.

—¿Qué es un *smoot*?

—Un *smoot* es la medida del cuerpo de Oliver Reed Smoot, cuya estatura era de un metro setenta. Todo empezó como una broma, pero cuando la ciudad volvió a construir el puente, conservaron esa

310

medida. El *smoot* se convirtió en una medida de longitud en 1958.

Julia rió.

—¡Es increíble!

Cuando pasaron frente al monumento Bunker Hill, Julia preguntó:

—¿Allí es donde se libró la batalla de Bunker Hill?

—No —respondió Steve.

—¿Qué quiere decir?

—La batalla de Bunker Hill se libró en Breed's Hill.

La casa de Steve estaba ubicada en el sector Newbury Park de Boston, y era un encantador edificio de dos plantas, con muebles cómodos y grabados coloridos colgados en la pared.

—¿Vive aquí solo? —preguntó Julia.

—Sí. Una señora viene dos veces por semana a limpiar la casa. Le diré que no venga los próximos días. No quiero que nadie sepa que usted está aquí.

Julia miró a Steve y le dijo, con afecto:

—Quiero que sepa cuánto agradezco lo que hace por mí.

—No es nada. Venga, le mostraré su dormitorio.

Subieron la escalera y fueron al cuarto de huéspedes.

—Aquí está. Espero que esté cómoda.

—Por supuesto. Es precioso —dijo Julia.

—Compraré algunas provisiones. Por lo general, yo como afuera.

—Yo podría... —empezó a decir ella pero se interrumpió—. Pensándolo bien, será mejor que no. Mi amiga dice que lo que yo cocino es letal.

—Pues yo me doy bastante maña en la cocina —dijo Steve—, y prepararé algo para los dos. —La miró, y añadió en voz baja: —Nunca antes tuve a quién cocinarle. —"Tranquilo, Steve", se dijo. "No te equivoques. No podrías ofrecerle ningún lujo."

—Quiero que se sienta cómoda. Aquí estará completamente a salvo.

Ella lo miró un largo rato y luego sonrió.

—Gracias.

Regresaron a la planta baja.

Steve le indicó con qué podría entretenerse:

—Televisión, videocasetera, radio, reproductor de compact discs... Creo que estará cómoda.

—Es maravilloso. —Ella habría querido decir: *Así me siento contigo.*

—Bueno, si no se le ocurre ninguna otra cosa... —dijo con torpeza.

Julia le dedicó una sonrisa cálida.

—No se me ocurre nada.

—Entonces será mejor que vuelva al estudio. Tengo un montón de preguntas y ninguna respuesta.

Ella lo miró dirigirse a la puerta.

—¿Steve?

Él se volvió.

—¿Sí?

—¿Puedo llamar por teléfono a la amiga con quien comparto el departamento? Debe de estar preocupada.

Él negó con la cabeza.

—Decididamente no. No quiero que haga ningún llamado telefónico ni que salga de casa. Su vida puede depender de ello.

CAPÍTULO VEINTIOCHO

—SOY EL DOCTOR WESTIN. ¿ENTIENDE QUE ESTA CON-
versación será grabada?

—Sí, doctor.

—¿Ahora se siente más tranquila?

—Estoy tranquila, pero también estoy enojada.

—¿Por qué está enojada?

—Yo no debería estar aquí. No estoy loca. Soy
víctima de un complot.

—¿Ah, sí? ¿Y quién lo planeó?

—Tyler Stanford.

—¿El juez Tyler Stanford?

—Sí.

—¿Por qué querría él hacer eso?

—Por dinero.

—¿Usted tiene dinero?

—No. Quiero decir, sí… es decir… podría haberlo tenido. Él me prometió un millón de dólares, un
tapado de visón y alhajas.

—¿Y por qué habría de prometerle eso el juez
Stanford?

—Déjeme empezar por el principio. En realidad
no soy Julia Stanford. Me llamo Margo Posner.

—Cuando vino aquí, insistió en que era Julia
Stanford.

—Olvídelo. En realidad no lo soy. Mire... esto es lo que ocurrió. El juez Stanford me contrató para que me hiciera pasar por su hermana.

—¿Por qué hizo eso?

—Para que yo pudiera obtener una parte de la herencia de su padre y pasársela a él.

—¿Y por hacer eso él le prometió un millón de dólares, un tapado de visón y alhajas?

—Usted no me cree, ¿verdad? Pues bien, puedo probarlo. Él me llevó a Rose Hill, que es donde vive la familia Stanford. Puedo describirle la casa en detalle y contarle muchas cosas sobre la familia.

—Supongo que sabe que las acusaciones que hace son muy graves.

—Ya lo creo que lo sé. Pero supongo que usted no hará nada porque él es juez.

—Se equivoca. Le aseguro que sus acusaciones serán investigadas a fondo.

—¡Fantástico! Quiero que a ese hijo de puta lo encierren como él me hizo encerrar a mí. ¡Quiero salir de aquí!

—Y supongo que entiende que, además de mi examen, dos de mis colegas tendrán que evaluar su estado mental.

—Que lo hagan. Estoy tan cuerda como usted.

—El doctor Gifford vendrá esta tarde, y entonces decidiremos cómo proceder.

—Cuanto antes, mejor. ¡No aguanto este maldito lugar!

Cuando la mucama le llevó a Margo el almuerzo, le dijo:

—Acabo de hablar con el doctor Gifford. Estará aquí dentro de una hora.

—Gracias. —Ella estaba lista para él. Estaba lista para todos ellos. Les diría todo lo que sabía, desde el principio. "Y cuando termine, pensó, lo encerrarán a él y me soltarán a mí." La sola idea la llenó de satisfacción. "¡Seré libre!" Pero, en ese momento, pensó: "¿Libre para qué? Tendré que volver a hacer la calle. Y entonces quizá me cancelarán la libertad condicional y me meterán de nuevo en la cárcel."

Arrojó la bandeja con el almuerzo contra la pared. "¡Malditos! ¡No pueden hacerme esto! Ayer yo valía un millón de dólares, y hoy... ¡Un momento! ¡Un momento!" Una idea se le cruzó de pronto por la mente, y le pareció tan maravillosa que sintió un escalofrío. "¡Dios mío! ¿Qué estoy haciendo? Ya he probado que soy Julia Stanford. Tengo testigos. Toda la familia oyó que Frank Timmons decía que mis impresiones digitales demostraban que yo era Julia Stanford. ¿Para qué demonios quiero volver a ser Margo Posner, cuando puedo ser Julia Stanford? Con razón me tienen encerrada aquí. ¡Debo de haber perdido el juicio!" Tocó el timbre para llamar a la mucama.

Cuando se presentó, Margo le dijo, muy excitada:

—¡Quiero ver al médico ya mismo!

—Ya lo sé. Tiene cita con él dentro de...

—Ahora. ¡Ya mismo!

La mujer observó la expresión de Margo y le dijo:

—Serénese. Iré a buscarlo.

Diez minutos después, el doctor Franz Gifford entró en la habitación de Margo.

—¿Usted pidió verme?

—Sí —respondió ella y sonrió como disculpándose—. Me temo que he estado haciendo un jueguito, doctor.

—¿Ah, sí?

—Sí. Es muy embarazoso. Verá, lo cierto es que estaba muy enojada con mi hermano Tyler y quería castigarlo. Pero ahora me doy cuenta de que me equivocaba. Ya no estoy enojada y quiero volver a mi casa de Rose Hill.

—Leí la transcripción de su entrevista de esta mañana. Usted dijo que se llamaba Margo Posner y que era víctima de un complot...

Margo se echó a reír.

—Me porté muy mal. Sólo lo dije para disgustar a Tyler. No. Yo soy Julia Stanford.

Él la miró.

—¿Puede probarlo?

Ése era el momento que Margo esperaba.

—¡Por supuesto que sí! —dijo con tono triunfal—. Tyler lo probó. Contrató a un detective privado llamado Frank Timmons, quien comparó mis impresiones digitales con las que me tomaron cuando, siendo más joven, saqué un registro para conducir. Son idénticas. Sobre eso no hay ninguna duda.

—¿El detective Frank Timmons, dice usted?

—Así es. Trabaja para la oficina del fiscal de distrito, aquí en Chicago.

Él la observó un momento.

—¿Está segura de lo que dice? ¿Que usted no es Margo Posner sino Julia Stanford?

—Absolutamente segura.

—¿Y que ese detective privado llamado Frank Timmons puede corroborarlo?

Ella sonrió.

—Ya lo ha hecho. Lo único que tiene que hacer

es llamar a la oficina del fiscal de distrito y comunicarse con él.

El doctor Gifford asintió.

—Está bien. Lo haré.

A las diez de la mañana siguiente, el doctor Gifford, acompañado por la enfermera, volvió a la habitación de Margo.

—Buenos días.

—Buenos días, doctor. —Lo miró con ansiedad.

—¿Habló con Frank Timmons?

—Sí. Quiero estar seguro de entender bien esto. ¿Su historia de que el juez Stanford la metió en una suerte de conspiración era falsa?

—Completamente. Lo dije porque quería castigar a mi hermano. Pero ahora todo está aclarado. Estoy lista para volver a casa.

—¿Y Frank Timmons puede probar que usted es Julia Stanford?

—Decididamente, sí.

El doctor Gifford miró a la enfermera y asintió. Ella le hizo señas a otra persona. Un negro alto y flaco entró en la habitación.

Miró a Margo y le dijo:

—Yo soy Frank Timmons. ¿En qué puedo serle útil?

Era un completo desconocido.

CAPÍTULO VEINTINUEVE

EL DESFILE DE MODAS ESTABA SALIENDO BIEN. LAS MO-
delos se movían con gracia por la pasarela y cada
nuevo diseño recibía aplausos entusiastas. El salón
estaba repleto de gente. Todos los asientos estaban
ocupados, y había gente de pie en la parte de atrás.

Algo se movió entre bastidores, y Kendall giró
para ver qué ocurría. Dos policías uniformados
avanzaban hacia ella.

El corazón de Kendall comenzó a latir de prisa.

Uno de los policías dijo:

—¿Es usted Kendall Stanford?

—Sí.

—La arresto por el homicidio de Martha Ryan.

—¡No! —gritó ella—. ¡No fue intencional! ¡Fue
un accidente! ¡Por favor! ¡Por favor! ¡Por favor...!

Kendall despertó llena de pánico y temblando de
pies a cabeza.

Era una pesadilla recurrente. "No puedo seguir
así", pensó. "¡No es posible! Tengo que hacer algo."

Necesitaba desesperadamente hablar con Marc.
De mala gana, él había tenido que volver a Nueva
York.

—Tengo un trabajo, querida —le había dicho—.

318

No me permitirán tomarme más días libres.

—Lo entiendo, Marc. Yo iré para allá dentro de algunos días. Tengo que preparar el desfile.

Kendall viajaba a Nueva York esa tarde, pero sintió que antes debía hacer algo. La conversación con Woody le había resultado muy inquietante. "Lo que hace es echarle la culpa a Peggy de todos sus problemas."

Kendall encontró a Peggy en la terraza.

—Buenos días —le dijo.

—Buenos días.

Kendall se sentó frente a ella.

—Tengo que hablar contigo.

—¿Ah, sí?

Era una situación incómoda.

—Estuve conversando con Woody y lo encontré muy mal. Él... bueno, cree que tú le has estado suministrando la heroína.

—¿Él te dijo eso?

—Sí.

Se hizo un silencio prolongado.

—Bueno, es verdad.

Kendall la miró sin poder creerlo.

—¿Qué? No entiendo. Me dijiste que tratabas de que abandonara las drogas. ¿Por qué querrías que siguiera siendo adicto?

—De veras no lo entiendes, ¿verdad? —Su tono era de resentimiento. —Tú vives en tu mundito de porquería. ¡Pues déjame que te diga algo, señorita diseñadora famosa! Yo era camarera cuando Woody me embarazó. Jamás esperé que Woodrow Stanford se casara conmigo. Y, ¿sabes por qué lo hizo? Para sentirse mejor que su padre. Y bien, Woody se casó conmigo, y todos me trataron como una mierda. Cuando mi hermano Hoop vino para la boda, actuaron como si él fuera una basura.

—Peggy...

—Si quieres que te sea franca, yo quedé pasmada cuando él me dijo que quería casarse conmigo. Yo ni siquiera sabía si el hijo era suyo. Podría haber sido una buena esposa para Woody, pero nadie me dio esa oportunidad. Para ellos, yo seguía siendo una camarera. Yo no perdí el bebé... me hice practicar un aborto. Pensé que entonces Woody se divorciaría de mí, pero no lo hizo. Yo representaba algo así como el símbolo de lo democrático que él era. Te diré una cosa, Kendall... yo no necesito eso. Valgo tanto como tú o como cualquier otra persona.

Cada palabra era un golpe.

—¿Alguna vez quisiste a Woody?

Peggy se encogió de hombros.

—Era apuesto y divertido, pero después de esa rodada durante el partido de polo, todo cambió. En el hospital le dieron drogas, y cuando salió esperaban que dejara de consumirlas. Una noche él estaba muy dolorido, y entonces yo le dije: "Tengo un regalito para ti". Y, después de eso, cada vez que tenía dolor yo le daba su regalito. Muy pronto la necesitaba siempre, tuviera o no dolor. Mi hermano la vende, así que yo podía conseguir toda la heroína que necesitaba. Hice que Woody me la pidiera de rodillas. Y a veces le decía que no me quedaba nada, sólo para verlo traspirar y llorar... ¡Cuánto me necesitaba el señor Woodrow Stanford! ¡Entonces él ya no era tan arrogante! Lo incitaba a que me golpeara, para que después se sintiera culpable y se arrastrara hasta mí con regalos. Como ves, cuando Woody no está drogado, yo no soy nadie. Cuando sí lo está, yo soy la que tiene el poder. Tal vez él sea un Stanford, y yo, sólo una camarera, pero igual lo controlo.

Kendall la miraba fijo, horrorizada.

—Sí, tu hermano ha tratado de dejar las drogas. Cuando las cosas se ponían muy feas, sus amigos lo internaban en un centro de desintoxicación, y entonces yo iba a visitarlo y a observar al gran Stanford sufrir los tormentos del infierno. Y, cada vez que salía, yo lo esperaba con mi regalito. Había llegado el momento de la venganza.

A Kendall le resultaba difícil respirar.

—Eres un monstruo —dijo en voz baja—. Quiero que te vayas de aquí.

—¡Encantada! ¡No veo la hora de irme de este lugar! —Sonrió. —Desde luego, no me iré por nada. ¿Cuánto dinero recibiré?

—Lo que sea —dijo Kendall— será demasiado. Ahora vete de aquí.

—Muy bien. —Y luego agregó, con voz afectada: —Haré que mi abogado llame al de ustedes.

—¿Realmente me va a dejar?

—Sí.

—Eso significa...

—Sé lo que significa, Woody. ¿Tú podrás enfrentarlo?

Él miró a su hermana y sonrió.

—Creo que sí. Sí. Me parece que sí.

—Yo estoy segura de que sí.

Woody respiró hondo.

—Gracias, Kendall. Jamás habría tenido el coraje de librarme de ella.

Kendall sonrió.

—¿Para qué están las hermanas?

Esa tarde, Kendall viajó a Nueva York. El desfile sería una semana después.

El negocio de la indumentaria es el más importante de Nueva York. Una diseñadora de modas exitosa podía tener influencia sobre la economía mundial. Los caprichos de una diseñadora ejercen un vasto impacto, que afecta a los cosechadores de algodón de la India, los tejedores escoceses y los gusanos de seda de la China y de Japón. Tiene efecto sobre la industria de la lana y la de la seda. Los Donna Karans y Calvin Kleins y Ralph Laurens constituyen una importante influencia económica, y Kendall había llegado a esa categoría. Se rumoreaba que estaba por recibir el Premio Coty, el galardón más prestigioso que podía recibir un diseñador.

Kendall Stanford Renaud llevaba una existencia muy atareada. En septiembre revisaba un gran surtido de telas, y en octubre seleccionaba las que quería para sus nuevos modelos. Diciembre y enero estaban dedicados al diseño de nuevas modas, y febrero, a refinarlos. En marzo, estaba lista para presentar su colección de otoño.

Diseños Kendall Stanford estaba ubicado en el número 550 de la Séptima Avenida, y compartía el edificio con Bill Blass y Oscar de la Renta. El siguiente desfile sería en la carpa de Bryant Park, que podía albergar a mil personas sentadas.

Cuando Kendall llegó a su oficina, Nadine le dijo:

—Tengo buenas noticias. ¡Ya no quedan entradas para el desfile!

—Gracias —le dijo Kendall con aire ausente. Tenía la cabeza en otras cosas.

—A propósito, hay una carta para usted sobre su escritorio. La trajo un mensajero.

Esas palabras fueron como un puñetazo para Kendall. Se acercó al escritorio y miró el sobre. El remitente era *Asociación de Protección de la Fauna Silvestre, 3000 Park Avenue, Nueva York, Nueva York.* Se quedó mirándolo un buen rato. No existía el número 3000 de la avenida Park.

Kendall abrió el sobre con manos temblorosas.

Estimada señora Renaud:

Mi Banco suizo me informa que todavía no ha recibido el millón de dólares que mi asociación le solicitó. En vista de su mora, debo informarle que nuestras necesidades se han incrementado a cinco millones de dólares. Si este pago se realiza, prometo que no volveremos a molestarla. Tiene quince días para depositar el dinero en nuestra cuenta. Si no lo hace, lamento informarle que tendremos que ponernos en contacto con las autoridades pertinentes.

No había firma.

Kendall tuvo un ataque de pánico y leía y releía la carta una y otra vez. "¡Cinco millones de dólares! Es imposible", pensó. "Jamás podré juntar todo ese dinero tan rápido. ¡Qué tonta que fui!"

Cuando Marc llegó esa noche a casa, Kendall le mostró la carta.

—¡Cinco millones de dólares! —exclamó—. ¡Es absurdo! ¿Quién creen que eres?

—Saben quién soy —dijo Kendall—. Ese es el problema. Tengo que conseguir dinero pronto. Pero, ¿cómo?

—No lo sé. Supongo que un Banco podría prestarte dinero sobre tu herencia, pero no me gusta la idea de...

—Marc, es mi vida la que está en juego. Nuestras vidas. Trataré de conseguir ese préstamo.

George Meriwether era el vicepresidente a cargo del New York Union Bank. Tenía algo más de sesenta años y había ido escalando posiciones desde su primer empleo como cajero. Era un hombre ambicioso. "Algún día integraré el directorio", pensó, "y, después de eso... ¿quién puede saberlo?" Una secretaria interrumpió sus pensamientos.

—La señorita Kendall Stanford está aquí para verlo.

Meriwether sintió un leve *frisson* de placer. Hacía algunos años que ella era una buena clienta, como diseñadora de éxito, pero ahora era una de las mujeres más ricas del mundo. Durante años él había tratado de conseguir la cuenta de Harry Stanford, sin lograrlo. Y ahora...

—Hágala pasar —dijo.

Cuando Kendall entró en su oficina, Meriwether se puso de pie y la saludó con una sonrisa y un cálido apretón de manos.

—No sabe cuánto me alegro de verla —dijo—. Por favor, tome asiento. ¿Desea un café o algo más fuerte?

—No, gracias —respondió Kendall.

—Quiero ofrecerle mis condolencias por la muerte de su padre. —Su voz tenía la solemnidad del caso.

—Gracias.

—¿Qué puedo hacer por usted? —Sabía lo que ella le diría. Que pensaba entregarle sus miles de millones para que él se los invirtiera...

—Quiero solicitar un préstamo.

Él parpadeó.

—¿Cómo dijo?

—Necesito cinco millones de dólares.

Él pensó con rapidez. "Según los periódicos, su parte de la herencia sería de más de mil millones de dólares. Incluso tomando en cuenta los impuestos..." Sonrió.

—Bueno, no creo que sea problema. Ya sabe que siempre ha sido una de nuestras clientas favoritas. ¿Qué garantía presentaría?

—Soy heredera de los bienes de mi padre.

Él asintió.

—Sí. Ya lo leí.

—Me gustaría que me prestaran el dinero contra mi parte de la herencia.

—Entiendo. ¿El testamento de su padre ya ha sido homologado?

—No, pero lo será muy pronto.

—Muy bien. —Se inclinó hacia adelante. —Desde luego, tendríamos que ver una copia del testamento.

—Sí —dijo Kendall, con ansiedad—. Puedo conseguirla.

—Y tendríamos que conocer la cantidad exacta de su parte de la herencia.

—No conozco la cantidad exacta que eso representa —dijo Kendall.

—Verá, las leyes bancarias son bastante estrictas, y la homologación puede llevar algún tiempo. ¿Por qué no vuelve aquí cuando el testamento haya sido homologado, y yo tendré todo gusto en...?

—Necesito el dinero ahora —dijo Kendall con desesperación. Tuvo ganas de gritar.

—Querida mía, por supuesto que deseamos hacer todo lo posible por complacerla. —Levantó las manos con gesto de impotencia. —Pero, lamentablemente, tenemos las manos atadas hasta que...

Kendall se puso de pie.

—Gracias.

—No bien...

Pero ella ya se había ido.

Cuando Kendall regresó a la oficina, Nadine le dijo, muy excitada:

—Tengo que hablar con usted.

Pero Kendall no estaba de humor para escuchar los problemas de su secretaria.

—¿Qué ocurre? —preguntó.

—Mi marido me llamó hace algunos minutos. Su compañía lo transfiere a París, de modo que me marcho.

—¿Te vas... a París?

Nadine estaba resplandeciente.

—¡Sí! ¿No es maravilloso? Lamentaré dejarla. Pero no se preocupe, me mantendré en contacto con usted.

"De modo que era Nadine. Pero no tengo cómo probarlo. Primero, el tapado de visón, y ahora, París. Con cinco millones de dólares puede darse el lujo de vivir en cualquier parte del mundo. ¿Cómo manejo esto? Si le digo lo que sé, ella lo negará. Y quizá me pedirá más. Marc sabrá qué hacer."

—Nadine...

En ese momento, entró una de las asistentes de Kendall.

—¡Kendall! Tengo que hablarte sobre la colección para bridge. No creo que tengamos suficientes diseños para...

Kendall no podía soportar más.

—Perdóname, no me siento bien. Creo que me iré a casa.

La asistente la miró, sorprendida.

—¡Pero estamos en pleno...!

—Lo siento...

Y Kendall se fue.

Cuando entró en el departamento, lo encontró vacío. Marc trabajaba hasta tarde. Kendall observó todas las cosas lindas que había en la habitación y pensó: "Nunca se detendrán hasta que me saquen todo. Me desangrarán. Marc tenía razón. Debería haber ido a la policía esa noche. Ahora soy una asesina. Tengo que confesar. Ya mismo, mientras tengo el coraje para hacerlo." Y se sentó y se puso a pensar en lo que eso le haría a ella, a Marc y a su familia. Habría titulares siniestros en los medios, y un juicio, y probablemente la cárcel. Sería el fin de su carrera. "Pero yo no puedo seguir así", pensó. "Me volveré loca."

Atontada, se puso de pie y se dirigió al estudio de Marc. Recordó que él guardaba su máquina de escribir en un estante del placard. La bajó y la puso sobre el escritorio. Puso una hoja de papel y comenzó a escribir.

A quien pueda corresponder:
Me llamo Kendall...

Se detuvo. La letra E estaba incompleta.

CAPÍTULO TREINTA

—¿POR QUÉ, MARC? POR EL AMOR DE DIOS, ¿POR QUÉ?
—La voz de Kendall estaba llena de angustia.

—Fue culpa tuya.

—¡No! Ya te dije... fue un accidente. Yo...

—No hablo del accidente, sino de ti. La esposa exitosa, que estaba demasiado ocupada para encontrar tiempo para su marido.

Fue como si él la hubiera abofeteado.

—Eso no es verdad. Yo...

—Sólo pensabas en ti, Kendall. Dondequiera que fuéramos, tú siempre eras las estrella. Y yo debía seguirte como una mascota.

—¡No es justo! —exclamó ella.

—¿No lo es? Tú vas a tus desfiles de modas en todo el mundo para estar segura de que tu fotografía aparezca en los periódicos, y yo tengo que quedarme aquí solo, esperando que vuelvas. ¿Crees que me gustaba que me llamaran "señor Kendall"? Yo quería una esposa. Pero no te preocupes, mi querida Kendall. Me consolaba con otras mujeres mientras tú te encontrabas ausente.

El rostro de Kendall era color ceniza.

—Eran mujeres auténticas, de carne y de sangre, que tenían tiempo para mí, y no una cáscara vacía y artificial.

—¡Basta! —gritó Kendall.

—Cuando me contaste lo del accidente, descubrí la manera de liberarme de ti. ¿Quieres saber algo, querida mía? Disfrutaba al verte sufrir cuando leías esas cartas. Me recompensaba un poco por toda la humillación que tuve que soportar.

—¡Suficiente! Empaca tus cosas y sal de aquí. ¡No quiero verte nunca más!

Marc sonrió.

—Hay muy pocas posibilidades de que lo hagas. A propósito, ¿todavía piensas ir a la policía?

—¡Fuera de aquí! —dijo Kendall—. ¡Vete ya mismo!

—Ya me voy. Creo que volveré a París. Y, querida, yo no diré nada si tú no lo haces. Estás a salvo.

Una hora después, Marc se fue.

A las nueve de la mañana, Kendall llamó por teléfono a Steve Sloane.

—Buenos días, señora Renaud. ¿Qué puedo hacer por usted?

—Esta tarde vuelvo a Boston —respondió Kendall—. Tengo que hacer una confesión.

Sentada frente a Steve, estaba pálida y desencajada. Permaneció allí como paralizada, sin poder empezar.

Steve le dio el pie:

—Me dijo que tenía que confesar algo.

—Sí. Yo... yo maté a una persona —dijo y se

echó a llorar—. Fue un accidente, pero huí. —Su rostro era una máscara de angustia. —Huí... y la dejé allí.

—Cálmese —dijo Steve— y empiece por el principio.

Y Kendall comenzó a hablar.

Treinta minutos más tarde, Steve reflexionaba un momento sobre lo que acababa de oír.

—¿Y usted quiere ir a la policía?

—Sí. Es lo que debería haber hecho en primer lugar. Yo... bueno, ya no me importa lo que puedan hacerme.

—Puesto que usted se entrega voluntariamente y fue un accidente —dijo Steve—, creo que la corte se mostrará indulgente.

Kendall trataba de controlarse.

—Sólo quiero terminar de una vez con esta pesadilla.

—¿Y qué me dice de su marido?

Ella levantó la vista.

—¿Qué pasa con él?

—El chantaje está penado por la ley. Usted tiene el número de la cuenta del Banco suizo donde transfirió el dinero que él le robó. Lo único que tiene que hacer es presentar cargos y...

—¡No! —exclamó ella con vehemencia—. No quiero tener nada más que ver con él. Que siga con su vida. Yo necesito seguir con la mía.

Steve asintió.

—Como usted diga. La acompañaré al departamento de policía. Es posible que tenga que pasar la noche en prisión, pero muy pronto la sacaré bajo fianza.

—Ahora podré hacer algo que no hice jamás.

—¿Qué cosa?

—Diseñar un vestido de rayas.

Esa noche, cuando regresó a su casa, Steve le contó a Julia lo sucedido.

Ella quedó horrorizada.

—¿Su propio marido la chantajeaba? ¡Qué espanto! —Lo miró un largo rato. —Me parece maravilloso que usted se pase la vida ayudando a las personas que están en problemas.

Steve la miró y pensó: *"Yo soy el que ahora está en problemas."*

A Steve Sloane lo despertó el aroma de café recién hecho y de tocino frito. Se incorporó en la cama, sorprendido. "¿La señora que se encargaba de las tareas domésticas había ido esa mañana?" Le había dicho que no fuera. Steve se puso la bata y las pantuflas y se dirigió de prisa a la cocina.

Julia estaba allí, preparando el desayuno. Levantó la vista cuando Steve entró.

—Buenos días —dijo con tono jovial—. ¿Cómo le gustan los huevos?

—Bueno... revueltos.

—Muy bien. Los huevos revueltos y el tocino son mi especialidad. De hecho, mi única especialidad. Ya le dije que soy un horror como cocinera.

Steve sonrió.

—No tiene por qué cocinar. Si quisiera, podría tomar a varios cientos de chefs.

—¿De veras recibiré tanto dinero, Steve?

—Así es. Su parte de la herencia será de más de mil millones de dólares.

A Julia de pronto le resultó difícil tragar.

—¿Mil millones de...? ¡No puedo creerlo!

—Es verdad.

—En el mundo no existe tanto dinero, Steve.

—Lo cierto es que su padre lo tenía casi todo.

—Yo... no sé qué decir.

—¿Entonces yo puedo decir algo?

—Desde luego.

—Los huevos se están quemando.

—¡Lo siento! —Se apresuró a sacarlos del fuego. —Prepararé otra tanda.

—No se moleste. El tocino quemado será suficiente.

Ella se echó a reír.

—De veras, lo lamento.

Steve se acercó a la alacena y sacó una caja de cereales.

—¿Qué le parecería un rico desayuno frío?

—Perfecto —contestó Julia.

Steve sirvió cereales en un bol para cada uno, sacó la leche de la heladera, y los dos se sentaron frente a la mesa de la cocina.

—¿No tiene a nadie que le cocine? —preguntó Julia.

—¿Lo que quiere saber es si tengo novia o algo por el estilo?

Ella se ruborizó.

—Sí, algo así.

—No. Tuve pareja durante dos años, pero no funcionó.

—Lo lamento.

—¿Y usted? —preguntó Steve.

Julia pensó en Henry Wesson.

—No lo creo.

Él la miró, intrigado.

—¿No está segura?

—Es difícil de explicar. Uno de los dos quiere casarse —dijo, con mucho tacto—, y el otro no.

—Entiendo. Cuando esto termine, ¿piensa volver a Kansas?

—Honestamente no lo sé. Me parece tan raro estar aquí... Mi madre me hablaba seguido de Boston. Había nacido aquí y le encantaba. En cierta forma, es como volver a casa. Ojalá hubiera conocido a mi padre.

"No, mejor que no", pensó Steve.

—¿Usted lo conoció?

—No. Él trataba sus asuntos sólo con Simon Fitzgerald.

Se quedaron allí conversando durante más de una hora, y entre ambos se estableció una fácil camaradería. Steve le informó a Julia lo que había sucedido poco antes: la aparición de la desconocida que aseguraba ser Julia Stanford, la tumba vacía y la desaparición de Dmitri Kaminsky.

—¡Qué increíble! —dijo Julia—. ¿Quién podría estar detrás de todo esto?

—No lo sé, pero me propongo averiguarlo —le aseguró Steve—. Mientras tanto, usted estará segura aquí. Muy segura.

Ella sonrió y dijo:

—Sí, me siento segura y protegida. Gracias.

Él empezó a decir algo pero se interrumpió. Miró su reloj.

—Será mejor que me vista y vaya al estudio. Tengo mucho que hacer.

Steve se encontraba reunido con Fitzgerald.

—¿Alguna novedad? —preguntó Fitzgerald.

Steve negó con la cabeza.

—Sólo cortinas de humo. Quienquiera que haya planeado esto es un genio. Estoy tratando de encontrar a Dmitri Kaminsky. Sé que voló de Córcega a París, y de allí a Australia. Hablé con la policía de Sydney. Se sorprendieron muchísimo al enterarse de que Kaminsky estaba en su país. Interpol envió una circular, y lo están buscando. Creo que Harry Stanford firmó su certificado de defunción cuando llamó aquí y dijo que quería cambiar su testamento. Alguien decidió impedírselo. El único testigo de lo que ocurrió esa noche en el yate es Dmitri Kaminsky. Cuando lo encontremos, sabremos mucho más.

—¿No tendríamos que hacer participar a nuestra policía en esto? —sugirió Fitzgerald.

Steve sacudió la cabeza.

—Es todo circunstancial, Simon. El único delito que podemos demostrar es que alguien desenterró un cadáver... y ni siquiera sabemos quién lo hizo.

—¿Y qué me dices del detective que contrataron, y que verificó las huellas dactilares de la mujer?

—Frank Timmons. Le dejé tres mensajes. Si esta tarde a las seis no tengo noticias suyas, tomaré un vuelo a Chicago. El hombre está muy involucrado.

—¿Qué crees que debía pasar con la parte de la herencia que la impostora iba a recibir?

—Algo me dice que quienquiera que planeó esto le hizo firmar un documento por el cual le pasaba su parte. Esa persona probablemente empleó algunas compañías ficticias para ocultarlo. Estoy convencido de que se trata de uno de los miembros de la familia. Creo que podemos eliminar a Kendall como sospechosa. —Le contó a Fitzgerald la conversación que había mantenido con ella. —Si Kendall estuviera detrás de esto, no se me habría presentado con una confesión, al menos no lo habría hecho en este momento. Habría esperado hasta que lo del testamento se arreglara y tuviera el dinero. En lo que concierne a su marido, creo también que podemos eliminar a Marc. Es un chantajista de poca monta. No me parece capaz de haber planeado una cosa así.

—¿Y qué me dices de los otros?

—En lo que respecta al juez Stanford, hablé con un amigo mío que está en la Sociedad de Abogados de Chicago. Mi amigo dice que todo el mundo tiene muy buen concepto de Stanford. De hecho, acaban de nombrarlo juez principal. Tiene otra cosa a su favor: fue el primero en decir que la primera Julia era una impostora, y quien insistió en que se realizara una prueba del ADN. Dudo mucho de que hiciera una cosa como ésta. Woody, en cambio, me interesa mucho. Estoy bastante seguro de que consume drogas, y ese es un hábito muy caro. Verifiqué a su esposa, Peggy. No es suficientemente inteligente para haber trazado este plan. Pero se rumorea que tiene un hermano que no es trigo limpio. Pienso investigarlo.

Steve habló con su secretaria por el intercomunicador:

—Por favor, consígame al teniente Michael Kennedy, de la policía de Boston.

Algunos minutos después, sonó la chicharra.

—El teniente Kennedy está en la línea uno.

Steve levantó el tubo.

—Teniente, gracias por contestar mi llamado. Soy Steve Sloane, del estudio jurídico Renquist, Renquist y Fitzgerald. Estamos tratando de localizar a una persona, por algo que tiene que ver con la herencia de Harry Stanford. Se llama Hoop Malkovich y trabaja en una panadería del Bronx.

—Ningún problema. Volveré a comunicarme con usted.

—Gracias.

Después de almorzar, Simon Fitzgerald pasó por la oficina de Steve.

—¿Cómo va la investigación? —preguntó.

—Demasiado lenta para mi gusto. Quienquiera planeó esto ha cubierto muy bien sus huellas.

—¿Cómo está Julia?

Steve sonrió.

—Maravillosamente bien.

Algo en el tono de su voz hizo que Simon Fitzgerald lo mirara con más atención.

—Es una joven muy atractiva.

—Ya lo sé —dijo Steve con tono nostálgico—. Ya lo sé.

Una hora después, llegó un llamado de Australia.

—¿Señor Sloane?

—Sí.

—Soy el inspector jefe McPhearson, de Sydney.

—Sí, inspector.

—Encontramos a su hombre.

A Steve le dio un brinco el corazón.

—¡Fantástico! Me gustaría disponer su inmediata extradición...

—No creo que haya apuro. Dmitri Kaminsky está muerto.

A Steve se le cayó el alma a los pies.

—¿Qué?

—Hace poco encontramos su cuerpo. Le habían seccionado los dedos y había recibido varios disparos.

"Las pandillas rusas tienen una costumbre bien extraña con los traidores. Primero les cortan los dedos, luego los dejan desangrarse y por último los matan de un tiro."

—Entiendo. Gracias, inspector.

"Punto muerto." Steve se quedó un rato con la vista fija en la pared. Todas sus pistas comenzaban a evaporarse. Se dio cuenta de lo mucho que había contado con el testimonio de Dmitri Kaminsky.

Su secretaria interrumpió sus pensamientos.

—Un señor Timmons lo llama por la línea tres.

Steve consultó su reloj: eran casi las seis de la tarde. Levantó el tubo.

—¿Señor Timmons?

—Sí. Lamento no haber podido contestar sus llamados antes. He estado ausente de la ciudad por dos días. ¿En qué puedo servirlo?

"En mucho", pensó Steve. "Puede decirme cómo

falsificó esas impresiones digitales." Steve eligió cuidadosamente sus palabras.

—Lo llamo con respecto a Julia Stanford. Cuando usted estuvo hace poco en Boston, verificó sus huellas dactilares y...

—Señor Sloane...

—¿Sí?

—Yo jamás estuve en Boston.

Steve hizo una inspiración profunda.

—Señor Timmons, según el registro del Holiday Inn, usted estuvo aquí el...

—Alguien ha utilizado mi nombre.

Steve escuchó, espantado. Era la última pista, y conducía a un punto muerto.

—Supongo que no tiene idea de quién puede haber sido.

—Le confieso que es muy extraño, señor Sloane. Una mujer aseguró que yo estuve en Boston y que podía identificarla como Julia Stanford. Y yo jamás la había visto antes.

Steve sintió que sus esperanzas resurgían.

—¿Sabe quién es?

—Sí. Se llama Posner. Margo Posner.

Steve tomó una lapicera.

—¿Dónde puedo localizarla?

—En el Centro Reed de Salud Mental, en Chicago.

—Muchísimas gracias. Realmente me ha sido de gran utilidad.

—Mantengámonos en contacto. Yo también quisiera saber qué está ocurriendo. No me gusta que la gente se haga pasar por mí.

—De acuerdo. —Steve colgó el tubo. Margo Posner.

Cuando esa noche Steve volvió a su casa, Julia lo esperaba.

—Preparé la cena —le dijo—. Bueno, no es exactamente así. ¿Le gusta la comida china?

Él sonrió.

—¡Me fascina!

—Espléndido. Tengo ocho cartones de comida china.

Cuando Steve entró en el comedor, en la mesa había flores y velas.

—¿Alguna novedad? —preguntó Julia.

Steve le contestó, con cautela:

—Es posible que tengamos la primera pista concreta. Tengo el nombre de una mujer que parece estar envuelta en esto. Mañana por la mañana tomaré un vuelo a Chicago para hablar con ella. Tengo el presentimiento de que mañana tendremos todas las respuestas.

—¡Sería maravilloso! —exclamó Julia—. Me alegraré tanto cuando todo haya terminado.

—Yo también —dijo Steve. "¿O no? Ella realmente pertenecerá a la familia Stanford... y estará por completo fuera de mi alcance."

La cena duró dos horas y, en realidad, ninguno de los dos tuvo conciencia de lo que comía. Hablaron sobre todo y sobre nada, y fue como si se conocieran desde siempre. Se refirieron al pasado y al presente, y tuvieron la precaución de no hablar del futuro. "No hay ningún futuro para nosotros", pensó Steve con pesar.

Por último, y de mala gana, Steve dijo:

—Bueno, será mejor que nos vayamos a la cama.

Ella lo miró con las cejas levantadas, y los dos estallaron en carcajadas.

—Lo que quise decir...

—Sé muy bien lo que quisiste decir. Buenas noches, Steve.

—Buenas noches, Julia.

CAPÍTULO TREINTA Y UNO

A LA MAÑANA SIGUIENTE, TEMPRANO, STEVE ABORDÓ UN vuelo de United a Chicago. Después, tomó un taxi desde el Aeropuerto O'Hare.

—¿Adónde lo llevo? —preguntó el chofer.

—Al Centro Reed de Salud Mental.

El chofer volvió la cabeza y miró a Steve.

—¿Se siente bien?

—Sí. ¿Por qué?

—Sólo preguntaba.

Una vez en Reed, Steve se acercó al guardia de seguridad uniformado que se encontraba en el escritorio de la entrada.

El guardia levantó la vista.

—¿En qué puedo servirlo?

—Quisiera ver a Margo Posner.

—¿Trabaja aquí?

Esa posibilidad no se le había ocurrido a Steve.

—No estoy seguro.

El guardia lo miró con más atención.

—¿No está seguro?

—Lo único que sé es que está aquí.

El hombre abrió un cajón y sacó un registro con una lista de nombres. Al cabo de un momento, dijo:

—No trabaja aquí. ¿Podría tratarse de una paciente?

—No lo sé. Pero es posible.

El guardia volvió a mirar a Steve y luego abrió otro cajón y sacó un impreso de computación. Lo repasó y, en la mitad, se detuvo.

—Posner, Margo.

—Eso es. —Steve se mostró sorprendido. —¿Es una paciente?

—Ajá. ¿Usted es un familiar?

—No...

—Entonces me temo que no podrá verla.

—Tengo que verla —dijo Steve—. Es muy importante.

—Lo lamento. Tengo mis órdenes. A menos que esté autorizado, no puede visitar a ninguno de los pacientes.

—¿Quién está a cargo aquí? —preguntó Steve.

—Yo.

—Me refiero al Centro Reed.

—El doctor Kingsley.

—Quiero verlo.

—Muy bien. —El guardia tomó el teléfono y discó un número. —Doctor Kingsley, le habla Joe, del escritorio de entrada. Aquí hay un caballero que desea verlo. —Miró a Steve. —¿Su nombre?

—Steve Sloane. Soy abogado.

—Steve Sloane. Es un abogado... correcto. —Colgó el tubo y miró a Steve. —Vendrá alguien a conducirlo a su oficina.

Cinco minutos después, Steve entraba en la oficina del doctor Gary Kingsley. Kingsley era un hombre de algo más de cincuenta años, pero parecía mayor y se lo veía agobiado.

—¿Qué puedo hacer por usted, señor Sloane?

—Necesito ver a una paciente de ustedes, Margo Posner.

—Ah, sí. Un caso interesante. ¿Es usted un familiar?

—No, pero investigo un posible homicidio, y es muy importante que hable con ella. Creo que puede ser la clave del caso.

—Lo lamento, pero no puedo ayudarlo.

—Debe hacerlo —dijo Steve—. Es...

—Señor Sloane, no podría ayudarlo aunque quisiera.

—¿Por qué no?

—Porque Margo Posner está incomunicada. Ataca a todo el que se le acerca. Esta mañana trató de matar a una mucama y dos médicos.

—¿Qué?

—No hace más que cambiar de identidad y llamar a gritos a su hermano Tyler y a la tripulación de su yate. La única manera de calmarla es administrarle sedantes muy poderosos.

—Dios mío —dijo Steve—. ¿Tiene alguna idea de cuándo saldrá de eso?

El doctor Kingsley sacudió la cabeza.

—La mantendremos en observación. Tal vez con el tiempo se calme y podamos reevaluar su estado. Hasta entonces...

CAPÍTULO TREINTA Y DOS

A LAS SEIS DE LA MADRUGADA, UNA PATRULLA COSTERA avanzaba por el río Charles, cuando uno de los policías que estaba a bordo divisó un objeto que flotaba en el agua un poco más adelante.

—¡A estribor! —gritó—. Parece un tronco. Recojámoslo antes de que hunda alguna embarcación.

El tronco resultó ser un cuerpo y, todavía más sorprendente, un cuerpo embalsamado.

Los policías lo miraron y dijeron:

—¿Cómo diablos pudo un cadáver embalsamado llegar al río Charles?

El teniente Michael Kennedy hablaba con el forense.

—¿Está seguro?

El forense contestó:

—Absolutamente. Es Harry Stanford. Yo mismo lo embalsamé. Conseguimos una orden de exhumación, y cuando desenterramos el féretro... bueno, ya sabe lo que ocurrió porque se lo informamos a la policía.

—¿Quién solicitó la exhumación del cadáver?

—La familia. Lo hicieron por intermedio de su abogado, Simon Fitzgerald.

—Creo que tendré una charla con el señor Fitzgerald.

Cuando Steve volvió a Boston, de Chicago, se dirigió directamente a la oficina de Simon Fitzgerald.

—Pareces fatigado —dijo éste.

—No fatigado sino derrotado. Estamos en un callejón sin salida, Simon. Teníamos tres pistas posibles: Dmitri Kaminsky, Frank Timmons y Margo Posner. Pues bien, Kaminsky está muerto, el que creíamos Frank Timmons resultó ser alguien que se hacía pasar por él, y Margo Posner está encerrada en un asilo para enfermos mentales. No tenemos nada que...

Por el intercomunicador se oyó la voz de la secretaria de Fitzgerald.

—Está aquí el teniente Kennedy y desea verlo, señor Fitzgerald.

—Hágalo pasar.

Michael Kennedy era un hombre corpulento con ojos que parecían haberlo visto todo.

—¿Señor Fitzgerald?

—Sí. Y éste es Steve Sloane, mi socio. Tengo entendido que ustedes dos han hablado por teléfono. Tome asiento. ¿Qué puedo hacer por usted?

—Acabamos de encontrar el cuerpo de Harry Stanford.

—¿Qué? ¿Adónde?

—Flotando en el Charles. Usted solicitó la exhumación de su cadáver, ¿verdad?

346

—Sí.

—¿Puedo preguntar por qué?

Fitzgerald se lo dijo.

Cuando hubo terminado, Kennedy le preguntó:

—¿Y no tiene idea de quién se hizo pasar por el detective privado Timmons?

—No. Hablé con Timmons, y él tampoco tiene idea —contestó Steve.

Kennedy suspiró.

—Esto se pone cada vez más extraño.

—¿Dónde está ahora el cuerpo de Harry Stanford? —preguntó Steve.

—Por el momento, en la morgue. Espero que no vuelva a desaparecer.

—También yo —dijo Steve—. Debemos hacer una prueba del ADN.

Esa prueba se le realizó también a Julia esa misma tarde, y cuando Perry Winger estudió los resultados preliminares, dijo:

—Parecen coincidir...

Cuando Steve lo llamó para informarle que se había encontrado el cuerpo de su padre, para Tyler fue un verdadero impacto.

—¡Qué terrible! —exclamó—. ¿Quién pudo hacer una cosa así?

—Eso es lo que tratamos de averiguar —le dijo Steve.

Tyler estaba furioso. "¡Ese idiota incompetente de Baker! Me lo pagará. Tengo que solucionar esto antes de que escape de mi control."

—Señor Sloane, como sin duda usted sabe, he sido nombrado juez principal del condado de Cook.

347

Tengo una agenda abarrotada, y me están presionando para que regrese allá. No puedo demorarme mucho más. Le agradecería mucho que hiciera todo lo posible para terminar con la homologación del testamento a la brevedad.

—Ya estuve haciendo averiguaciones esta mañana —le dijo Steve—, y calculo que todo estará listo dentro de tres días.

—Espléndido. Por favor, manténgame informado.

—Lo haré, juez.

Steve estaba en su oficina y repasaba lo sucedido en las últimas semanas. Recordó la conversación que había tenido con el inspector jefe McPhearson.

Encontramos su cuerpo hace un tiempo. Le habían seccionado los dedos y había recibido varios disparos.

"Pero, un momento", pensó Steve. "Hay algo que él no me dijo." Tomó el teléfono y pidió otra comunicación con Australia.

La voz en el otro extremo de la línea dijo:

—Habla el inspector McPhearson.

—Sí, inspector. Olvidé preguntarle algo. Cuando encontró el cuerpo de Dmitri Kaminsky, ¿llevaba algunos papeles encima...? Ajá... sí, muy bien... muchísimas gracias.

Cuando Steve cortó la comunicación, la voz de su secretaria brotó del intercomunicador:

—Tengo al teniente Kennedy en la línea dos.

Steve oprimió una tecla del teléfono.

—Teniente. Lamento haberlo hecho esperar. Tenía una comunicación de larga distancia.

—El Departamento de Policía de Nueva York me proporcionó una información muy interesante sobre Hoop Malkovich. Parece ser un individuo muy astuto.

Steve tomó una lapicera.

—Adelante, lo escucho.

—La policía cree que la panadería donde trabaja es en realidad una pantalla para la venta de drogas. —El teniente hizo una pausa y luego continuó. —Malkovich es probablemente el encargado de venderlas, pero es astuto y todavía no han podido probarle nada.

—¿Alguna otra cosa? —preguntó Steve.

—La policía cree que la operación está vinculada con la mafia francesa que opera desde Marsella. Si me entero de algo más lo llamaré.

—Gracias, teniente. Me ha sido de gran ayuda.

Steve cortó la comunicación y se dirigió a la puerta de la oficina.

Cuando llegó a su casa, Steve llamó:

—¿Julia?

No hubo respuesta.

Comenzó a sentir pánico.

—¡Julia! —"La han secuestrado o la han matado", pensó, y se alarmó muchísimo.

Julia apareció en la parte superior de la escalera.

—¿Steve?

Él respiró hondo.

—Pensé que... —Estaba pálido.

—¿Te sientes bien?

—Sí.

Julia bajó por la escalera.

—¿Te fue bien en Chicago?

Él sacudió la cabeza.

—Me temo que no. —Le contó lo ocurrido. —El jueves se realizará la lectura del testamento, Julia. Y sólo faltan tres días. Quienquiera que esté detrás de esto tiene que librarse de ti antes de eso o su plan no tendrá éxito.

Julia tragó saliva.

—Entiendo. ¿Tienes alguna idea de quién puede ser?

—En realidad... —En ese momento sonó la campanilla del teléfono. —Discúlpame. —Steve levantó el tubo. —Hola.

—Habla el doctor Tichner, de Florida. Lamento no haberlo llamado antes, pero estaba ausente de la ciudad.

—Doctor Tichner, gracias por contestar a mi llamado. Nuestra firma representa los bienes de Stanford.

—¿Qué puedo hacer por usted?

—Lo llamo con respecto a Woodrow Stanford. Tengo entendido que es paciente suyo.

—Así es.

—¿Tiene un problema de drogadicción, doctor?

—Señor Sloane, no me está permitido hablar de mis pacientes.

—Lo entiendo. No se lo pregunto por pura curiosidad. Es muy importante que...

—Me temo que no puedo...

—Pero sí lo internó usted en la clínica del Grupo Harbor en Jupiter, ¿verdad?

Se hizo un largo silencio.

—Sí. Eso se lo puedo decir porque consta en los registros.

—Gracias, doctor. Era todo lo que necesitaba saber.

Steve colgó el tubo y se quedó un momento de pie.

—¡Es increíble!

—¿Qué? —preguntó Julia.

—Siéntate...

Treinta minutos más tarde, Steve estaba en el auto y se dirigía a Rose Hill. Todas las piezas finalmente habían caído en su sitio. Es un hombre brillante. Y casi funcionó. Y todavía podría funcionar si algo le sucediera a Julia, pensó.

Una vez en Rose Hill, Clark le abrió la puerta.

—Buenas tardes, señor Sloane.

—Buenas tardes, Clark. ¿Se encuentra en casa el juez Stanford?

—Está en la biblioteca. Le diré que ha venido.

—Gracias —dijo Steve y vio que Clark se alejaba.

Un minuto después, el mayordomo regresó.

—El juez Stanford lo recibirá ahora.

—Gracias.

Steve se dirigió a la biblioteca.

Tyler se encontraba sentado frente a un tablero de ajedrez y estaba muy concentrado. Levantó la vista cuando entró Steve.

—¿Quería verme?

—Sí. Descubrí quién está detrás de todo esto.

Se hizo un silencio breve. Después, Tyler dijo, muy despacio:

—¿De veras?

—Sí. Me temo que será un golpe para usted. Es su hermano Woody.

Tyler miraba a Steve con azoramiento.

—¿Me está diciendo que Woody es responsable de lo que ha estado ocurriendo?

—Así es.

—Yo... no puedo creerlo.

—Tampoco podía yo, pero todo coincide. Hablé con su médico de Hobe Sound. ¿Sabía que su hermano es drogadicto?

—Bueno, lo sospechaba.

—Las drogas son caras. Woody no trabaja. Necesita dinero, y es obvio que quería una tajada más grande de la herencia. Él fue quien contrató a la falsa Julia, pero cuando usted solicitó una prueba del ADN, tuvo miedo e hizo desaparecer el cuerpo de su padre porque no podía permitir que realizaran esa prueba. Eso fue lo que me dio la pista. Y sospecho que envió a alguien a la ciudad de Kansas para matar a la verdadera Julia. ¿Sabía que Peggy tiene un hermano relacionado con el mundo del narcotráfico? Mientras Julia siga con vida y haya dos Julias, su plan no tendrá éxito.

—¿Está seguro de todo esto?

—Absolutamente. Y hay otra cosa, juez.

—¿Sí?

—Creo que Woody hizo asesinar a su padre. Es probable que el hermano de Peggy se haya ocupado de conseguir que alguien lo hiciera. Dicen que tiene conexiones con la mafia de Marsella. Con toda facilidad ellos pueden haberle pagado a un miembro de la tripulación para que liquidara a Harry Stanford. Esta noche vuelo a Italia para hablar con el capitán del barco.

Tyler lo escuchaba con atención. Cuando habló, le dijo, con tono de aprobación:

352

—Es una buena idea. "El capitán Vacarro no sa-be nada."

—Trataré de estar de vuelta el jueves para la lectura del testamento.

—¿Y qué me dice de Julia? ¿Tiene la certeza de que está a salvo?

—Sí, claro —respondió Steve—. Se hospeda en un lugar donde nadie puede encontrarla. Está en mi casa.

CAPÍTULO TREINTA Y TRES

"LOS DIOSES ESTÁN DE MI PARTE." TYLER NO PODÍA CREER su buena fortuna. Era un golpe increíble de suerte. Steve Sloane había puesto a Julia en sus manos. "Hal Baker es un imbécil incompetente", pensó Tyler. "Esta vez, me ocuparé yo personalmente."

Levantó la vista cuando Clark entró en la habitación.

—Disculpe, juez Stanford. Tiene un llamado telefónico.

Era Keith Percy.

—¿Tyler?

—Sí, Keith.

—Sólo quería ponerte al día con el asunto de Margo Posner.

—¿Sí?

—El doctor Gifford acaba de llamarme. La mujer está loca. Se porta tan mal que han tenido que encerrarla en el pabellón de los violentos.

Tyler sintió un enorme alivio.

—Lamento que sea así.

—De todas formas, quería tranquilizarte y decirte que ella ya no ofrece peligro para ti ni para tu familia.

—Te lo agradezco —dijo Tyler. Y así era.

Tyler fue a su dormitorio y llamó por teléfono a Lee. Pasó bastante tiempo antes de que alguien contestara.

—Hola. —Tyler oyó voces en segundo plano. —¿Lee?

—¿Quién habla?

—Soy Tyler.

—Ah, sí. Tyler.

Alcanzó a oír el entrechocar de copas.

—¿Tienes una fiesta en tu casa, Lee?

—Ajá. ¿Quieres venir?

Tyler se preguntó quién asistiría a esa fiesta.

—Ojalá pudiera. Te llamo para decirte que te prepares para ese viaje del que hablamos.

Lee se echó a reír.

—¿Te refieres al viaje a St.-Tropez en ese enorme yate blanco?

—Así es.

—Sí, claro. Puedo estar listo en cualquier momento —dijo él con tono de burla.

—Lee, hablo en serio.

—Oh, vamos, Tyler. Los jueces no tienen yates. Ahora debo dejarte. Mis invitados me llaman.

—¡Espera un momento! —dijo Tyler con desesperación—. ¿Sabes quién soy?

—Por supuesto, eres...

—Soy Tyler Stanford. Mi padre era Harry Stanford.

Hubo un momento de silencio.

—¿Bromeas?

—No. En este momento estoy en Boston, arreglando todo lo referente a la herencia.

—¡Dios mío! De modo que eres uno de "esos" Stanford. No lo sabía. Lo siento. Oí cosas por los medios, pero no les presté demasiada atención. Jamás pensé que fueras tú.

—Está bien.

—Dijiste en serio que me llevarías a St.-Tropez, ¿verdad?

—Desde luego que sí. Haremos muchas cosas juntos —dijo Tyler—. Eso, si tú quieres.

—¡Por supuesto que quiero! —De pronto, la voz de Lee se llenó de entusiasmo. —Caramba, Tyler, es una noticia maravillosa...

Cuando Tyler cortó la comunicación, sonreía. Todo solucionado con Lee. "Ahora", pensó, "ha llegado el momento de ocuparme de mi hermana."

Fue a la biblioteca, donde estaba la colección de armas de Harry Stanford, abrió la vitrina y sacó un estuche de caoba. De un cajón que había debajo sacó algunas municiones. Se las puso en el bolsillo y llevó el estuche de madera a su dormitorio, cerró la puerta con llave y abrió el estuche. Adentro había un juego de dos revólveres Ruger, los favoritos de Harry Stanford. Tyler sacó uno, lo cargó con cuidado y colocó las balas restantes y el estuche con el otro revólver en un cajón de la cómoda. "Un disparo bastará", pensó. Le habían enseñado a tirar bien en el colegio militar al que su padre lo había mandado. "Gracias, papá."

Luego, Tyler tomó la guía telefónica y buscó la dirección particular de Steve Sloane.

230 calle Newbury, Newbury Park.

Tyler se dirigió al garaje, que alojaba media docena de automóviles. Eligió el Mercedes negro porque le pareció el menos conspicuo. Abrió la puerta del garaje y escuchó para comprobar si el ruido había perturbado a alguien. Pero sólo había silencio.

En el trayecto a la casa de Steve Sloane, Tyler pensó en lo que estaba por hacer. Nunca antes había matado a alguien con sus propias manos. Pero esta vez no tenía otra opción. Julia Stanford era el último obstáculo entre él y sus sueños. Desaparecida ella, sus problemas cesarían. "Para siempre", pensó.

Condujo el auto con cuidado, procurando no atraer la atención. Cuando llegó a la calle Newbury, pasó delante de la casa de Steve y no se detuvo, porque primero quería hacer un reconocimiento del terreno. Había algunos autos estacionados, pero ningún peatón.

Tyler estacionó el Mercedes a una cuadra de distancia y caminó hacia la casa. Apretó el timbre y aguardó.

Oyó la voz de Julia a través de la puerta.

—¿Quién es?

—El juez Stanford.

Julia abrió la puerta y lo miró, sorprendida.

—¿Qué hace aquí? ¿Pasa algo?

—No, nada en absoluto —dijo él con tono indiferente—. Steve Sloane me pidió que hablara con usted y me dijo que estaba aquí. ¿Puedo pasar?

—Sí, por supuesto.

Tyler entró en el hall y vio que Julia cerraba la puerta detrás de él y lo conducía al living.

—Steve no está en casa —dijo ella—. Va camino a San Remo.

—Ya lo sé —dijo él y paseó la vista por el lugar—. ¿Está sola? ¿Con usted no se queda una mucama o alguna otra persona?

—No. Aquí estoy a salvo. ¿Puedo ofrecerle algo?

—No, gracias.

—¿De qué quería hablarme?

—Vine a hablar sobre usted, Julia. Me ha decepcionado.

—¿Decepcionado...?

—Jamás debería haber venido aquí. ¿Realmente creyó que podía presentarse y tratar de cobrar una fortuna que no le pertenece?

Ella lo miró un momento.

—Pero es que tengo derecho a...

—¡No tiene derecho a nada! —saltó Tyler—. ¿Dónde estuvo usted todos esos años en que nuestro padre nos humillaba y nos castigaba? Él hacía lo posible por herirnos en cada oportunidad que se le presentaba. Nos hizo pasar por un infierno. Usted no tuvo que tolerar eso. Pues bien, nosotros sí, y por lo tanto merecemos el dinero, no usted.

—Yo... ¿qué quiere usted que haga?

Tyler soltó una carcajada.

—¿Qué quiero que haga? Nada. Ya lo ha hecho. Casi arruinó todo, ¿lo sabía?

—No entiendo.

—En realidad es muy sencillo. —Sacó el arma.

—Usted desaparecerá.

Ella dio un paso atrás.

—Pero yo...

—No diga nada. No perdamos tiempo. Usted y yo vamos a dar un pequeño paseo.

Julia se tensó.

—¿Y si me niego a ir?

—Ya lo creo que vendrá. Viva o muerta, como prefiera.

En el silencio que siguió, Tyler oyó que su propia voz resonaba en la habitación contigua: *"Ya lo creo que vendrá. Viva o muerta, como prefiera.* Giró sobre sus talones.

—¿Qué...?

Steve Sloane, Simon Fitzgerald, el teniente Kennedy y dos policías uniformados entraron en el living. Steve tenía un grabador en las manos.

El teniente Kennedy dijo:

—Déme el revólver, juez.

Por un instante, Tyler quedó paralizado, y luego forzó una sonrisa.

—Por supuesto. Sólo trataba de asustar a esta mujer para conseguir que se fuera. Como sabrá, es una impostora. —Puso el arma en la mano que le extendía el detective. —Trató de reclamar una parte de la herencia de nuestro padre. Y, como es natural, yo no estaba dispuesto a permitir que se saliera con la suya. De modo que...

—Todo ha terminado, juez —dijo Steve.

—¿De qué habla? Usted me dijo que Woody era responsable de...

—Woody no estaba en condiciones de planear algo tan astuto como esto, y Kendall tenía mucho éxito en su profesión. Así que empecé a investigarlo a usted. Dmitri Kaminsky fue asesinado en Australia, pero la policía australiana encontró su número telefónico en su bolsillo. Usted lo usó para asesinar a su padre. Usted fue quien trajo a Margo Posner y después insistió en que era una impostora, para alejar de usted toda sospecha. Usted fue quien insistió en la prueba del ADN y dispuso que alguien robara el cadáver de su padre. Y usted fue quien llamó a la oficina del fiscal de distrito preguntando por Timmons, y después contrató a un hombre para que se hiciera pasar por él. Usted le pagó a Margo Posner para que simulara ser Julia, y después la hizo encerrar en un hospicio.

Tyler recorrió a todos con la mirada y, cuando habló, su voz sonó peligrosamente calma.

—¿Y ésas son todas las pruebas que tiene? ¡No puedo creerlo! ¿Planeó esta pequeña trampa lamentable basándose en eso? No tiene en realidad ninguna prueba. Mi número de teléfono estaba en el bolsillo de Dmitri porque yo pensé que mi padre podría estar en peligro. Le dije a Dmitri que tuviera cuidado. Es obvio que no fue suficientemente cuidadoso. Quienquiera que mató a mi padre probablemente mató también a Dmitri. Y la policía debería estar buscando a esa persona. Llamé preguntando por Timmons porque quería que él descubriera la verdad. Pero alguien se hizo pasar por él. No tengo idea de quién puede haber sido. Y, a menos que pueda encontrar a ese hombre y relacionarlo conmigo, usted no tiene nada. En lo que respecta a Margo Posner, realmente creí que era nuestra hermana. Cuando de pronto enloqueció, se puso a comprar cosas y amenazó con matarnos a todos, la convencí de que fuera a Chicago. Después, hice que fueran a buscarla y la recluyeran. Quise mantener esto fuera de la prensa para proteger a la familia.

—Pero vino aquí a matarme —dijo Julia.

Tyler sacudió la cabeza.

—No tenía intención de matarla. Usted es una impostora. Sólo quería asustarla y ahuyentarla.

—Miente.

Tyler miró a los otros.

—Hay algo más que deben tomar en cuenta. Cabe la posibilidad de que ningún miembro de la familia esté involucrado en esto. Podría tratarse de una persona conocida o bien informada, alguien que nos envió una impostora y planeaba convencer a la familia de que era la Julia auténtica, para poder después compartir parte de la herencia con ella. Eso no se les ocurrió a ninguno de ustedes, ¿verdad? —Miró a Simon Fitzgerald. —Pienso hacerles juicio a los dos por difamación, y les sacaré todo lo que poseen. Estos son mis testigos. Y antes de que termine con ustedes, desearán no haberme conocido. Tengo miles de millones y los usaré para destruirlos. —Miró a Steve. Le prometo que su último acto como abogado será la lectura del testamento de mi padre. Ahora, a menos que quiera acusarme de portación de un arma no registrada, me iré.

Los del grupo se miraron, sin saber qué hacer.

—¿No? Buenas noches, entonces.

Con impotencia, lo vieron salir por la puerta.

El teniente Kennedy fue el primero en poder hablar.

—¡Por Dios! —dijo—. ¿Pueden creerlo?

—Baladronea —dijo Steve—, pero no podemos probarlo. Tyler tiene razón. Necesitamos pruebas. Pensé que se derrumbaría, pero lo subestimé.

El que habló ahora fue Simon Fitzgerald.

—Parece que nuestro pequeño plan tuvo el efecto contrario. Sin Dmitri Kaminsky o el testimonio de Margo Posner, sólo tenemos sospechas y conjeturas.

—¿Y qué me dicen de la amenaza a mi vida? —protestó Julia.

—Oíste lo que él dijo —señaló Steve—. Que sólo trataba de asustarte porque estaba convencido de que eras una impostora.

—Juro que no sólo trataba de asustarme —dijo Julia—. Pensaba matarme.

—Ya lo sé. Pero no hay nada que podamos hacer. Estamos donde empezamos.

Fitzgerald frunció el entrecejo.

—Es peor que eso, Steve. Tyler dijo en serio que pensaba hacernos juicio. A menos que podamos probar nuestros cargos, estaremos metidos en un buen lío.

Cuando los otros se fueron, Julia le dijo a Steve:

—Lamento tanto todo esto. En cierta forma, me siento responsable. Si yo no hubiera venido...

—No seas tonta —dijo Steve.

—Pero él dijo que iba a arruinarte. ¿Puede hacerlo?

Steve se encogió de hombros.

—Eso está por verse.

Julia vaciló.

—Steve, quisiera ayudarte.

Él la miró, desconcertado.

—¿Qué quieres decir?

—Bueno, yo recibiré muchísimo dinero, y quisiera darte lo suficiente para que tú puedas...

Él le puso las manos sobre los hombros.

—Gracias, Julia. No puedo aceptar tu dinero. Estaré bien.

—Pero...

—No te preocupes.

Ella se estremeció.

—Tyler es un hombre malvado.

—Y tú fuiste muy valiente.

—Dijiste que no había manera de atraparlo, así que pensé que si lo enviabas aquí tal vez lograrías hacerlo.

—Pero parece que nosotros somos los que caímos en la trampa, ¿verdad?

Esa noche, Julia, en la cama, pensaba en Steve y se preguntaba cómo podía protegerlo. "Yo no debería haber venido", pensó. "Pero si no hubiera venido, no lo habría conocido."

En la habitación contigua, Steve, en la cama, pensaba en Julia. Le resultaba frustrante pensar que ella estaba acostada y que sólo una pared delgada los separaba. "¿Qué estoy diciendo? Esa pared tiene un espesor de mil millones de dólares."

Tyler estaba alborozado. Camino a casa, pensaba en lo que acababa de ocurrir y en cómo se había mostrado más listo que ellos. "Son pigmeos que tratan de derribar a un gigante", pensó. Y no tenía idea de que esos mismos pensamientos los había tenido su padre.

Cuando Tyler llegó a Rose Hill, Clark lo recibió.

—Buenas noches, juez Tyler. Espero que se encuentre bien.

—Mejor que nunca, Clark. Mejor que nunca.

—¿Puedo traerle algo?

—Sí. Creo que me gustaría una copa de champagne.

—Desde luego, señor.

Era una celebración, la celebración de su victoria. "Mañana, valdré dos mil millones de dólares." Dijo la frase en voz alta una y otra vez:

—Dos mil millones de dólares... dos mil millones de dólares... —Decidió llamar a Lee.

Esta vez, Lee reconoció enseguida su voz.

—¡Tyler! ¿Cómo estás? —Su tono era afectuoso.

—Muy bien, Lee.

—He estado esperando recibir noticias tuyas.

Tyler se estremeció.

—¿Ah, sí? ¿No te gustaría venir a Boston mañana?

—Por supuesto... pero, ¿para qué?

—Para la lectura del testamento. Heredaré dos mil millones de dólares.

—Dos mil... ¡Qué fantástico!

—Quiero tenerte a mi lado. Elegiremos ese yate juntos.

—¡Oh, Tyler! ¡Me parece maravilloso!

—¿Vendrás, entonces?

—Desde luego que iré.

Cuando Lee colgó el tubo, se quedó repitiendo una y otra vez en voz alta:

—Dos mil millones de dólares... dos mil millones de dólares...

CAPÍTULO TREINTA Y CUATRO

EL DÍA ANTERIOR A LA LECTURA DEL TESTAMENTO, KEN-dall y Woody estaban sentados en la oficina de Steve.

—No entiendo por qué estamos aquí —dijo Woody—. Se supone que la lectura será mañana.

—Hay alguien que quiero que conozcan —les dijo Steve.

—¿Quién?

—La hermana de ustedes.

Los dos se quedaron mirándolo.

—Ya la conocemos —dijo Kendall.

Steve apretó una tecla del intercomunicador.

—¿Puede hacerla pasar, por favor?

Kendall y Woody, intrigados, intercambiaron miradas.

La puerta se abrió y Julia Stanford entró en la oficina.

Steve se puso de pie.

—Esta es Julia, su hermana.

—¿De qué demonios habla? —saltó Woody—. ¿Qué trata de hacer?

—Permítanme que les explique —dijo Steve con mucha calma. Habló durante quince minutos, y cuando terminó, Woody dijo:

—¡Tyler! ¡No puedo creerlo!

—Pues créalo.

—No entiendo. Las impresiones digitales de la otra mujer probaron que era Julia —dijo Woody—. Yo todavía tengo la tarjeta con las huellas.

Steve sintió que el corazón le latía con más fuerza.

—¿De veras?

—Sí. La guardé como una especie de broma.

—Quiero que me haga un favor —dijo Steve.

A las diez de la mañana siguiente, un grupo numeroso se encontraba en la sala de reuniones de Renquist, Renquist y Fitzgerald. Simon Fitzgerald ocupaba la cabecera de la mesa. En el recinto estaban Kendall, Tyler, Woody, Steve y Julia y, además, varios desconocidos.

Fitzgerald les presentó a dos de ellos.

—Estos son William Parker y Patrick Evans. Pertenecen a los estudios jurídicos que representan las Empresas Stanford, y han traído el informe financiero de la compañía. Primero hablaremos del testamento, y luego ellos tomarán a su cargo la reunión.

—Empecemos de una buena vez —dijo Tyler con impaciencia. Estaba sentado lejos de los otros. "No sólo recibiré el dinero, sino que pienso destruirlos a ustedes, hijos de puta."

Simon Fitzgerald asintió.

—Muy bien.

Frente a Fitzgerald había una gran carpeta con el rótulo *Harry Stanford - Última voluntad y testamento*.

—Les daré a cada uno de ustedes una copia del testamento para que no sea necesario detenernos en todos los tecnicismos. Ya les había adelantado que todos los hijos de Harry Stanford heredarían una parte igual de sus bienes.

Julia miró a Steve con expresión pensativa.

"Me alegro por ella", pensó Steve. "Aunque eso la ponga lejos de mi alcance."

Simon Fitzgerald proseguía.

—Hay alrededor de una docena de legados, pero todos muy pequeños.

Tyler pensaba: "Lee estará aquí esta tarde. Quiero ir al aeropuerto a recibirlo."

—Como les informé antes, las Empresas Stanford tienen un activo de aproximadamente cinco mil millones de dólares. —Fitzgerald le hizo una seña con la cabeza a William Parker. —Dejaré que el señor Parker continúe a partir de aquí.

William Parker abrió un maletín y colocó algunos papeles sobre la mesa.

—Como dijo el señor Fitzgerald, el activo es de cinco mil millones de dólares. Sin embargo... —Hubo una pausa significativa. Parker paseó la vista por los presentes. —Las Empresas Stanford tienen deudas que superan los quince mil millones de dólares.

Woody se puso de pie de un salto.

—¿Qué demonios dice?

Tyler tenía la cara color ceniza.

—¿Se trata, acaso de una broma macabra?

—¡Tiene que serlo! —exclamó Kendall con voz ronca.

El señor Parker miró a uno de los otros hombres que había en la sala.

—El señor Leonard Redding pertenece a la Comisión de Valores de los Estados Unidos. Dejaré que él se explique.

Redding asintió.

—Durante los últimos dos años, Harry Stanford estuvo convencido de que las tasas de interés bajarían. En el pasado, había ganado millones apostando precisamente a eso. Cuando los intereses comenzaron a subir, igual pensó que volverían a bajar, y siguió endeudándose con sus apuestas. Tomó préstamos muy importantes para comprar títulos a largo plazo. Pero los intereses subieron, los costos de sus préstamos pegaron un salto, al tiempo que el valor de los títulos caía. Los Bancos aceptaban hacer negocios con él debido a su reputación y a su vasta fortuna, pero cuando Stanford trató de recuperarse de sus pérdidas invirtiendo en valores de alto riesgo, comenzaron a preocuparse. Stanford hizo una serie de inversiones desastrosas. Parte del dinero que tomó prestado estaba prendado por los valores que había comprado con dinero prestado, como garantía de otros préstamos.

—En otras palabras —acotó Evans—, no hacía más que financiar la compra de valores utilizando como garantía los ya adquiridos, vale decir, operando ilegalmente.

—Efectivamente. Por desgracia para él, las tasas de interés experimentaron una de las subidas más espectaculares de la historia financiera, y él tuvo que seguir pidiendo dinero prestado para cubrir el que ya había tomado prestado. Era un círculo vicioso.

Todos estaban inmóviles, pendientes de sus palabras.

—Su padre dio su garantía personal para el plan jubilatorio de la compañía y usó ilegalmente ese dinero para comprar más acciones. Cuando los Bancos comenzaron a cuestionar lo que él hacía, Stanford creó compañías pantalla y proporcionó falsos registros de solvencia y ventas simuladas sobre sus propiedades para acrecentar el valor de sus activos. Cometía fraude. Por último, contaba con que un consorcio de Bancos lo sacara de semejante lío. Pero los Bancos se negaron a hacerlo. Cuando informaron a la Comisión de Valores lo que estaba sucediendo, la Interpol entró en escena.

Redding indicó al hombre que estaba sentado junto a él.

—Éste es el inspector Patou, de la Sureté francesa. Inspector, ¿usted podría explicar el resto, por favor?

El inspector Patou hablaba inglés con un leve acento francés.

—A pedido de la Interpol, rastreamos a Harry Stanford hasta St. Paul de Vence, y yo envié allá a tres detectives para que lo siguieran, pero él logró eludirlos. Interpol había enviado un código verde a todos los departamentos de policía, informando que Harry Stanford estaba bajo sospecha y debía ser vigilado. Si hubieran sabido la importancia de sus delitos, habrían hecho circular un código rojo, o de prioridad uno, y él habría sido arrestado.

Woody se encontraba en estado de shock.

—Por eso nos dejó sus bienes. ¡Porque no existían!

Michael Parker dijo:

—En eso tiene razón. Todos ustedes figuraban en el testamento de su padre porque los Bancos re-

husaron seguir apoyándolo y él sabía que, básica-
mente, no les estaba dejando nada. Pero habló con
René Gautier, del Crédit Lyonnais, quien prometió
ayudarlo. No bien Harry Stanford pensó que era
solvente de nuevo, planeó cambiar el testamento para que ustedes no figuraran en él.

—Pero, ¿y qué me dice del yate, el avión y las
propiedades? —preguntó Kendall.

—Lo siento —respondió Michael Parker—. Todo
se venderá para pagar parte de las deudas.

Tyler estaba mudo. Esa era una pesadilla que
superaba todo lo imaginable. Ya no era más "Tyler
Stanford, multimillonario". Era sólo un juez.

Tyler se puso de pie, estremecido.

—Yo... no sé qué decir. Si no hay nada más... —
Tenía que ir rápido al aeropuerto a recibir a Lee y
tratar de explicarle lo sucedido.

—Sí hay algo más —dijo Steve.

Tyler lo miró.

—¿Qué?

Steve le hizo señas a un hombre que estaba de
pie junto a la puerta. La puerta se abrió, y Hal Baker entró.

—Hola, juez.

La brecha se había abierto cuando Woody le dijo
a Steve que tenía la tarjeta con las impresiones digitales.

—Me gustaría verla —le había dicho Steve.

Woody se sorprendió.

—¿Por qué? Sólo tiene los dos juegos de huellas
dactilares de la muchacha, que eran idénticos. Todos lo verificamos.

—Pero el hombre que se hacía llamar Frank Timmons tomó esas impresiones digitales, ¿no es así?

—Sí.

—Entonces, si tocó la tarjeta, sus impresiones digitales también deben estar allí.

La corazonada de Steve demostró ser acertada. Las impresiones digitales de Hal Baker estaban por todo, y las computadoras tardaron menos de treinta minutos en revelar su identidad. Steve llamó por teléfono al fiscal de distrito de Chicago. Se libró una orden de arresto y dos detectives se presentaron en la casa de Hal Baker.

Él estaba en el jardín, jugando al béisbol con su hijo Billy.

—¿Señor Baker?

—Sí.

Los detectives les mostraron sus insignias.

—El fiscal de distrito quiere hablar con usted.

—No. No puedo. —Estaba indignado.

—¿Puedo preguntar por qué? —dijo uno de los detectives.

—¿No lo ven? ¡Estoy jugando con mi hijo!

El fiscal de distrito había leído la transcripción del juicio a Hal Baker. Miró al hombre que tenía sentado delante y dijo:

—Tengo entendido que es usted un hombre de familia.

—Así es —contestó con orgullo Hal Baker—. De eso se trata este país. Si todas las familias…

—Señor Baker… —Se inclinó hacia adelante. — Usted ha estado trabajando para el juez Stanford.

—No conozco a ningún juez Stanford.

—Permítame que le refresque la memoria. Él le pidió que se hiciera pasar por un detective privado llamado Frank Timmons, y tenemos motivos para creer que también le pidió que matara a Julia Stanford.

—No sé de qué habla.

—Hablo de una sentencia de entre diez y veinte años. Y yo trataré de que sean veinte.

Hal Baker palideció.

—¡No puede hacer eso! Mi esposa e hijos quedarían...

—Exactamente. Por otro lado —dijo el fiscal de distrito—, si usted está dispuesto a proporcionarle pruebas al Estado, yo podría conseguir que la pena fuera mínima.

Hal Baker comenzaba a traspirar.

—¿Qué... qué tengo que hacer?

—Hablar conmigo...

Ahora, en la sala de reuniones de Renquist, Renquist y Fitzgerald, Hal Baker miró a Tyler y dijo:

—¿Cómo está, juez?

Woody levantó la vista y exclamó:

—¡Si es Frank Timmons!

Steve le dijo a Tyler:

—Éste es el hombre al que usted le ordenó entrar en nuestras oficinas para conseguirle una copia del testamento de su padre, desenterrar el cuerpo de su padre y matar a Julia Stanford.

Tyler tardó un momento en recuperar la voz.

—¡Está loco! Es un delincuente convicto. ¡Nadie creerá en su palabra contra la mía!

—No es preciso que nadie le tome la palabra —dijo Steve—. ¿Ha visto antes a este hombre?

—Por supuesto. Fue juzgado en mi sala.

—¿Cómo se llama?

—Se llama... —Tyler se dio cuenta de la trampa. —Quiero decir... lo más probable es que tenga una serie de alias.

—Cuando usted lo juzgó en su sala, se llamaba Hal Baker.

—Bueno, sí.

—Pero cuando vino a Boston, usted lo presentó como Frank Timmons.

Tyler hablaba con dificultad:

—Bueno... yo... yo...

—Hizo que lo pusieran bajo su custodia y lo usó para tratar de probar que Margo Posner era la verdadera Julia.

—¡No! Yo no tuve nada que ver con eso. Nunca vi a esa mujer hasta que se presentó en casa.

Steve miró al teniente Kennedy.

—¿Oyó eso, teniente?

—Sí.

Steve volvió a dirigirse a Tyler.

—Verificamos a Margo Posner. También fue procesada en su juzgado y puesta en su custodia. El fiscal de distrito de Chicago libró esta mañana una orden de registro de su caja fuerte. Hace un rato me llamó para decirme que habían encontrado un documento por el cual Julia Stanford le daba a usted su parte de la herencia de su padre. El documento estaba firmado cinco días antes de que la supuesta

Julia Stanford llegara a Boston.

Tyler respiraba con dificultad y trataba de recuperar la compostura.

—Yo... ¡esto es absurdo!

El teniente Kennedy dijo:

—Debo arrestarlo, juez Stanford, por conspiración para cometer un homicidio. Prepararemos los papeles de extradición para que usted sea enviado de vuelta a Chicago.

Tyler permaneció allí de pie, viendo cómo su mundo se derrumbaba.

—Tiene derecho a permanecer en silencio. Cualquier cosa que diga puede ser usada en su contra en una corte de justicia. Tiene derecho a hablar con un abogado y hacer que esté presente cuando sea interrogado. Si no puede costearse un abogado, se le asignará uno que lo represente antes de interrogarlo, si así lo desea. ¿Ha entendido? —preguntó el teniente Kennedy.

—Sí. —Y, entonces, una sonrisa triunfante comenzó a iluminarle la cara. *Sé cómo derrotarlos*, pensó, muy contento.

—¿Está listo, juez?

Él asintió y dijo, muy sereno:

—Sí, estoy listo. Me gustaría regresar a Rose Hill para recoger mis cosas.

—Está bien. Estos dos policías lo acompañarán.

Tyler volvió la cabeza para mirar a Julia, y en sus ojos había tanto odio que ella se estremeció.

Treinta minutos más tarde, Tyler y los dos policías llegaron a Rose Hill. Entraron en el hall.

—Sólo tardaré unos minutos en empacar —dijo Tyler.

Lo vieron subir por la escalera a su dormitorio. Una vez allí, Tyler se acercó a la cómoda donde estaba el revólver y lo cargó.

El sonido del disparo pareció reverberar para siempre.

CAPÍTULO TREINTA Y CINCO

WOODY Y KENDALL SE ENCONTRABAN SENTADOS EN LA sala de Rose Hill. Media docena de hombres de overol blanco bajaban los cuadros de las paredes y comenzaban a llevarse los muebles.

—Es el fin de una era —dijo Kendall con un suspiro.

—Es el comienzo —dijo Woody y sonrió—. ¡Ojalá pudiera ver la cara de Peggy cuando se entere de en qué consiste la mitad de mi fortuna que le pertenece! —Tomó la mano de su hermana. —¿Estás bien? Me refiero, con respecto a Marc.

Ella asintió.

—Ya se me pasará. De todos modos, estaré muy atareada. Tengo una audiencia preliminar dentro de dos semanas. Después de eso, veremos qué ocurre.

—Estoy seguro de que todo saldrá bien. —Se puso de pie. —Tengo que hacer un llamado muy importante —le dijo Woody. Quería contarle las novedades a Mimi Carson.

—Mimi —dijo Woody con tono de disculpa—. Me temo que tendré que retractarme del negocio que te propuse. Las cosas no han salido como esperaba.

—¿Estás bien, Woody?

—Sí. Por aquí han ocurrido muchas cosas. Peggy y yo hemos terminado.

Se hizo una larga pausa.

—¿Ah, sí? ¿Volverás a Hobe Sound?

—Francamente, no tengo idea de lo que haré.

—¿Woody?

—¿Sí?

Su voz era tierna.

—Regresa, por favor.

Julia y Steve estaban en el patio.

—Lamento el giro que tomaron los acontecimientos —dijo Steve—. Quiero decir, que no vayas a recibir todo ese dinero.

Julia le sonrió.

—En realidad, no necesito cien chefs.

—¿No te decepciona que tu venida aquí haya sido en balde?

Ella lo miró.

—¿Fue en balde, Steve?

Ninguno supo quién tomó la iniciativa, pero lo cierto es que de pronto ella estaba en brazos de Steve y él la sostenía fuerte contra su pecho, y los dos se besaban.

—He querido hacer esto desde la primera vez que te vi.

Julia sacudió la cabeza.

—¡La primera vez que me viste me dijiste que me fuera de la ciudad!

Y Julia pensó en las palabras de Sally: "¿No sabes si él se te declaró?"

—¿Debo tomar esto como una declaración? —preguntó.

Él la apretó más fuerte.

—Ya lo creo que sí. ¿Te casarás conmigo?

—¡Sí!

Kendall salió al patio. Tenía un papel en la mano.

—Yo… acabo de recibir esto por correo.

Steve la miró, preocupado.

—No será otro anónimo, ¿verdad?

—No. ¡Gané el Premio Coty!

Woody, Kendall, Julia y Steve estaban sentados frente a la mesa del comedor. Alrededor de ellos, una serie de peones movían sillas y sillones y se los llevaban.

Steve miró a Woody.

—¿Qué hará ahora?

—Volveré a Hobe Sound. Primero consultaré al doctor Tichner. Después, un amigo me ha ofrecido sus ponis de polo para que los monte.

Kendall miró a Julia.

—¿Piensas volver a Kansas?

"Cuando yo era chica", pensó Julia, "deseaba que alguien me sacara de Kansas y me llevara a un lugar mágico donde yo pudiera encontrar a mi príncipe azul." Tomó la mano de Steve.

—No —respondió—. No volveré a Kansas.

Vieron que dos peones bajaban el enorme retrato de Harry Stanford.

En ese momento, Clark entró en el comedor, con una expresión acongojada en el rostro.

—Disculpen. Acaba de llegar una persona que dice ser Julia Stanford.

Henry Miller

Moloch
o Este mundo pagano

Descubierta en 1988 –junto con *Crazy Cock*– por su biógrafa Mary V. Dearborn, *Moloch* es la primera novela conocida de Henry Miller, su intento más temprano de ficción autobiográfica, forma literaria que fue perfeccionando más tarde. La historia transcurre en los años del primer matrimonio de Miller, cuando trabajaba para la compañía de telégrafos Western Union.

Dion Moloch es un hombre rudo, racista y cruel, lleno de rabia y desesperación. En la cambiante Nueva York de principios de los años 20, vive atrapado en un trabajo degradante y un matrimonio tempestuoso. Moloch busca ansiosamente una salida en las pobladas y heterogéneas calles de Brooklyn, batallando contra el mundo.

Marius Gabriel

Máscaras del Tiempo

Tras el éxito internacional de *El pecado original*– comparado con justicia con lo mejor de Sidney Sheldon– *Marius Gabriel* ha escrito esta nueva y electrizante novela que narra la historia de una cruel traición y sus terribles consecuencias.

Anna Kelly corre al lado de Kate, su madre, apenas se entera de que ésta ha sido salvajemente atacada y se encuentra en coma. Entre las posesiones de su madre, Anna descubre rastros de un pasado oculto que Kate investigaba y que había llegado a obsesionarla. La madeja abarca tres generaciones de la familia en un verdadero laberinto de intrigas, sangre aún fresca y un oscuro secreto que sigue poniendo sus vidas en peligro.